JN011259

森岡正博
Morioka Masahiro

筑摩選書

生まれてこないほうが良かったのか？

生命の哲学へ！

生まれてこないほうが良かったのか?

目次

生まれてこないほうが良かったのか？——生命の哲学へ！

〔凡例〕

註における

森岡正博「×××」（森岡正博編『〇〇〇』二〇一九年、筑摩書房、一〇～三〇頁）、一五頁。

という記載は、『〇〇〇』という本の一〇～三〇頁に「×××」という論文が収録されており、本書で引用したのはその論文の一五頁からであることを示している。

はじめに

二〇〇三年三月、サダム・フセインが統治するイラクは、大量破壊兵器を隠し持っているとの理由で米国から激しい非難を浴びていた。米軍はイラクの隣国クウェートに大規模な戦力を展開し、まさに臨戦態勢にあった。当時、私は自身の英語版ウェブサイトを立ち上げ、海外からのアクセス解析を行なっていた。イラク戦争開戦の迫るある日、中東から検索を通じて届いたアクセスがあった。発信元を調べてみると、クウェート空軍基地であった。検索されていた言葉は、「philosophy of life」。生命の哲学だ。明日出撃するかもしれない兵士が、緊迫した基地の端末から打ち込んだのだろうか。私はこの来訪者の問いかけに正面から答えるような本を書かなくてはならないと思った。

それから一七年の時を経て、私は本書を刊行する。これは、今後長い時間をかけて世に問うていく「生命の哲学」シリーズの第一作である。人間が生まれ、そして死んでいくことにどのような意味があるのか。存在することと、いのちがあることは、どのように違うのか。生命と身体はどのように関係しているのか。いのちあるものが、つねに関わり合いの中でしか生きていけないのはなぜなのか。私たちは、あるときは他のいのちあるものと喜びを分かちあい、またあるときは他のいのちあるものを犠牲にしながら生きていくのだが、それはいったいなぜなのか。これらの問いを、これまでの哲学者たちはどのように考えてきたのか、そして私たちはいまどう考えればいいのか。私は今後の一連の著作で、その全体像をゆっくりとしたペースで浮かび上がらせていきたい。

不思議なことに、現在の哲学界に「生命の哲学」というジャンルは存在していない。「言語の哲学」や「心の哲学」や「歴史の哲学」などはあるのに、「生命の哲学」というものはまだ形成されていないのだ。それに近いものとして「生物学の哲学」があるが、これは生物学の基礎づけに特化している。あるいは「生の哲学」というものがある。ドイツ語では Lebensphilosophie、フランス語では philosophie de la vie と呼ばれる。一九世紀から二〇世紀にかけてヨーロッパで生まれた哲学潮流であり、ショーペンハウアー、ニーチェ、ベルクソンらが著名である。これらの哲学者については本書でも検討していくことになるが、しかし「生の哲学」という名称は、この時期のヨーロッパに現われた哲学的思索のことだけを意味するのが普通なのである。視野を広げて考えてみれば、生命についての哲学的思索が、この時期のヨーロッパだけで深められたはずはない。古代のインド、中国、地中海から始まり、世界のあらゆる場所で延々と思索が積み重ねられてきたのである。そこまで視野を広げて生命の哲学を考える枠組みを、私たちはまだ持っていない。いま「生命の哲学」を構想するならば、それは古代から現代まで、アジアからヨーロッパ・アメリカまで、そしてすべての大陸や諸島までをも包み込む世界哲学の形を取らなければならないはずだ。

最近、ヨーロッパの大学出版社から、世界哲学の枠組みを提唱する図書がいくつか刊行された。[1]日本でもその流れが始まりつつある。[2]「哲学と言えば西洋哲学である」という時代は終わりを迎えつつある。二〇一八年に、私はある小さな国際集会に出席した。参加者たちと話をしていると、これからの哲学者は西洋の哲学だけではなく、非西洋の哲学も語ることができなければならないという話になり、そこにいた全員がそれに賛同した。徐々にではあるけれども、世界の哲学研究と教育はこの方向へと展開していくに違いない。そして私も本書を世界哲学の視野で進めていくつもりである。本書を一瞥すると比較思想史研究のようにも見える。だが私が目指しているのは単なる思想の比較ではない。私が目指しているのは、世界の「生命の哲学」を現代の視点から慎重に吟味し、将来の哲学に向けて、新たな議論の枠組みを提唱することである。すなわち、私がやりたいのは、いまここで創造的な哲学の営みを行なうことである。本書は不完全なものでしかないが、それでもひとつのモデルを示していきたい。「生命の哲学」プロジェクトは様々な可能性に開かれている。私は行けるところまで行くので、さらにそれを超えて多くの人たちに追求していってほしい。

「生命の哲学」がカバーする幅広いテーマの中から、本書ではまずひとつの問いを取り上げて、集中的に考察する。それは「私は生まれてこないほうが良かったのか？」というものである。古来より、この問いは何度も繰り返し問われてきた。「生命の哲学」の中心にある痛切な問いのひとつである。私自身、「生まれてこなければよかった」と思うことはたびたびある。たとえば、私がこれまでの人生で親しい人たちにしてきた様々なことを思い返すたびに、「ああ、こんな私など生まれてこなければよかったのだ」と考えてしまう。あるいは、自分がいずれは死ななくてはならないことに思いを馳せるたびに、「私はなぜ死ななければならない人生へと生まれてきたのだろうか。こんな人生だったら生まれてこなければよかった」と考えてしまう。ふだんはそんなことは忘れているのだけれども、ふとしたときにそれらの考えが私を襲って、不安に陥れる。しかし、もし本当に私が生まれてこなかったとしたら、私の親しい人たちも私と関わりを持つことができなかったことになる。もちろん私は、親しい人たちにつらい思いをさせたことがたくさんあるのだけれども、しかしその逆に、私と関わることによって彼らが幸せや喜びを感じた瞬間もきっとたくさんあったはずである。そしてそれは彼らにとってもうれしい時間だったはずである。もし私が生まれてこなかったとしたら、私が彼らにもたらした苦しみの時間は宇宙に存在しなかったことになるのだが、それと同時に、私が彼らと共有した幸せと喜びの時間もまた宇宙に存在しなかったことになってしまうのだ。

　私が「生まれてこなければよかった」と心の底から思うとき、私は自分が彼らと共有した幸せや喜びの時間もまたなかったことにしたいと願っていることになる。これは、私と過ごすことでほんのひとときであれ幸せや喜びを感じてくれた彼らに対する、一方的でひどい暴力のようにも思われるのだ。「生まれてきたこと」も肯定できず、「生まれてこなければよかった」と思うことも肯定できないとしたら、私はいったいどうしたらいいのか。一つの可能性は、「生まれてこなければよかった」という暗黒をいったんくぐり抜けることによって、その先に「生まれてきて本当によかった」という光明を見ようとする道である。私はそれを「誕生肯定」と呼んで、哲学的に考察してきた。これについては、本書の最後でもういちど戻ってくることにしよう。

「生まれてこなければよかった」という詠嘆は、文学の中でしばしば表現されてきた。日本文学においては、太宰治の「生まれて、すみません」（『二十世紀旗手』）が有名である。『斜陽』には、「ああ、人間の生活って、あんまりみじめ。生れて来ないほうがよかったとみんなが考えているこの現実」との言葉がある。[3]二一世紀の哲学においては、「生まれてこなければよかった」という思想は、広く「反出生主義 anti-natalism」と呼ばれている。反出生主義とは、人間が生まれてくることや、人間を生み出すことを否定する思想である。人間たちがこの世界へと生まれ出てくるのは間違ったことであるから、人間たちが生まれてこないようにしたほうがよいとする考え方である。反出生主義にはいくつかのバリエーションがあり、一言でそれらの思想をまとめることはできない。のちに詳しく検討することになるが、デイヴィッド・ベネターの「誕生害悪論」もその一つである。

ベネターは、人間が生まれてくることは例外なく悪いと主張する。生まれてきた人が、友人や家族に恵まれた人生を送り、仕事が成功して幸せに満ちていたとしても、その人が生まれてきたことは、その人が生まれてこなかったことに比べて悪いのだと言う。そしてベネターは、人類の段階的絶滅を提唱する。自殺によってではなく、人類が徐々に出産をあきらめることによって全体としてこの世から消えていくのが良いというのである。

本書では、反出生主義のうち、自分が生まれてきたことを否定する思想を「誕生否定」と呼び、人間を新たに生み出すことを否定する思想を「出産否定」と呼ぶことにしたい[4]。この二つは密接に結びついているが、私が本書で重点的に検討してみたいのは前者の「誕生否定」の思想についてである。すなわち、「私は生まれてこないほうが良かった」という考え方である。

実は、誕生否定の思想は、文学において、哲学において、宗教において、古代から綿々と説かれ続けてきた。「生まれてこないほうが良かった」は、人類二五〇〇年の歴史をもっているのであり、現代において突然出てきたものではない。本書ではまず、近現代ヨーロッパの文学と哲学、古代ギリシア文学、古代インドの宗教哲学、現代の分析哲学を、独自の視点から読み直していく。それを通して、誕生否定についてこれまで何が語られてきたのか、そしてどのような哲学的な論点が考察されてきたのかを浮かび上がらせる。その営みの中から、「生命の哲学」のひとつの輪郭線を描いてみたい[5]。

それと同時に、生まれてきたことへの肯定的な視線にも目を配っていきたい。さきほど引用した太宰治の『斜陽』には、次の言葉が続けられている。「そうして毎日、朝から晩まで、はかなく何かを待っている。みじめすぎます。生れて来てよかったと、ああ、いのちを、人間を、世の中を、よろこんでみとうございます」[6]。生まれてきてよかったとは、いったい何を意味するのか。一歩一歩階段を登るようにして、その問いに近づいていきたい。

第1章で扱うのはドイツの大作家ゲーテの『ファウスト』だ。そこでは「生まれてこなければよかった」について、何が語られているのだろうか。

第2章では、古代ギリシア文学に鳴り響く「いちばん良いのは、生まれてこないこと」という思想について考察し、それの現代版であるベネターの誕生害悪論の成り立ちについて詳しく調べてみる。

第3章では、ヨーロッパの反出生主義を代表する哲学者であるショーペンハウアーを取り上げ、なぜ「われわれは存在しないほうがよかった」と彼が考えるに至ったのかを掘り下げてみたい。ショーペンハウアーは古代インド哲学に心酔していた。彼はそこに何を見ようとしたのだろうか。

第4章では、古代インドの『ウパニシャッド』の宗教世界を探求し、輪廻する不滅のアートマンの概念と、独在的存在者という形而上学的な謎を浮かび上がらせたいと思う。これは、生まれてくるところの主体はいったい誰なのか、という問いにつながる。

第5章では、ゴータマ・ブッダの哲学を考える。アジアでもっとも反出生主義に近い哲学を打ち出したのは、ほかならぬブッダの原始仏教である。ブッダは、二度とどこへも生まれないことを究極の目標として修行した。それはこの世において大いなる安らぎに至ろうとする道でもあった。古代ギリシアとは異なるタイプのその哲学から、私たちは貴重な発想を取り出すことができる。

第6章は、生の哲学者ニーチェについてである。ニーチェはショーペンハウアーから大きな影響を受けながらも、その正反対の道を進み、どうすればこの生に向かって「イエス！」と言うことができるかを、とことん追い詰めた。彼が晩年に至った境地は、「永遠回帰」、「運命愛」、「生成の無垢」だ。私の言葉で言えば「誕生肯定」である。しかしニーチェはあきらかに行き過ぎてしまった。ニーチェから学ぶべきもの、捨て去らないといけないものは何なのかを考える。

第7章では、ここまで検討してきた誕生の否定と肯定についての哲学思想を振り返り、分析哲学的な手法で、私自身の考え方を打ち出していく。まずベネターの反出生主義のどこが間違いなのかを、「生成」の視点から考える。次いで、子どもを産むことの是非についてヨーナスとワインバーグの考え方を検討する。そして、私の言う「誕生肯定」の概念をきちんとした形で示す。最後に、「生命の哲学」の将来についての見通しを与える。

本書は、世界の「生命の哲学」を、古代から現代まで、ヨーロッパからアジアまで行きつ戻りつしながら考究していくものである。文学作品を入り口として、だんだんと哲学思想へ歩みを進めていく。思想史的な手法と分析的な手法のあいだを縫いながら探求する。極端な考え方にたくさん出会うかもしれないけれども、第7章でそれらすべてに最終的な形が与えられるので、読み進めていただければ幸いである。

＊以下、「生まれてこないほうが良かった」という文章と、「生まれてこなければよかった」という文章の両方を使っていくが、当分のあいだは、この二つは同じ意味のものだと考えてもらってよい。その意味の違いについては、第7章で詳しく述べることにする。

1――Daniel Bonevac and Stephen Phillips (eds.), *Introduction to World Philosophy: A Multicultural Reader*, Oxford University Press, 2009. Jay L. Garfield and William Edelglass (eds.), *The Oxford Handbook of World Philosophy*, Oxford University Press, 2011 など。

2――伊藤邦武、山内志朗、中島隆博、納富信留（責任編集）『世界哲学史1〜8』ちくま新書、二〇二〇年。

3――太宰治『斜陽　人間失格　桜桃　走れメロス　外七篇』文春文庫、二〇〇〇年、一〇五頁。

4――客観的な視点で、人間が生まれてきたこと一般を否定する思想をも、本書では誕生否定と呼んでおく。本来は、自分が生まれてきたことと、人間が生まれてきたことは区別すべきである。

5――本書は、二〇一四〜一五年にわたって、反出生主義の思想史について雑誌『ちくま』に一五回連載されたエッセイ「生命の哲学へ！」が元になっている。ゲーテ、ベネター、ショーペンハウアー、ウパニシャッドを検討したところで、私が東京に転勤することとなり、連載は中断された。それ以降の数年間で、連載に大量の加筆修正を行ない、本書が出来上がった。実は、本書によく似た視点から反出生主義の思想史を概観したものとして、ケン・コーツの『反出生主義――ブッダからベネターに至る拒否主義哲学』（Ken Coates, *Anti-Natalism: Rejectionist Philosophy From Buddhism to Benatar*, First Edition Design Publishing, 2014）がある。ケン・コーツは、ラメシュ・ミシュラ（Ramesh Mishra）のペンネームである。インド生まれで、刊行時にはトロントのヨーク大学名誉教授であったが、二〇一五年に逝去した。ベネターが前文を寄せており、ミシュラは哲学の専門家ではないがこの本は並の哲学者が書いたものよりも良いと書いている。コーツが扱うのは、ヒンドゥー教、仏教、ショーペンハウアー、エドゥアルト・フォン＝ハルトマン、ツァプファ、ベネター、ベケット、サルトルらである。コーツの本を、私は本書執筆の最終段階の二〇二〇年に知った。扱う哲学者や作家たちは本書とオーバーラップしているが、二著の中身はずいぶん異なったものとなっている。関心のある読者は、彼の本を読んでみてほしい。以下、関連書を紹介する。ホラー作家トマス・リゴッティの長大なエッセイ『人類に対する陰謀──恐怖の計略』（Thomas Ligotti, *The Conspiracy against the Human Race: A Contrivance of Horror*, Penguin Books, 2010, 2018）は、ツァプファの思想に依拠しながら、反出生主義や死への誘因などについて考察されたものである。ベネター、ショーペンハウアー、仏教などへの言及が見られる。このほか、アマチュア作家による出版もある。主婦と称するサラ・ペリーの『すべての揺りかごは墓場─誕生と自殺の倫理を再考する』（Sarah Perry, *Every Cradle is a Grave: Rethinking the Ethics of Birth and Suicide*, Nine-Banded Books, 2014）は、出産と自殺を反出生主義の視点から語るものである。本の表紙にはキヴォキアン医師の絵が使われているので、内容はおのずと推測できるであろう。詩人と称するジム・クロフォードの『反出生主義者の告白』（Jim Crawford, *Confessions of an Antinatalist*, Nine-Banded Books, 2010, 2014）は、ベネター、仏教などを扱っている。日本においては、加藤秀一『〈個〉からはじめる生命論』（日本放送出版協会、二〇〇七年）が圧倒的に早い段階で反出生主義を扱っており、注目される。序章の書き出しは「「私なんか生まれない方がよかった」──それは……最も深い自己否定の感情を表わす言葉である」となっている（一二頁）。加藤は、「「生まれない方がよかった」と陰鬱につぶやくことも、「生まれてきてよかった」と明るく謳うことも、どちらも無意味である」と言う（一九～二〇頁）。

6──太宰治『斜陽　人間失格　桜桃　走れメロス　外七篇』一〇六頁。

第1章

「おまえは生きなければならない!」

1　メフィストと「否定する精神」

「私は生まれてこなければよかった」という誕生否定の思想を、まずは文学作品に見てみよう。このテーマをもっとも劇的に表現したものとして、ゲーテの『ファウスト』がある。そこでは、誕生否定から、生きることの肯定へと至る道筋が劇的に描かれている。

『ファウスト』は、この世の知をきわめた老ファウスト博士の嘆きから始まる。彼は哲学、法学、医学、神学を研究し尽くしたのに、自分がこの世に生きることの意味を手に入れることができない。そこへ悪魔メフィストフェレス（以下、メフィスト）がやってきて、ファウストにこの世で最高の瞬間を味わわせることと引き替えに魂をもらう提案をし、ファウストはその賭けを受け入れる。第一部で、若返りを果たしたファウストは少女グレートヒェンと恋に落ちるが、運命のいたずらによって彼女を死に至らしめてしまう。第二部で、ファウストは美女ヘレナと恋をして、世俗権力のトップに上り詰め、最高の瞬間を夢想しながら息を引き取る。そのとき天上のグレートヒェンらがファウストの魂を引き上げて救済する。

現代の目から見れば、これは自分勝手な男性が、献身的な女性によって救済されるという噴飯ものの物語であると言えよう。しかしながら、この作品にはその難点を補ってあまりある誕生の否定と生の肯定の壮大なドラマが描かれている。物語第一部は一直線に進むシェイクスピア風の正統派悲劇であり、第二部は一転して円環状に歩む生命の海の物語である。この荒海のなかで、いかにして自分が生まれてきたことを肯定できるのかというのが、ファウストの問いなのであった。

メフィストがはじめてファウストの前に現われたとき、彼は次のような自己紹介をする。


メフィスト　常に悪を欲し、かえって常に善をなすあの力の一部です。

ファウスト　そのなぞめいたことばの意味は？

メフィスト　私は常に否定する精神です！

それも至当です。なにゆえなら、生起するいっさいのものはほろびるにあたいするのですから。

してみれば、なにも生起せねば一だんとよかったでしょうに。

そこで、あなたがたが罪悪だ破壊だと呼ぶもの、
つづめて言えば、悪とお呼びになるいっさいのものが、
私の本来の成分です。[1]

メフィストはみずからを「悪」と規定する。それは「常に否定する精神」である。そして、誕生するものはすべて滅びるべきなのであり、そもそも「何も生まれてこなければよかったのだ

besser wär's, daß nichts entstünde」というのである。ここにおいて、メフィストの口から、誕生否定の哲学の根本形式が語られていることに注目しなければならない。誕生否定への入り口は「すべての生まれたものよ滅びてしまえ」であり、誕生否定の行き着くところは「何も生まれてこないのがいちばんよかった」である。これがメフィスト的な悪の本質である。[2]

ファウストはメフィストと賭けをする。

ファウスト　わしが瞬間に向かって、
とどまれ、おまえは実に美しい！　と言ったら、
きみはわしを縛りあげてよい。
その時はわしは喜んで滅びよう！[3]

「とどまれ、おまえは実に美しい！」とは、生きる意味を見失っていたファウストが、「いつの日か生きることを肯定できるような最高にすばらしい瞬間を体験できたとしたらどんなにかいいだろう」と思って発した言葉である。すなわちこれは、生きる意味を見失っていた時点における、ファウストの生の肯定への希求を表現した言葉である。『ファウスト』とは、「誕生否定」と「生の肯定」の両極を最大の振り幅として織りなされる、生命の哲学の物語である。

2 「おまえは生きなければならない！」

ファウストはメフィストの手引きによって若さを手に入れ、グレートヒェンと恋に落ちるが、過って彼女の兄を殺害する。グレートヒェンもまた思い違いから自分の母親を殺害し、ファウストとのあいだに生まれた子を殺害し、捕らえられて処刑を宣告され、牢屋に入る。ファウストはグレートヒェンを助けようと忍んでくるが、彼女はすでに狂気に陥っており、救い出そうとするファウストを拒む。グレートヒェンの「朝になるのね！　最後の日が来たわ。わたしの婚礼の日になるはずでしたわ！」という言葉を聞いてファウストは叫ぶ。

ファウスト　ああ、わたしは生まれて来なければよかったのに！[4]

この表現、「わたしは生まれてこなければよかったのに！ wär' ich nie geboren!」は、メフィストの誕生否定の根本形式「何も生まれてこなければよかったのだ」をファウストが真正面から受け止めて、自分自身に当てはめたものである。「こんなことになるのだったら、わたしは生まれてこなければよかった」とは、この世に人間が生まれることに関する、もっとも深い絶望を表現した言葉であろう。ファウストはこの地点において、いったん人生のどん底にまで落ちる。ここに、

『ファウスト』の最底辺が設定される。いかにすれば生きることの肯定に向けてここから這い上がることができるのか。以降のファウストの物語は、この問いをめぐって進んでいくことになるのだ。

注目すべきことに、『ファウスト』第一部でもっとも感動的な言葉が、この次にファウストの口から発せられる。メフィストの気配を感じて怖がるグレートヒェンに向かって、ファウストは叫ぶ。

ファウスト　おまえは生きなければならない[5]！

この「おまえは生きなければならない！ Du sollst leben!」こそ、この世で生きる意味を見失い、みずから人生のどん底にまで落ちて「生まれてこなければよかった！」と叫ぶファウストが、恋する女性に対して、それも処刑が目前の朝に迫った女性に対して発した渾身の言葉なのである。真に生きるべきなのは魂を悪魔に売って生きる意味を獲得しようとした自分ではなく、社会規範に逆らってまでしてもファウストへの直線的な愛を貫こうとしたグレートヒェンであるとする直観がその背後にある。そしてファウストが叫んだ直後に、天からグレートヒェンに向かって「救われた！」という声がする。

グレートヒェンの魂の救済に向けて最後の一押しをしたのは、「おまえは生きなければならない！」と叫んだファウストの言葉である。誕生の否定にかられ、絶望のどん底に腰まで沈むファウストが、「おまえは生きなければならない！」とグレートヒェンを両腕で天に向かって持ち上げ、その持ち上げられたグレートヒェンに向かって、天から「救われた！」という救済の声が降りてきたのである。ゲーテはこのようなドラマを『ファウスト』において描こうとしている。

3　救済されたファウストの魂

第二部で古代世界を遍歴したファウストは盲目の老領主となる。メフィストの子分たちは、やがて死ぬであろうファウストの墓を掘る。ファウストはその墓掘りの音を、領地の人々による開拓の槌音だと勘違いしておおいに喜び、そして言う。

ファウスト　わしもそういう人の群れを見て、
自由な土地に自由な民とともに立ちたい。
その時は、瞬間に向かってこう言ってよいだろう、
とどまれ、おまえは実に美しい！　と。
わしの地上の日のあとは
永劫ほろぶことはありえない。――

そういう高い幸福を予感して
わしはいま最高の瞬間を味わうのだ。[6]

この箇所は慎重に読まなければならない。ファウストは、開拓に向けて力強く進んでいく人々の槌音を聞きながら、自分も彼らとともに立つときのことを夢想する。もしそれができたとしたならば、瞬間に向かって、「とどまれ、おまえは実に美しい！」と言うであろう。そういう時の来ることを予感しながら、自分はいまここで最高の瞬間を味わうのだとファウストは言っている。ファウストは、瞬間に向かって「とどまれ、おまえは実に美しい！」と実際には言っていない。その時点は、まだ到来していない。それが到来することを予感し、夢想しながら、いまここで、「最高の瞬間を味わうのだ」と言ったのである。ファウストは、「とどまれ、おまえは実に美しい！」という形で達成される〈現状凍結型〉の生の肯定が自分自身に実際に訪れる必要がもはやないことを、はっきりと理解している。なぜなら、そのような瞬間が来るかもしれないと予感できるような人生を実際に送ってきたという事実、それによって自分の人生はすでに全体として肯定されており、その肯定は完了しているからである。ファウストはここに至って、メフィストとの賭けがもはや完全に無意味になってしまったと理解したのだ。[7]

しかしメフィストは、ファウストが「とどまれ、おまえは実に美しい！」と実際に言ったと勘違いし、昏倒したファウストから魂を奪い去ろうとする。だがメフィストの理解は勘違いであるから、メフィストは魂を取り出すことができず、天から降りてきた天使たちによってファウストの魂を横取りされるのである。天使の列に連なったグレートヒェンは、ファウストの魂が到着するのを待ち構え、魂の浄化を助ける。終幕の言葉は「永遠の女性がわれらを引きあげて行く」である。[8]

第一部の最後においてファウストの助力によって救済されたグレートヒェンの魂が、第二部の最後においてファウストの魂を救済するものの列に加わるという構造がある。時系列として見れば、ファウストが発した「おまえは生きなければならない！」という生の肯定の叫びがまずグレートヒェンを救済し、次いでそのグレートヒェンが天で待ち構えていてファウストを救済するという順序になっている。ファウストは自力で救済されたのでもなく、天からの恩寵のみによって救済されたのでもない。ファウストを救済した動因は、ほかならぬファウスト自身によって叫ばれた「おまえは生きなければならない！」という生の肯定の声である。[9] しかしその声は、ファウストの身勝手に振り回されて自身の母を殺し、子を殺し、牢屋で狂気となり処刑を目前に控えた女性に向かって発せられたものだった。

『ファウスト』は、恐るべき闇を内に秘めた作品である。「わたしは生まれて来なければよかった」と叫んで、絶望のどん底に突き落とされた人間が、最後には「時よとどまれ、おまえは実に美しい」と言える幸福を予感しつつ死に至る道筋を描いているのだが、それと同時に、そういう男の人生の肯定のためにあるときは絶望の果てに突き落とされ、あるときは天上で男を救済するために待っているという、男にとって極端に都合の良い女の姿をも描いているのである。[10] しかしそれでもなお、ファウストの発した「おまえは生きなければならない！」という言葉には、後に天上で自分を浄化してくれるはずの女にいま地獄に落ちてもらっては困るという自己中心的発想だけから発せられたのではない力強さがある。この言葉を叫んだときに、ファウストもまたどん底にいた。これは、誕生否定の最底辺にいたファウストから、同じく絶望のどん底にいたグレートヒェンに向かって、私利私欲なしに発せられた言葉だったのだと私は考えてみたい。たしかに生まれてこなければよかったのかもしれないけれども、それでもいったん生まれてしまったからには、「おまえは生きなければならない！」。押しつけがましくはあるが、ここにゲーテの希望の思想が凝縮されているように思われるのである。

4　『ファウスト』と誕生否定

『ファウスト』において語られた誕生否定について、さらに考察してみよう。そこでは、二通りの否定の言葉が語られていた。ひとつはファウストによるもので、「こんなことになるのだったら、わたしは生まれてこなければよかった」という意味の言葉である。もうひとつはメフィストによるもので、「そもそも何も生まれてこなければよかったのだ」という意味の言葉である。ゲーテはおそらく直観的にこの二つを使い分けている。哲学的に見たとき、この二つのあいだには決定的な違いがある。

ファウストの「こんなことになるのだったら、わたしは生まれてこなければよかった」は、もっぱら自分自身の現状について語られたものである。「私の人生がこのような内容のものになるのであったなら、私は生まれてこなければよかった」というふうに、ある具体的な内容を持った人生へと誕生してくることそれ自体を否定したいというのである。またこの言葉は、「もしわたしがまったく異なった内容の人生を生きることができたとしたら、わたしはその別の人生を生きてみたかった」という願望としても解釈可能である。[11] そうした場合、私は自分自身の誕生以前の無を願望しているのではなく、現状とはまったく異なったもうひとつの人生を生きてみたいと願望していることになる。

ファウストの言葉をもう一段否定的なものにしてみよう。するとそれは、「たとえどんな人生が開けるとしても、わたしは生まれてこなければよかった」というものになる。たとえ私がどんな素晴らしい人生を送ることができたとしても、やはり私は生まれてこなければよかったというのである。人生の具体的な内実の幸不幸とは無関係に、私という存在者はそもそもこの世に生まれてこないほうがよかったというのだ。『ファウスト』においてはこのような考え方は明示的には表われていない。しかし論理的にはあり得る考え方である。もちろんその先には、私も含めたすべての人間は生まれてこないほうが良かったという考え方が待ち構えている。そもそも人間が人間を生み出し続けてきたことそれ自体がまちがっていたというわけである。

以上の考え方に対して、メフィストの「そもそも何も生まれてこなければよかったのだ」は、さらに悪性度の高いことを言おうとしている。この言葉は、単に私の存在や人々の存在についてだけ言っているのではなく、この世に生成してくるすべてのものについて言っているのである。私をも含めたすべての被造物は、この世に一切生まれ出てこなければよかったというのである。全宇宙は完全な無のままであればよかったというのである。そもそもの初めから、何も生まれない、何も出来事が起きない、すべてにおいて何も存在しない、そういうふうになっているべきだったというのだ。したがって、現状とは異なる内容を持った宇宙ならば存在してもよかった、などという生ぬるいことは意味されない。たとえどんな内容を持った宇宙であれ、そもそもまったく存在しないほうが良かったというのである。この考え方は、神による世界の創造というものそれ自体が、最初からまったくなければよかったという思想につながるものである。ゲーテは、本物の悪を、このようなものとして見定めている。

　私たちが「生まれてこなければよかった」と言うとき、私たちはどのくらいの深さでそれを語っているのだろうか。ある者は、自分の人生に対する悔恨の気持ちを表明するためにこの言葉を使っているのかもしれない。ある者は、自分の人生と自分の存在を心から呪い、本気で自殺を考えながらこの言葉を発しているのかもしれない。ある者は、この全宇宙はそもそも生成するべきではなかったというメフィスト的な否定でもって、この言葉を発しているのかもしれない。

1――原典行番号1335–1344。以下、『ファウスト』からの引用は、高橋健二訳『ファウスト』（角川文庫、一九六七年）。引用文の「生起する」はentstehen（発生する、誕生する）である。

2――小塩節は次のように言う。メフィストは「神の創造の完全性を否定しようとするひとつの「力」なのである。人間と神、創造と被造の世界をいわば外から否定しようとする悪の力の人格化、これがメフィストの悪魔である」（小塩節『ファウスト――ヨーロッパ的人間の原型』日本ＹＭＣＡ同盟出版部、一九七二年、一一〇頁）。この背景にはグノーシス主義がある。グノーシス主義については第2章で触れる。

3――1699–1702。

4――4596。ちなみに森鷗外の翻訳では「ああ。己は生れて来なければ好かった」である（『ファウスト　森鷗外全集11』（ちくま文庫、一九九六年、三四〇頁）。渡邊信生は、「これは文字どおりには、もう生きたくないという絶望的な願いである」（『ゲーテ「ファウスト」（第一部）釈註』鳥影社、二〇一〇年、五三九頁）と注釈しているが、この解釈が端的に誤りであることは言うまでもない。小栗浩は『「ファウスト」論考――解釈の試み』（東洋出版、一九八七年、三九頁）にて、ファウストのこの言葉を無意味な嘆声であり、凡庸で卑怯なものだと断じているが、これもまた、まったくの誤りであろう。ここには、本書第二章で見るような古代ギリシア的な誕生否定の思想が反映されているのである。

5――4604。柴田翔はこの箇所を「生き続けるためだ！」と訳している（『ファウスト』講談社、一九九九年、二七八頁）。渡邊信生は、この言葉を、「それとは知らずに将来のこと、即ち、「彼女は生きるであろう」ということを、預言しているのである」と解釈している（渡邊信生、前掲書、五四〇頁）。もしその解釈を取るならば、私のような理解は成立しなくなる。この箇所を「助けに来た」とする訳者もある。池内紀は「助けに来た！」と訳する（『新訳決定版　ファウスト　第一部』集英社、一九九九年、二四一頁）。森鷗外は「お前の命を助けに」と訳する（森鷗外、前掲書、三四〇頁）。しかしながら、「Du sollst leben!」は意訳せず、文字どおり「お前は生きなければならない！」という意味に読むべきであろう。なぜなら、この箇所の前後の最大のテーマは、「生まれてきたこと」と「生き続けること」だからであり、人が人を「助けること」ではないからである。

6――11579–11586。

7――柴田翔は、ファウストの夢想は墓掘りの音を勘違いしたものだから、ファウストの「領主としての活動すべてが、メフィストの言うとおりの「何ともつまらぬ／空っぽの瞬間」だった」とし、「賭におけるメフィストの勝利、ファウストの敗北は、最終的、決定的」であるとする。そして「ここには、作者ゲーテの深い絶望が隠されています」と結論する（『「ファウスト第Ⅱ部」を読む』白水社、一九九八年、二二二頁）。私は、柴田のこの解釈はきわめて一面的であると考える。とは言え、賭けにおいてファウストとメフィストのどちらが勝ったのかという点は、『ファウスト』研究史上の大問題であった。徳沢得二は『ゲーテ「ファウスト」論考』（勁草書房、一九六八年）で先行諸説をまとめているので参考になる（一三二〜一四一頁）。

8——栗田圭子は、この箇所における魂の上昇と浄化の描写に、プロティノス哲学からの影響を見ている。ファウストよりも先に浄化された魂となったグレートヒェンは、「自己の魂の上昇のみならず、いわばファウストの天使となって彼の魂を神的なものへ導くことを願う」のである（「ファウスト昇天と新プラトン主義」『上智大学ドイツ文学論集』五五号、二〇一八年、八九〜一一八頁）。ファウストの救済の意味に関しては研究が蓄積されており、その概要は平松智久の論文に紹介されている。誕生否定と生の肯定に関連して言えば、『ヨブ記』との関連および弁神論との関連が重要であるが、本書ではそれを扱うことができないので後日を期したい（平松智久「ゲーテ『ファウスト』における諦念」『ドイツ文学論集』日本独文学会中国四国支部、第四七号、二〇一四年、五〜一八頁）。

9——『ファウスト』で語られているのは「生の肯定」であり、私の言うところの「誕生肯定」は明示的には語られていないように思われる。

10——「都合の良い女」と書いたが、グレートヒェンはファウストに対する「愛と献身」によって彼の魂を浄化する存在と解釈されるのが一般的であろう（栗田圭子「ゲーテ『ファウスト』最終場面における人格の救済：マックス・コメレルによる分析」『上智大学ドイツ文学論集』五三号、二〇一六年、二三〜五一頁）、四四頁参照）。

11——実際ファウストは、メフィストの力で若返って別の人生を生きようとしたのであった。

第2章

誕生は害悪なのか

1　オイディプス王

引き続き、もう少しだけ文学に表われた誕生否定について見ておこう。ゲーテはシェイクスピアから大きな影響を受けている。シェイクスピアの代表作『ハムレット』は、父であるデンマーク王を何者かによって殺されたハムレットが、みずから狂気を装いながら、真実を解き明かそうとする悲劇である。ハムレットは悩みの果てに「生きてこうあるか、消えてなくなるか、それが問題だ To be, or not to be, that is the question」と自問し、自殺について考える。そのあとで、恋人であるオフィーリアに向かって「尼寺へ行け」[1]と怒りをぶつける。ハムレットは言う。「ああ、罪人を産みたいのか？　俺はこれでも並の節操は持っているつもりだ。それでも、いっそ母が産んでくれなければよかったと思うほどの罪は、いくらでもあげつらえる」[2]。ハムレットの思考は、自殺から、誕生否定（産んでくれなければよかった）へと進んでいる。そしてこの路線で解釈するとすれば、「尼寺へ行け」というのは、オフィーリアに性的禁欲を一生強制し、子産みをさせない出産否定の言葉である。[3]『ハムレット』の背景には、このような反出生主義の思想が流れている。

磯山甚一は、「To be, or not to be」で対比されているのは「私が生きるか、私が死ぬ（自殺する）か」ではなく、「われわれが生きていること」と「われわれが生きていないこと」なのだと指摘しており、興味深い。磯山の言うように、もしこの箇所で自殺が問われているわけではないとすれば、ハムレットは、「生きていること」の価値と、「生きていないことすなわち生まれてこないこと」の価値を対比させて問うているとも解釈できる。磯山自身は、ヴィクトール・フランクルを参照しつつ、「生きているか、生きていないか、それが問われている」という訳を提案している。[4]私ならば、さらに大胆に「生まれてくるか、生まれてこないか、それが問われている」と訳してみるかもしれない。

ところで、『ファウスト』と『ハムレット』に影響を与えた古典的文学作品として、古代ギリシアのソポクレスの戯曲『オイディプス王』がある。これはフロイトの「エディプスコンプレックス」の語源ともなった作品である。ソポクレスは紀元前五世紀に活躍したギリシアを代表する詩人だ。

『オイディプス王』は、父親ライオス王に捨てられたオイディプスの悲劇の物語である。孤児オイディプスは成長してのち、たまたま出会ったライオス王を父親と知らずに殺し、自分の母親である王の妻と結婚し、子どもをもうける。しかしオイディプスは、やがてすべての真実を知り、自分の両眼に針を刺して盲目となる。オイディプスは人生を嘆き、父ライオス王によって捨てられたときに死んでいればよかったと悔やむ。あのときに死んでいれば、父殺しをすることもなかったし、母親と結婚することもなかった、と。

続編『コロノスのオイディプス』において、盲目となった老オイディプスは、娘であるアンテイゴネに手を引かれて放浪する。死が近づいたオイディプスに向かって、コロスは歌う（コロスは、舞台上の合唱隊であり、オイディプスの内面の声を代弁したり、状況を説明したりする）。

コロス　ほどよい年では飽き足らず、
もっと長い命を望む人は、
わたしの目には、
明らかに愚か者だ。
長い日は多くのことを喜びよりも苦しみに近づけ、
長生きをしすぎた者には、
楽しみはどこにも見あたらない。
……
この世に生を享けないのが、
すべてにまして、いちばんよいこと、
生まれたからには、来たところ、
そこへ速かに赴くのが、次にいちばんよいことだ。

「この世に生を享けないのが、すべてにまして、いちばんよいこと」というコロスの言葉は、

「こんなことになるのだったら、わたしは生まれてこなければよかった」というオイディプスの誕生否定の嘆きを代弁している。さらに言えば、私たちはこのコロスの言葉に、「たとえどんな人生が開けるとしても、そもそもわたしは生まれてこなければよかった」という一段深い誕生否定の声を聴き取ることもできるだろう。

　オイディプスがなぜここまで自身の誕生を否定するのか。それは彼が出生を父親ライオス王に望まれなかったからである。『オイディプス王』をていねいに読むと、次のようなことが分かる。ライオス王の妻イオカステが妊娠したとき、王に神託があった。それは、生まれてくる子によってライオス王が殺される運命にあるというものだった。子であるオイディプスが生まれてすぐに、ライオス王はオイディプスの両足のくるぶしを留め金で貫き、母であるイオカステはその子を召使いに渡して、殺すように言う。受け取った召使いはオイディプスを不憫に思い、別の召使いにその子を委ねる。そしてオイディプスは素性を隠されたまま、ひそかに他国に養子に出される。その後、オイディプスは成長して、あるときライオス王と遭遇し、それが誰なのかを知らずに殺してしまうのである。すべての真相を知ったオイディプスは嘆いて言う。「おお、光よ、これがお前の見おさめだ。生まれるべきでない人から生まれ、交わってはならぬ人と枕を交わし、害すべきでない人の血を流したこのおれの！」[6]。

　オイディプスの内面を代弁するコロスの「生まれてこないのがもっとも良いことだ」という合唱は、オイディプスの「自分は生まれるべきでない人から生まれた」という嘆きを受け止めたものであろう。なぜ「生まれるべきではない人」なのかといえば、オイディプスは父親ライオスからも、母親イオカステからも、出生を否定されたからである。「私は生まれたくなかった」という子どもの思いと、「この子を産みたくなかった」という親の思いが、ここで交差する。「自分は望まれて生まれたのではない」ということを知ったオイディプスは、何度もみずからの両眼を針で突く。[7] コロスの「生まれてこないのがもっとも良いことだ」の合唱は、このときのオイディプスの内面を代弁している。

この誕生否定の言葉はソポクレスのオリジナルというわけではない。当時のギリシアには、このような誕生否定の思想がたくさん記されているのだ。

そのうち、もっとも有名なものは、紀元前六世紀頃に活躍した詩人テオグニスの『エレゲイア詩集』に収められた断片であろう。人生の楽しみと不条理、酒宴、少年愛などの雑多な詩句が並んでいるが、その四二五〜四二八行に、次の断片が唐突に出現する。

地上にある人間にとって何よりもよいこと、それは生まれもせず
　まばゆい陽の光も目にせぬこと。
だが生まれた以上は、できるだけ早く冥府（ハデス）の門を通って、
　うず高く積み重なる土の下に横たわること。[8]

これと類似の詩句は、同時代の他の作者たちのテキストにも数多く見られ、小野寺郷はその一覧を載せている。[9]「いちばん良いのは生まれてこないこと、次に良いのは来たところに早く戻ること」という考え方は、古代ギリシアの知的世界における一種の時代精神であったと考えることができる。[10]

この考え方が古代ギリシア世界を超えて影響を与えた例のひとつとして、旧約聖書に収められた『コーヘレト書』(コヘレトの言葉)を見てみたい。旧約聖書は、長い時間をかけて編纂された文書の集合体であり、そのなかで『コーヘレト書』は、人生の真実を描く「知恵文学」として愛読されてきた。「日はまた昇る」や「日の下に新しいものは何ひとつない」など珠玉の言葉が散りばめられている。その成立は紀元前五世紀から前四世紀の頃と考えられている。[11]

『コーヘレト書』は次の言葉から始まる。「空の空、とコーヘレトは言う。／空の空、いっさいは空、と[12]」。旧約聖書翻訳委員会版『旧約聖書』の補注によれば、「空(くう)」は、世界のものごとが「無目的で無意味」なこと、そして人間の存在も行為も「特別な意義をもたないこと」を指し、その最高表現が「空の空」であるとしている。[13]

コーヘレトは言う。「私は日の下で行なわれたすべての業を見たが、なんと、そのすべては空であり、風を養うことにほかならなかった[14]」。地上で行なわれるすべてのことはむなしく、意味がないというのである。真実を確かめるために、知恵をたくさん身につけたが、それもむなしいことだったとコーヘレトは言う。金を手に入れ、あらゆる快楽を試してみたが、それもむなしいことだった。「実に、彼の全生涯は痛みの連続、その営みは憂いそのものであって、夜も心は休まらない。これもまた空である」[15]。コーヘレトの独白は、『ファウスト』冒頭の老ファウスト博士の嘆きに通じるものがある。

人間も動物も、死ねば同じ場所に行く。「すべては塵からなり、すべては塵に帰る」[16]。そしてコーヘレトは次のように言うのだ。

私は、今なお生きる生者より、すでに死んだ死者たちを讃えよう。いや、その両者よりも、今まで存在しなかった者を幸いと讃えよう。彼は日の下で行なわれる悪しき業を見ることがないのだから。[17]

生きている人間や、死んでしまった人間よりも、まだ生まれてきていない人間のほうが幸せだというのである。すべてがむなしさによって支配されているこの地上に生まれ出ないことがいちばんの幸せなのだ。ここには、「生まれてこないほうが良かった」という誕生否定の思想が明確に表現されている。

コーヘレトはさらに言う。たとえ人が百人の子に恵まれて、長生きしたとしても、

死産の子のほうが彼よりも幸いだ、と。

なぜなら、後者［死産の子］は空しく生まれ来て、
闇から闇へと葬られるのだから。
彼は日を見もしないし、知ることもないが、
前者［長生きの大人］よりも、彼のほうにやすらぎがある。[18]

死んで生まれてきた子のほうが、地上で長生きした大人よりも幸せだし、安らぎがあるとコーヘレトは主張するのである。だとすれば、生まれてきてしまった人間はどうすればよいのか。彼は次のように言う、「私は知った、その生涯の間、楽しんで自ら幸福を造り出すこと、これ以外に人の幸せはない、と。また、すべての人が食べて飲み、そのあらゆる労苦に幸せを見てとること、これこそが神からの贈り物である、と」[19]。すべては空の空であるのだけれども、私たちはその中にさえ楽しみや幸せを見つけていくことができる。ここにこそ神からの祝福が顕現しているというのである。[20]まさに知恵文学の精髄を見る思いがする。

関根正雄は『旧約聖書序説』において、コーヘレト書の作者はギリシアのテオグニスを参照していたのではないかと推察している。というのも、テオグニスは当時広く読まれていたと推定されるから、「コーヘレスが自身一応はテオグニスを読み、あるいは他の人から伝えきいて、ある程度これを記憶していたことが、不可能なことではない、と思われるのである。そのような意味で両者は直接関連する、というのが、われわれの一応の結論である」としている。[21]古代ギリシア

は多神教の世界であり、これに対してユダヤ人の旧約聖書の根幹は一神教なのであるが、その差異を乗り越えて誕生否定の思想が伝播していたとするのである。

古代ギリシアの誕生否定は、意外なところにまで影響を与えている。キリスト教『新約聖書』の「マルコの福音書」で、最後の晩餐に臨んだイエスは、裏切りを心中に秘めるユダに向かって言い放つ。「しかし禍だ、〈人の子〉を引き渡すその人は。その人にとっては、生まれて来なかった方がましだったろうに」[22]。この場面で、「生まれてこないほうが良かった」は、イエスからユダに向かって、すなわち他人に向かって発せられている。他人に対する誕生否定である。これは『新約聖書』に見られる最大の否定の言葉のひとつであろう。現在残されている四つの福音書はギリシア語で書かれている。作者が誰なのかは分かっていないが、ギリシア語を使うことのできた知識人ではないかと考えられる。古代ギリシア文学に見られる誕生否定の思想が、ヘレニズムを背景とした当時の知識人たちの教養として、福音書にまで流れ込んでいたとしても不思議はないのである。

もうひとつの影響先を見ておこう。紀元二世紀頃、地中海から中東にかけて、ひとまとまりの特徴ある世界観を共有した複数の宗教が現われた。それらに見られる宗教思想をグノーシス主義と呼ぶ。人間は間違ってこの悪い世界に産み落とされた、だから死後に本来のより良い世界へと戻らなければならないと主張する思想である[23]。グノーシス主義のひとつであるマンダ教の葬送詩編においては、この世界は罪にあふれた悪しき者たちの住まいであり、闇の世界であるとされる。

そして死んだ魂に対して、「昇り行け、汝がかつて在りし地へ、……そこから汝がこの地に植えられた地へ」との呼びかけがなされる。[24] この世界に落ちてくる前の、本来の故郷へ戻って行けというのだ。

このグノーシス主義の中に、私たちは、「いちばん良いのは生まれてこないこと、次に良いのは来たところに早く戻ること」という古代ギリシアの誕生否定の思想の残響を聴き取ることができるだろう。[25] 誕生否定の思想は、ちょうどウィルスが人から人へと感染していくようにして、地中海から中東にかけての広大な知的世界を席巻したのである。[26]

当時の地中海から中東にかけては巨大な文明交流圏であり、様々な宗教や思想が互いに影響を与え合っていた。後に検討する古代インドでは、出家という形式で整備された出産否定の生き方があった。紀元前における、地中海から中東そして南アジアにわたる文明交流圏こそ、反出生主義をはじめとする「生命の哲学」が発祥する母体となった場所のひとつであると私は考えている。紀元前に、古代ギリシア文明は古代インドに侵入し、原始仏教と交流する。そしてその後に成立した大乗仏教はシルクロードを経て中国大陸へと広がり、中国哲学と接触して、さらには朝鮮や日本にまで達したのだった。もうひとつの「生命の哲学」の発祥地は、仏教と接触する前の、紀元前の古代中国である。古代中国には顕著な反出生主義は見られない。そのかわりに独自の「生命の哲学」が開花した。「生命の哲学」史は、このような視点から語り直されなければならない。「生命の哲学」においては、西洋と東洋という区分はもはや意味をなさない。[27] それは文明交流圏によって互いに緊密につながれた、文字どおり世界哲学だったのである。

2　世界と人生に対する呪詛

さて、ここで大きく現代に目を転じ、今日の誕生否定の思想を見てみたい。まず二〇世紀において誕生否定を高らかに謳った思想家のひとりにエミール・シオランがいる。彼は数多くの断章によって誕生否定の思想を表現した。たとえば、代表的な著作『生まれてくることの不幸について』（生誕の災厄）の中で、シオランは次のように書いている。[28]

ただひとつの、本物の不運、それは生まれてくるという不運である。[29]

生まれないこと、それを考えただけで、なんという幸福、なんという自由、なんという広がりなのだろうか[30]！

生まれてこないということは、議論の余地なく、あり得べき最善のあり方だNe pas naître est sans contredit la meilleure formule qui soit。不幸にしてそれは誰の手にも届かない。[31]

シオランはこのように、「生まれてこないほうが良かった」と、数多くの著作のなかで何度もレトリカルに語る。ここにもまた、古代ギリシア以来の、「この世に生を享けないのが、すべてにまして、いちばんよいこと」という思想の生き生きとした反響を聴き取ることができる。だが、彼の書物を読んでみると、それ以上にシオランの文章に溢れているのは、世界と人生に対する呪詛の念である。

大谷崇（たかし）は、シオランのペシミズムについて、次のように書いている。「シオランは、負の感情、ネガティブな激情、悲惨、苦悩、絶望、そういうものに魅了されてしまい、世界と生を憎むのをやめられなかった[32]」。そしてその結果として、彼はみずから憎むところの人生に固着し、そこから抜け出すことができなくなったというのである[33]。

ところで、テオグニスやソポクレスに見られるように、古代ギリシアで誕生否定は「早く生を終えたい」という願いと結びついていた。シオランは、生を終えることについてはどう考えていたのだろうか。

シオランは、二二歳のときに刊行した第一作『絶望のきわみで』において、自殺について書く。すなわち、自分が賞賛できるのは、「いついかなる瞬間にも狂人になることのできる人間と、いついかなる瞬間にも自殺することのできる人間」だとし、生を肯定的に経験する人間は尊敬に値するが、それ以上ではないと言う。ではシオランは、自分自身が自殺することについてはどうかといえば、それには否定的なのだ。「なぜ私は自殺をしないのか。生同様、死が私に嫌悪感をいだかせるからだ」というのがその理由である。[34] 生まれてこないほうが良かったが、死ぬのもまた良くないというのだ。

ところがシオランは、五〇歳半ばに、地中海のイビサの海岸で実際に自殺を試みようとしたことがある。藤本拓也は、この点に関して、次のような考察を行なっており、注目される。すなわち、シオランは自殺を実行しようとするも、海に身を投げることをせず、そこに数時間とどまり、すべては「非現実」であるという世界観に至ったのである。シオランは書く。「日が昇る前から、美しい風景、道に茂るリュウゼツラン、波の音、そして空、すべてのものが私には美しく思われ、自分の計画にはなかったもの、いずれにしろ性急にすぎるものと見えるほどだった。もし全てが非現実だとすれば（Si tout est irréel）、この風景もそうだ、と私は思った」[35]。つまり、すべてが非現実であるのだから、生にも死にも現実性はないことになり、「あえて自殺を試みる必要はないのであり、シオランの自殺念慮は消えていくことになる。すなわち、「非現実性」の自覚という仕方で「死の克服」がなされているのである」と藤本は述べる。[36]

この時期シオランは、自殺こそが、生まれてきたことに対する唯一の解決になると考えていたのだが、[37] 実際にそれを試みようとしたときに、いわば世界の側からそれを美しく拒絶され、生の領域へと連れ戻されてしまったのである。すべては非現実であるという悟りにも似た気づきによって、彼は誕生否定と自殺が関連しているという観念を強制的に解除させられたのである。こうして彼はふたたび、自殺から距離を取ってしまった。シオランはその後、仏教思想に接近するも、その道を選ぶことなく、晩年はアルツハイマー病にかかって死去した。[38]

誕生否定と自殺の関係は重要なので、ここで少しだけ補足しておきたい。「生まれてこなければよかった」という思想は、自殺念慮のある人間に対して猛毒となってはたらくという意見がある。誕生否定の思想は、自分の存在を否定的に考え、死に向かって自分を追い込もうとしている者たちに、最後の一撃を加えてしまうというのである。

慎重に考えてみれば分かるように、「生まれてこなければよかった」という考え方と、「死んでしまったほうがよい」という考え方は、まったくの別物だ。「生まれてこなければよかった」という考えを、私がいまここで実行することはできない。私はすでに生まれてきてしまっているのだから、それをなかったことにするのは不可能である。ところが、「死んでしまったほうがよい」という考えをいまここで実行することはできる。自殺によってそれを完遂することが可能なのである。すなわち、自殺によって肯定されるのは、「死んでしまったほうがよい」という考え方のほうであり、けっして「生まれてこなければよかった」という考え方のほうではない。この点は、論理的に押さえておかなければならない。「生まれてこなければよかった」と嘆きながらそれを理由に自殺するのは、哲学的には錯誤行為である。

すなわち、「生まれてこなければよかった!」という叫びは、「死んでしまったほうがよい!」という叫びとはまったく異なったものなのである。端的に言うと、「生まれてこなければよかった」の中には、「死んでしまったほうがよい」という思想は入っていない。もちろん「生まれてこなければよかった」という思いが、「死んでしまったほうがよい」という思いへとつながっていくことはあり得る。しかしだからといって、前者に後者が含まれているとは言えない。「生まれてこなければよかった」とは、自分を生の状態に置いたまま、その自分を「生まれてこない」という実現不可能な状態へと追い詰めていこうとする情念である。自分を生かしたままにしておいて、自分の誕生を徹底的に否定し尽くそうとすることである。もしこれがメフィストのような方向に進展するならば、それは自分だけではなく、この世のすべてのものの誕生を否定し尽くそうとする、極端に反存在的なものとなっていくだろう。

「生まれてこなければよかった」と人が言うのは、その背後に社会の矛盾や差別や搾取があってその人を苦しめているからであり、まずはそれらの社会問題を解決することが先決問題だ、という考え方もある。もちろんこれは重要な指摘である。しかしながら、「生まれてこなければよかった」を、社会の矛盾や差別や搾取が解決すれば同時に解消するような嘆息としてとらえることの限界もまた認識しておく必要がある。差別に満ちた社会からの圧殺があろうがなかろうが、「生まれてこないほうが良かったのではないか」という問いは成立し得るし、すでに見たように、その言葉はこの世俗社会の頂点に立った大学者や王からすら発せられると思われてきたからだ。

3　ベネターの「誕生害悪論」

ここで二一世紀の分析哲学に目を向けてみよう。デイヴィッド・ベネター[39]は、二〇〇六年に刊行された『生まれてこないほうが良かった[40]』において、これらの誕生否定の思想に論理的な裏付けを与えようとした。文学的に詠嘆するだけではなく、理論によって誕生否定が正しいことを証明しようとしたのである。これを「誕生害悪論」と呼ぶ[41]。なぜ誕生害悪論かというと、ベネターは、「生まれてくることは常に害悪である[42]」と主張するからである。

ベネターによれば、どんな人にとっても、この世に生まれてくることは、生まれてこないよりもかならず悪い。それに例外はない。これは生まれてきた本人が、自分が生まれてきたことについてどう思っているかとはまったく関係なしに、論理的に成り立つというのである。もし誰かが、自分は生まれてきて本当によかったと思っているとしたら、その人は正しい推論をしていないことになる。いくらその人が、「私のことに口を出すのはおせっかいだ」と反論したとしても、その人は理性の使い方を間違えているのだというのがベネターの考え方である。

ベネターはこの主張を『生まれてこないほうが良かった』の第二章で行なっている。ここが彼の哲学の核心部分なので、その概要を見てみたい（以下、「良い」「善い」「よい」の三つの言葉を使うが、以下の文脈では、これらの意味は同じである[43]）。

まず基本的な前提は、「苦痛が存在するのは悪いことである。快楽が存在するのは善いことである」というものだ。これを前提としたうえで、ある人が存在するときの善さと、存在しないときの善さを比較してみよう[44]。図を参照しながら考えると分かりやすい[45]。

ある人が存在するとき	ある人が存在しないとき
苦痛が存在する場合（悪い）	苦痛が存在しない場合（善い）
快楽が存在する場合（善い）	快楽が存在しない場合（悪くない）

まず苦痛について考えてみる。もしある人が存在するとすれば、その人は人生の中で多かれ少なかれ苦痛を感じる経験をするであろう。この苦痛の経験はその人にとって悪である。もしある人が存在しないとすれば、そもそも苦痛を経験する主体が存在しないので、この状況は善である。[46]であるから、苦痛に関して言えば、存在するよりも存在しないほうがより善いことになる。

では快楽についてはどうだろうか。ある人が存在するとすれば、その人は人生の中で多かれ少なかれ快楽を感じる経験をするであろう。この快楽の経験はその人にとって善である。ではもしある人が存在しないとすればどうであろうか。このとき、快楽を経験する主体が存在しないのだから悪である、というふうにはならないのだとベネターは主張する。「快楽を経験する主体が存在しないから快楽が存在しない」という状況は、けっして悪いことではない not bad のだというのである。[47]

なぜそんなことになるかというと、そもそも快楽と苦痛には非対称性があるからだ。たとえば二人の人間、すなわち、生まれてきたら苦痛に苛まれることが確実な人間と、生まれてきたら快楽に満たされることが確実な人間を想像してみよう。このとき、苦痛に関して言えば、苦痛に苛まれることが確実な人間をこの世に「生み出さない義務」というものが存在するように思われる。しかしながら、快楽に関して言えば、快楽に満たされることが確実な人間を「生み出す義務」が存在するとはけっして言えないだろう。ここには「快苦の非対称性」が見られる。[48] すなわち、苦痛について当てはまる論理が、まったく同じように快楽についても当てはまるわけではないのである。

では、快楽独自の論理とはどのようなものだろうか。次の例を考えてみる。ここに離島があったとする。この離島を遠くから望遠鏡で観察し、人々が浜で寝転んで昼寝をしているのを見て、「ここには気持ちよさを感じている人がいるから善い状況だ」と思うのは不思議な感想ではないだろう。しかし、この離島が無人島であった場合、「ここには気持ちよさを感じる人がぜんぜんいないから、これは悪い状況だ」と思うのは奇妙な感想ではないだろうか。この場合、その無人島に気持ちよさを感じる人がぜんぜんいないことは、「別に悪いことではない」はずである。[49] もし読者がこの推論に納得してくれれば、そこから先ほどの「快楽を経験する主体が存在しないから快楽が存在しないという状況は、けっして悪いことではない」が導かれることになる。[50]

まとめておけば、快楽に関しては、「ある人が存在して、その人が快楽を経験しているのは、善いことだ」ということが言えると同時に、「ある人が存在しないからそこには快楽もまた存在しないのは、けっして悪いことではない」ということが言える。これが前段までの結論だった。

ところで、一見すると、前者の「善いことだ」は、後者の「悪いことではない」よりも、その善さにおいて上回っているように見える。というのも、「善い」はプラスであるが、「悪いことではない」は単に「悪い」が否定されているだけであり、したがって「善い」のほうが「悪いことではない」よりも上回っていると思えるからである。[51] しかしながら、そうはならないとベネターは主張する。前者の善さと後者の善さのあいだには、事実上、差はないというのだ。

なぜかと言えば、いま問題になっている状況は、存在する二人の人間のあいだの比較ではなく、存在する人間と、存在しない人間のあいだの比較であるから、前段で述べたような論理は成立しない。[52] 存在する人間と存在しない人間のあいだで比較がなされる場合には、人間の存在に起因する「善いこと」は、人間の非存在に起因する「悪くないこと」を、けっして超えることはできない。[53] これがベネターのもっとも言いたいことである。

すなわち、後者の「悪いことではない not bad」という文章は、前者の「善いことだ good」に比べて「もっと悪いわけではない not worse than」、ということを意味しているとベネターは主張するのである。[54] したがって、快楽に関しては、後者の善さは、前者の善さに少なくとも等しいことになるのである。[55]

ベネターはこのように説明し、様々な例証を行なうのだが、この点は彼の論法のもっともクリアーでない箇所のひとつだろう。[56] 私は、彼の論法はきちんと成立していないと考える。なぜなら、人間の存在に起因する「善いこと」は、人間の非存在に起因する「悪くないこと」をけっして超えることはできないという主張の根拠を、ベネターがきちんと証明できているとは思えないからである。[57]

ベネターの言いたいことのイメージは、彼が参照しているクリストフ・フィーエゲ[58]の議論を用いると分かりやすくなるかもしれない。フィーエゲの議論を使うと、次のようなことが言えると私は考える。ある部屋に喉が渇いている人がいるとする。その人は水を飲んで喉の渇きを癒やす。これは善いことである。ところで、その隣の部屋には人が誰もいない。だからその部屋には水によって癒やされなければならない渇きは存在しない。これも善いことである。この二つを比べると、どちらも同じくらい善いことだと言えるだろう。この論法をさきほどのベネターのケースに当てはめてみよう。喉が渇いた人が水を飲んで癒やされるのが、（ベネターの論法の）人が存在して快楽がある場合に対応する。人が誰もいないのが、（ベネターの論法の）人が存在しないから快楽がない場合に対応する。よって、ベネターの論法において、人が存在して快楽がある場合も、人が存在しなくて快楽がない場合も、そのふたつは同じくらい善いことになる。[59]

以上の議論をまとめると、ある人が存在するときには、苦痛を経験することは悪であり、快楽を経験することは善である。これに対して、ある人が存在しないときには、苦痛を経験しないことは善であり、快楽を経験しないことも善に等しい。したがってこの二つをトータルに比較すれば、「存在する」ことよりも、「存在しない」ことのほうが、いかなる場合であれ、より善いことになる。この論理を人が生まれてくることに適用すれば、どんな人間であれ、「生まれてこないほうが良かった」のである。[60]

同書におけるベネターの議論は錯綜をきわめているので、私なりの比喩を使って彼が言いたいことを代弁してみよう。ここに真っ白なキャンバスがある。白く光り輝くキャンバスは最高に美しい。これが、人が生まれてこないときの状態である。人が生まれてくるというのは、この白いキャンバスに人生の絵を描くことである。だがどんなにきれいな絵の具を使ってどんなに美しい絵を描いたとしても、それは元の真っ白な美しさを超えることはない。それどころか、あちこちで塗り方を失敗して、汚れる部分がかならず出てくるはずだ。であるから、キャンバスを白いままにしておくことのほうが、その上に絵を描くことよりも「より美しい」ということが論理的に言える。このような比喩でベネターの主張を捉えてみてもいいと私は思う。

白いキャンバスのままが最高で、それに一点でも絵の具を付けたらすべてが汚れてしまうという潔癖症を、ベネターの主張に読み取ることもできる。実際、彼は次のように書いている。「たとえ善いことに満ちあふれた人生であっても、もし悪いことがほんの少しでもあったとしたら、言い換えれば、たとえ至福に満ちた人生であっても、もし針の先でたった一突きするくらいの痛みによって汚されたadulteratedならば、その人生は、人生の非存在よりもかならず悪くなるのである」[61]。この文章には、ベネターの思想の核心が見事に表現されている。

以上が、ベネターの同書の第二章である。その後、第三章では、人々の人生がいかに苦痛に満ちたものか、それにもかかわらず我々はいかにそれを直視していないかについて述べられる。生きることの悲惨を説くこのパートは、第二章の誕生害悪論からは独立した、別の考察であると考えたほうがよい。その後、第四章以降で出産否定と人類絶滅を主張しているので、その要点を見ておきたい。

まず、人類の今後について彼は次のように述べる。人間は生まれてこないほうが良かったのであるから、我々は新たに子どもを作るべきではない。そのためには避妊と早期中絶が推奨される。ベネターは中絶に関して「胎児死亡主義 the 'pro-death' view of abortion」[62]を唱えている。すなわち、妊娠した女性は胎児を中絶して死に至らしめるのが望ましいのであり、もしそうしないのならそれ相応の高度な理由付けが必要だとするのである[63]。

そして地球上に存在すべき人類の数は「ゼロ人」[64]である。人類は絶滅するべきである。その絶滅は、早ければ早いほどよい。絶滅は、自殺によってではなく、計画的で段階的な出生率の低下によってなされるべきである。ベネターのこの考え方は極端であるが、人類の段階的絶滅を言ったのは彼が最初ではない。ノルウェーの哲学者ヴェセル・ツァプファ[65]も『悲劇性について』(一九四一年)で同じ発想を語っている。ツァプファは、人類が苦痛から逃れるためには、出生率を人類の再生産が可能になるラインよりも下げていこうという世界的コンセンサスを得られればよいとしている[66](人類絶滅思想の歴史はさらにさかのぼることができる[67])。

むしろベネターの特徴は、人類だけではなく、他の生物の苦痛も考えているところにある。すなわち、彼が望む宇宙というのは、人間を含むすべての苦痛を感じる生物が存在しなくなるような宇宙である。そのような宇宙では苦痛が存在しなくなり、ひいては害悪 harm というものが存在しなくなるからである。[68] これをメフィストの言葉、「何も生まれてこなければよかったのだ」と比較してみよう。メフィストは、この世に創造されたものすべてが生じなければよかったと言っている。ソポクレスやベネターは、そこまで強いことは主張していない。ベネターは、意識を持っており苦痛を感じるような存在、すなわち人間や動物などは生まれてこなければよかったと言っているだけであり、植物や細菌や岩石までも生じないほうがよかったとは主張していない。ベネターが夢想しているのは、岩石でできた惑星の上に水が流れ、風が吹き、細菌がうごめき、植物や木が生い茂っている、そういう風景なのだろう。そこにはなんの快楽もないかわりに、なんの苦痛もない。ものごとや生物の風情がただ移り変わっていくだけの世界であり、いわば無常と寂静（じゃくじょう）に満ちた世界である。

しかしそもそも、ベネターの夢想するであろう世界は実現可能だろうか。地球上にはすでに苦痛を感じる無数の動物種が生息している。もしベネターの望むように、地球人類が段階的に縮小して絶滅したとしても、そのあとには動物たちが残ってしまうのである。彼らのうち肉食のものは、他の動物たちを捕食し、大きな苦痛を与えながらむさぼり食うであろう。かくして地球上には、絶え間のない苦痛が延々と存在し続けるのであり、それはベネターにとっては地獄のような世界だ。人類が絶滅する前に、肉食獣すべてに不妊処置を施して根絶やしにするしか方法はないが、しかし残された草食獣や魚類も病気になったりして痛みを感じる。とすれば、やはり魚類をも含む動物すべてに不妊処置を施して、地球上から痛みを感じる可能性をもった生物を消去したのちに、人間も絶滅しなければならない。

だが、仮にそれが実現したとしても、残された植物や昆虫や海中生物たちがその後、痛みを感じる生物へと進化する可能性がある。それを予防するためには、生物進化をつねに監視して、もしある生物が痛みを感じる生物へと進化する兆候を見せたときに、それを感知してすばやくその生物種を不妊化するような全自動システムを作り上げてから、人類は絶滅しなければならないだろう。そのシステムはセンサーを地球上の至るところに張り巡らせ、たえずエコシステムの進化を監視し続ける。そして、システム自身が進化してしまわないように自己制御する仕組みも備える必要がある。いずれにせよ、進化によってふたたび人類のような存在が出現することだけは、ぜったいに避けなければならない。反出生主義は生物進化との果てしない戦いを宿命づけられていると言えるだろう。なぜなら、まさに意志を持つ生物への進化こそが、生まれることへの同意なく新たな生物種を生み出す地球上最初の営為だからである。冷静に考えれば、人類による反出生主義の営みが成功したとしても、生物進化に勝つことは難しいように思われる。もし仮に人類が地球上のあらゆる痛みを感じる生物の不妊化に成功したのちに地球全体を爆破したとしても、そののちにどこか他の惑星や衛星で物質から生物が生まれ、痛みを感じる存在へと進化するのを食い止めることはできない。宇宙が進化するかぎり、人類による反出生主義はつねに敗北の可能性をはらんだままなのである。物質システムのなかに潜在する生命への潜勢力、そして生命システムのなかに潜在する意識存在への潜勢力こそが、反出生主義の真の敵であろう。ここまで考えると、反出生主義の純粋な形は、メフィストの言うような「そもそも何も存在しなければよかったのに」であると言える。しかしその願望すら、無からの宇宙の自動生成の可能性を排除できない以上、敗北を喫する可能性がある。反出生主義のハンマーでいくら粉々に砕いたとしても、不死身のように無から何度でも生成してくるかもしれないもの、それが宇宙というものであり生命というものであろう。反出生主義の真の敵は「生成」であることが、ここから判明する。いずれにせよ、反出生主義と生物進化というテーマはこれまでほとんど語られることはなかったが、重要な論点であると考えられる。[69]

ここで、ベネターのその後の著作について見ておこう。ベネターは二〇一五年の論文で、人類が、人間を含む無数の動物たちに莫大な危害を加え、苦痛をもたらしてきたと指摘する。それを食い止めるために、人間には子孫を生み出さない推定的な義務があると言う。苦痛を感じる生物たちに対して人間が行なう加害行為に着目したこの主張を、彼は「人間否定的な議論misanthropic argument」と呼んでいる。[70]

さらにベネターは、二〇一七年の著書『人間の苦難』において、宇宙全体を視野に入れたときに、我々はペシミズムにならざるを得ないと述べる。宇宙の視点から見たときには、人間の生命には何の意味もない。「我々は、我々に対してまったく無関心である巨大な宇宙の中の、取るに足らない染みにすぎない」[71]。我々の存在には何の理由もない。人類のすべての偉大な達成、たとえば建造物や、知識や、アートなどはいずれ消え去っていく。たとえ残るものがあったとしても、地球が消滅するまでのあいだにすぎない。[72] これら「宇宙的な意味 cosmic meaning」[73] の次元においては、人間の存在には何の意味もないということを知るべきである。

では、すでに生まれてきてしまっている人間はいったいどうすれば良いかであるが、ベネターは次のような提案をしている。第一に、子どもをつくらないことである。この宇宙に、苦難に耐える存在を新たに作り出すことは避けなければならない。第二に、「プラグマティックなペシミズム pragmatic pessimism」[74] の態度を取ることである。すなわち、人生へのペシミズムの立場を取りながらも、つねにそのことばかりを考えているのではなく、何か日常生活で意味のあることをしたり、気晴らしをしたりしながら、人生をやり過ごしていくような生き方である。生きる苦しさにずっと向き合い続けるような生き方をベネターは推奨していない。現実の生は、まったく生まれてくるには値しないのであるが、しかしいったん生まれてきてしまったなら、このようなプラグマティックなペシミズムで生きてみるのが良いだろうと言うのである。

ところで、誕生否定の思想に対しては、「そんなに生まれてこなければよかったのなら、自殺してしまえばいいじゃないか」という反論がよく寄せられる。ベネターは『生まれてこないほうが良かった』でその反論に答えているが、『人間の苦難』でさらに詳細に語っているので、その概要を見ておきたい。シオランの場合もそうであったが、誕生否定の哲学者が自殺についてどう考えているかは、たいへん興味を惹かれる点である。

まず、自殺することは、本人にとって害悪となるだけではなく、家族や友人たちにも苦しみと悲しみを与える。だから、いくら生きることが苦痛に満ちているとしても、そんなに簡単に自殺を勧めるわけにはいかないのだとベネターは言う。これがベネターの自殺に対する基本線である。

そのうえで、彼は、世間に流通している自殺反対論を一個一個潰していく。自殺は利己的だとか、自殺は非理性的だとか、家族や友人が悲しむとかの反対論は必ずしも成立しないのだと指摘する。とくに、家族や友人の悲しみに関しては、本人の生きる苦しみが大きくなればなるほど、家族や友人の悲しみの重要性は相対的に小さくなるとベネターは言う。「本人がひどい痛みや心身状態の低下に見舞われているときに、家族がその人に生きていてほしいと期待するのは、不適当と言って差し支えない」[75]。ベネターは、心身状態の低下の例として、末期状態の耐えがたい苦痛だけではなく、もう少し軽い状態、たとえば身体機能が落ちて、「食事や入浴などを自力で行なうといった基本的な動作の遂行を他人に頼るようになる」[76]ことなどが含まれると示唆している。そんな状態であったとしても、人はしばしば、自分のQOLを実際よりも高く見積もりがちであるから、本人の自己申告は必ずしも当てにならないと彼は注意をうながす[77]。

ベネターはさらに、生きる意味を失ったという理由で自殺をするのは理にかなっているかどうかを検討する。彼は生きる意味を、宇宙的な意味と地上的な意味に分けて考える。宇宙的な意味については、そもそも人間はそれを満たすことができない。地上的な意味については、仕事の成功や、人間関係の幸福などによって、それを満たすことはできる。しかし、地上的な生きる意味を見つけることも作り出すこともできない人がいるだろう。「もしそれらの人々が、十分な地上的な意味を作り出すことがまったくできず、またその空隙を埋め合わせられる何ものをも持っていなかったとしたら、自殺はまさに理にかなったものとなる可能性がある。死は依然として悪いのであるけれども、質がとても低くて完全に意味のない生と比較すれば、いくぶんましであると言えるかもしれない」[78]。このように、ベネターは、生きる意味を失ったという理由であっても、自殺は理にかなったものになり得ると考えている。ただしそのためには、生きる意味を見失った人の人生の質が非常に低いものになっていなければならないとするのである[79]。

そのうえで、ベネターは、自分の主張は高度に制限がかけられたものであり、自殺に単純に賛成したり、窓枠に脚をかけている人に向かって「飛び降りろ」と叫んだりするようなものではないと注意を促している[80]。要するに、自殺は基本的には推奨されるものではないが、場合によっては理にかなった解決策となり得るということを否定してはならないというのが、ベネターの立場である。これは、自殺を否定する陣営から見れば自殺肯定論と見えるだろうが、彼の誕生害悪論ほど極端な主張がなされているわけでもない。自殺の許容範囲が広いだけであり、世間からの一定の支持は受けやすいと考えられる。理論の構成からいうと、ベネターの誕生害悪論と自殺消極肯定論のあいだには、内的なつながりはほとんどないと私は考える。誕生害悪論は、その毒性も含めて独自の輝きを誇っているが、自殺消極肯定論はそれに比べると世間知の範囲内での議論だと言えるだろう。

ベネターの議論には、『ファウスト』に見られるような、「わたしは生まれてこなければよかった」から「おまえは生きなければならない」を経て、最終的に救済に至るというような生の否定と肯定のドラマがまったくない。もちろん文学と哲学というジャンルの違いはあるのだが、ベネターの議論は非常に単線的であり豊穣さに欠けている。ただし私はベネターの蛮勇に満ちた試みそのものは評価したい。このような哲学的な議論が提出されることによって、生の肯定と否定についてより深く考えていく道筋が開かれたからである。しかしそれにもかかわらず、ベネターの誕生害悪論はその深いところで本質的に間違っている。誕生害悪論は、ひとつの思想としては成立するものの、ベネター自身の行なった論証は正しくない。それについては本書第7章で考察する。

4 反出生主義の射程

快苦の非対称性に基づくベネターの議論はオリジナルな哲学的貢献であるが、しかしそれに前例がないわけではない。ベネターの『生まれないほうが良かった』の文献一覧をたどっていくと、興味深い論文にぶつかる。『マインド』誌に掲載されたジャン・ナーヴソンの「功利主義と将来世代」(一九六七年)と、それに対するヘルマン・フェターのコメント(一九七一年)である。[81]

ナーヴソンは、この世に子どもを生み出す義務について、功利主義の観点から考察する。まず彼は、もし仮に子どもが生まれたならばその子は確実に幸福になるだろうと思われる状況であったとしても、我々には子どもを産む義務はないと考える。これに対して、たとえば遺伝性で一生痛みを背負わなければならないことが予見される悲惨な子どもについては[82]、我々はそのような子どもを産まない義務があると考える。幸福な子どもを生み出すことと、悲惨な子どもを生み出すことに関して、我々は非対称の義務を負っていると言うのである。幸福な子どもを生み出す義務はないが、悲惨な子どもを生み出さない義務はあるというのだ。

ナーヴソンは結論する。「子どもを新しく産むことで、その子に悲惨がもたらされたり、あるいは他の人々の幸福を著しく減少させたりするような場合には、常に、子どもを産まない義務が生じる。たとえば、もし生まれた子どもが社会にとって負担になるような場合には、子どもを生む権利は存在しないように私には思われる。したがって、そのようなケースでは、社会の側はそのような子どもの出産を禁止する権利を持つと私には思われるのである[83]」。これは、はっきりとした優生思想である。

ナーヴソンはそのうえで次のように問う。「人間たちが存在する宇宙は、人間たちがまったく存在しない宇宙よりも、道徳的により良いのか?[84]」。この問いに対して、彼は、そうは思わないと答える。我々は、人間たちの存在する宇宙のほうを好むかもしれないが、それはけっして道徳的な選好とは言えないのだ。我々を人間たちの存在する宇宙へと向かわせたいのならばそうした（道徳的）義務が生じるが、そちらへと向かわせたいわけではないのならばそうした（道徳的）義務は生じない。ただそれだけのことなのである、と。このようにして、彼は、人間たちが存在す結論するのである。

る宇宙の善さと、人間たちが存在しない宇宙の善さを、道徳の次元で比較することはできないと結論するのである。

これに対してフェターは、ナーヴソンの議論は間違っていると断言する。ナーヴソンの前提を正しく理解するならば、まったく異なった帰結が導かれるはずだと言うのである。ナーヴソンの前提とは、「幸福な子どもを生み出す義務はないが、悲惨な子どもを生み出さない義務はある」という非対称性であった。これを、子どもを生み出した場合と、生み出さなかった場合に分けて考えてみよう。（1）もし子どもを生み出した場合、生まれてきた子どもが幸福な子どもであったなら我々は何の義務違反もしていないが、生まれてきた子どもが悲惨な子どもであったなら我々は重大な義務違反をしたことになる。（2）もし子どもを生み出さなかった場合、生まれたら幸福になるはずの子どもを生まなかったとしても我々は何の義務違反もしていないし、生まれたら悲惨になるはずの子どもを生まなかったとしたら我々は義務をきちんと充足したことになる。であるから、（1）と（2）をトータルに比較すると、論理的には明らかに（2）のほう、すなわち子どもを生み出さなかったほうが道徳的により良いことになる、とフェターは結論するのである。

これはまさに、すべての人間は生まれてこないほうが良かったという誕生害悪論そのものである。そして、ナーヴソンとフェターの応酬で使われた論理は、ベネターが『生まれてこないほうが良かった』第二章で用いた論理とほぼ同じである。ベネターは、自著の註ではこれらの議論に触れていないけれども、快苦の非対称性に基づくベネターの誕生害悪論が、ナーヴソンとフェターの議論を参照して打ち立てられたものであることは、ほぼ間違いないであろう。

フェターはさらに続けて言う。この議論から、子どもを作らないほうが道徳的に好ましいという結論が導かれる。だとすると、人々は子産みを行なわないように奨励されるべきであり、それが成功すれば地球上の人口はどんどん減少し、ついに人類は消滅してしまうだろう。しかしナーヴソンに従えば、これはけっして悲しむべき結果ではないし、実は自分も同じように思うのだとフェターは言う。「人類の存在それ自体に価値はないのだ。もし人類が存在をやめれば、すべての苦しみは完璧に消滅するのだ。これは、人間がいくら（生きて）がんばったところで達成することのできない偉業なのだ。他方、絶滅のときにはもちろん、人類のすべての幸福な経験も消え失せるであろう。しかしながらナーヴソンの結論によれば、これはけっして悲しむべきことではない。というのも、（人類絶滅後の地上には）幸福な経験が奪い去られてしまうところの人間主体は、誰ひとりとして存在していないからである」[85]。ここにあるのは、出産否定と人類絶滅の肯定である。フェターは「私自身の意見」と書いており、本気でそう考えている。なぜならその二年前に刊行された論文「功利主義倫理学の問題としての子どもの出産」（一九六九年）において、フェターはすでにナーヴソンの論文を批判して、「これから生まれるかもしれない潜在的な子どもの功利に関して言うならば、子どもをまったく産まないことが道徳的により望ましい」と述べているからである[86]。

彼らの議論は、快楽を最大化するよりも苦痛を最小化するほうがより望ましいとする消極的功利主義の考え方を連想させる。もう少しだけ時代を遡ってみよう。古典的な功利主義の合言葉は「最大多数の最大幸福」であった。なるべく多くの人々に、なるべく大きな幸福を届けるようにするのがよいというのである。しかし、このような幸福増大型の思想を突き詰めていくと、社会に存在する圧倒的に不幸な少数の人々のことは放っておいて、そのかわりに、社会を構成する多数の人々の幸福の総量だけがどんどん増えるような社会政策を行なうだけでよいという不思議な結論に至りかねない。カール・ポパーはそれを念頭に置きながら、『開かれた社会とその敵』(一九四五年)において、社会に存在する幸福の最大化よりも、社会に存在する苦しみの最小化のほうを目指すべきだと提唱した。ポパーは同書第一巻第五章註六にて、「人道主義的で平等主義的な倫理の最も重要な原則」のひとつとして、「すべての人の回避可能な苦しみを最小にせよ」をあげる。なぜ幸福よりも苦しみを重視するのかと言えば、「道徳的観点からすれば、幸福と苦しみを対称的なものとして扱ってはならない」からであり、「幸福の促進はどんな場合でも、苦しんでいる人たちに助けを与えたり苦しみを防止したりする試みに比べれば、はるかに緊急性がすくない」からだと述べる。[87] 幸福と苦しみのあいだの非対称性(すなわち快苦の非対称性)を考えれば、幸福が増えることよりも、苦しみが減ることのほうを優先すべきだというのである。

ところが、ロデリック・ニニアン・スマートは一九五八年に「消極的功利主義」という短い論文を刊行し、ポパーの考え方がとんでもない結論に結びつきかねないと指摘した。スマートは、幸福の増大よりも苦しみの減少を優先させるべきであるという考え方を「消極的功利主義negative utilitarianism」[88]と呼び、次のような批判を行なうのである。仮に、ある支配者が、「苦しみを感じさせず瞬間的に全人類を殺すことのできる兵器」を持っていたとしよう。とすると、その兵器を使えば全人類は瞬殺され、彼らの苦しみは消え去ってしまうわけだから、消極的功利主義に従えば、「その兵器を使用するのは支配者の義務となるだろう」というのである。[89]もし人類の苦しみを減少させることがもっとも大事なのだったら、全人類を瞬殺すべきだということになるはずである。スマートはさらに皮肉をこめて言う。「我々の慈悲深い世界破壊者は、人類にとっての、そしてまた同じ意味で動物たちにとっての、真の救済者ではないだろうか？ 消極的功利主義の誠実な支持者は、神に愛されたものは夭折するという格言に、斬新な意味を見出すことができるのだ」[90]。スマートがこのような形の批判を行なった時代的背景としては、一九五〇年代後半の冷戦と核軍拡競争がある。核兵器による人類絶滅の危機は、当時の知識人たちにとってリアルに想像可能なものであった。[91]

スマートが提起したのは、消極的功利主義を真面目に受けとめると、地球上の人類と動物たちを巨大破壊兵器によって瞬殺するのがもっとも望ましいことになるが、それはどう考えてもおかしいだろうという懐疑論であった。だから消極的功利主義は間違っているというのである。

ところが、ここで話をナーヴソンとフェターに戻すと、彼らは、そもそも地球上の全人類が絶滅するのがなぜ悪いのかと、スマートをはじめとする消極的功利主義の批判者たちに逆に問いただしているようにも見える。仮に全人類が絶滅するとしても、それが理にかなっているのならば、それはそれでいいではないかというのである。ここには、人類が存在することの善さについての、何か根本的な見解の相違がある。この点こそが、「生まれてこないほうが良かった」の基盤にある哲学的急所である。

　話をさらにベネターにまで戻せば、快楽が増えるよりも苦痛が減るほうが大事なはずだという一見当たり前の発想をきまじめに追求していくことによって、地球上に人類は存在しないほうがよいという結論に至る可能性を持つことになる消極的功利主義の論理の道筋を、功利主義の衣装をはぎとった形で再演してみせたのが、ベネターの誕生害悪論であるという見方も成立し得るのである。ベネターの誕生害悪論それ自体は功利主義を前提としていないけれども、それにもかかわらず、いま指摘した論点はベネターにおいてもまた当てはまると私は考えている。快楽よりも苦痛を重視すると人類は存在しないほうがよくなるというスマートの理路を、功利主義の枠外で展開したのがベネターの誕生害悪論であるとも言えるのだ[92]。

　この人類絶滅の思想は、オーストリアの作家、トーマス・ベルンハルトの小説「行く」（一九七一年）の一節を思い起こさせる。その小説の主人公は狂気に陥っており、次のような独白を行なう。「突き詰めて言えば、人類はゆっくりと一人残らず死滅していくべきだと思っている、彼の考えでは、子供はもういらない、一人もいらない、……人類はますます少なくなる、最後にはわずか数人の人類しかいなくなる、そして人類は一人としていなくなる」。そして言うのだ。

だんだんと滅びゆき、最終的に人類がまったくいなくなった地球こそが、言うまでもなくおそらくもっとも美しいでしょう。[93]

人類のまったくいない地球、野生動物や魚類や植物だけで織りなされる地球を美しいとする感性は、少なからぬ人々に共感をもって受け入れられるのではないだろうか。この感性は、人間の手が入らない原生自然に最高の美を見出すタイプの自然保護主義にも見られる。自然保護のために地球から人類の数を減らそうという声はときおり耳にする。反出生主義と自然保護主義は、意外と近い距離にあるのかもしれない。

人類は生まれてこないほうが良かったのだし、絶滅したほうが良いのだという論理を、我々は受け入れてしまっていいのだろうか。もしそれを否定するならば、その論理のどの箇所に問題があると考えればいいのだろうか。これまで見たように、反出生主義の思想は古代から現代に至るまで、様々な文献に顔を出して人々を魅了してきた。今日ではインターネットを通じて、反出生主義の思想が世界的に拡散されている。地球環境問題の悪化を深刻に受けとめ、子どもを作らないことを推奨する運動もある。ネットに現われる無数の「生まれてこなければよかった」という匿名のつぶやき声を、格差社会に抑圧され、生きる希望を奪われた人々の怨嗟の表現として解釈する人たちもいる。二〇一九年から二〇二〇年にかけて、反出生主義は世界的なカウンターカルチャーのトピックとして浮上した[94]。この潮流はやがて終了するであろうが、反出生主義の思想それ自体は今後も絶えることなく続いていくに違いない。反出生主義の本質を明らかにするためにも、私はふたたび歴史を遡って、「生まれてこなければよかった」の根源をさらに掘り進めていくことにする。

今日の反出生主義者たちにもっとも大きな影響を与えたのは、一九世紀ドイツの哲学者、アルトゥール・ショーペンハウアーである。ある意味、反出生主義の思想内容に関しては、ショーペンハウアーにおいてその基本的な枠組みが完成したと言ってもよい。ショーペンハウアーはヨーロッパの思想史に足跡を残しただけでなく、二〇世紀の日本の文化人たちにも巨大な影響を与えた。旧制高等学校で愛読されていたと言われるし、先に紹介した太宰治もまたその影響下にあったはずだ。二一世紀になって、読まれる機会は圧倒的に少なくなったが、反出生主義の研究において避けては通れない哲学者である。次章でその思想内容に迫ってみたい。

1——松岡和子訳『ハムレット』ちくま文庫、一九九六年、一一九頁。
2——同書、一二四頁。
3——ケン・コーツもこの言葉を反出生主義の思想と解釈している。Ken Coates (2014), p.5.
4——磯山甚一「ハムレットの'To be, or not to be'：何が問題なのか」(『文学部紀要』文教大学文学部、第三一（一）号、二〇一七年、一～二六頁)。濱田あやのは、この言葉をめぐる従来の学説は「自殺説」か「復讐説」のいずれかになると述べている(「ハムレットの独白"to be, or not to be"の新たな展開―ハムレットの心の軌跡―」『神奈川大学大学院言語と文化論集』第三巻、一九九六年、一二三～五〇頁)。この点では、磯山説はこのどちらでもないと言えるだろう。また、橋本侃「用意が一番（"The readiness is all."）―ハムレットの選択肢」（『神奈川大学言語研究』第二八号、二〇〇五年、二〇七〜二二七頁）も参考になる。ちなみに次章で考察するショーペンハウアーは、『ハムレット』に関しては自殺説をとっている（『意志と表象としての世界』正編Ⅲ、五九節、三七〜三八頁：旧五七九頁。頁の表記法は次章の注1を参照）。

5――高津春繁訳「コロノスのオイディプス」『ギリシア悲劇 Ⅱ　ソポクレス』ちくま文庫、一九八六年、五一四〜五一五頁。

6――同書、三五八頁。

7――森茂起はここに、親に望まれて生まれたのではない子どもが持つことのある「私は生きるに値するか」という問いを見出している。子殺しへの欲望を持つ親の攻撃性を「ライオスコンプレックス」と呼んだ先行研究を森は紹介し、そのような親のもとに生まれた「ライオスの子」の生きづらさと困難を指摘していて興味深い。森茂起「生を支える意志について――フェレンツィとドルトを参照して」（甲南大学人間科学研究所『心の危機と臨床の知』第二〇号、二〇一九年、四三〜五八頁）、五〇頁。

8――テオグニス「エレゲイア詩集」（西村賀子訳『エレゲイア詩集』京都大学学術出版会、二〇一五年）、一六〇頁。

9――小野寺郷「テオグニスとニーチェ」（筑波大学哲学・思想学会『哲学・思想論叢』一二号、一九九四年、一三〜二〇頁）、一九頁、註四。

10――これに関連して、古田徹也は『不道徳的倫理学講義――人生にとって運とは何か』（ちくま新書、二〇一九年）の六〇頁、七七頁以降で、テオグニスとソポクレスの『オイディプス王』『コロノスのオイディプス』について詳しい考察をしており、参考になる。後に述べるように、ニーチェもこれに言及している。

11――飯謙「コヘレト書の成立年代について」『神戸女学院大学論集』五二巻二号、二〇〇五年、九一〜一〇一頁。

12――月本昭男訳「コーヘレト書」旧約聖書翻訳委員会編訳『旧約聖書Ⅳ』岩波書店、二〇〇五年、五八一頁。

13――同書、補注、一九〜二〇頁。

14――五八二頁。

15――五八五頁。

16――五八八頁。

17――五八八頁。引用に当たって、訳文中の〔　〕記号は省略した。
18――五九四頁。［　］内は森岡が補った。
19――五八六～五八七頁。
20――上村静は、コーヘレトのメッセージを、「生きること、そのこと自体にすでに価値がある。なぜなら、人間存在は、神が「永遠」を付与して美しく造った「すべて」の一部なのだから」とまとめている。ただし、人はその「永遠」を見出すことはできないのである（「コヘレトとイエス―ニヒリズムによるエゴイズムの克服―」（日本聖書学研究所編『聖書学論集46　聖書的宗教とその周辺』LITHON、二〇一四年、二一五～二三八頁）、二二二頁）。
21――関根正雄『関根正雄著作集　旧約学論文集・上』新地書房、一九七九年、四四九頁。
22――マルコ14:21。新約聖書翻訳委員会訳『新約聖書』岩波書店、二〇〇四年、六〇頁。厳密には、この言葉は他人に向けられているので、本書で言う「誕生否定」ではない。思想の伝播という観点からここで紹介した。ちなみに、このイエスの言葉はマタイには同一の文言で存在するが、ルカとヨハネには存在しない。共観福音書ではマルコがマタイとルカに影響を与えたとされるので、とくにルカにおいてはマルコにあるのを意図的に用いなかった可能性がある。ルカの作者にとっては、イエスのこの言葉は否定の力が強すぎたのであろうか。これらを考え合わせると、ここにおいて、「他人の誕生を否定する」という呪詛の形式が現われていることが分かる。本書では扱わないが、この論点も生命の哲学の大きなテーマのひとつであろう。
23――大貫隆は、「現実の人間は居場所を間違っている。本来の場所へと立ち帰らねばならない」とまとめている（大貫隆『グノーシスの神話』講談社学術文庫、二〇一四年（原著一九九九年）、三三頁）。
24――大貫隆訳・著『グノーシスの神話』二七頁。
25――筒井賢治は、『コーヘレト書』がグノーシス主義に影響した可能性を示唆している（筒井賢治『グノーシス――古代キリスト教の〈異端思想〉』講談社選書メチエ、二〇〇四年、一八九頁）。
26――グノーシス主義は、その後のヨーロッパに大きな影響を与えた。ゲーテの『ファウスト』第二部の最後の場面でファウストの魂が天上へと引き上げられていく姿は、まさにグノーシス主義の救済を思い起こさせる。
27――紀元前の「生命の哲学」の交流を促進したのは、ギリシアからインダス川にまで至るアレクサンドロス帝国であり、それはまさに地中海とアジアをまたぐ文明交流圏であった。

28――出口裕弘訳『生誕の災厄』紀伊國屋書店、一九七六年。引用に際して翻訳を多少改変した。
29――同書、一六頁。
30――三四頁。
31――二七六頁。
32――大谷崇『生まれてきたことが苦しいあなたに――最強のペシミスト・シオランの思想』（星海社新書、二〇一九年）、三三八頁。
33――大谷は、さらに次のようにも言う。シオランの最後の段階のペシミズムは「すべては存在するべきではない」というものである。しかしそのペシミズムは、結局、「「存在するべきではない」も存在するべきではない」というところに行き着いてしまい、逆説的に「裸の生存」が残る結果となる（大谷崇「生きる知恵としてのペシミズム――シオランにおける憎悪とペシミズム」（『早稲田大学大学院文学研究科紀要 第一分冊 哲学 東洋哲学・心理学 社会学 教育学』第五九号、二〇一四年、一三一～一四三頁）、一三九頁）。「生まれてこないほうが良かった」とか、「すべては存在するべきではない」という思想を極限まで突き詰めていったとしても、何らかの首尾一貫した世界観に至れるわけではないのである。
34――金井裕訳『絶望のきわみで』紀伊國屋書店、一九九一年、九一頁。原著はルーマニア語で一九三四年。訳書はフランス語版からの翻訳。
35――エミール・シオラン『カイエ 一九五七―一九七二』金井裕訳、法政大学出版局、二〇〇六年（原著一九九七年）、四一二～四一三頁。
36――藤本拓也「シオランの自殺念慮と自己受容――無用性から無名の宗教性へ」（『死生学研究』第一五号、二〇一一年、八二～一〇八頁）、九七頁。
37――大谷、前掲書、一一六～一一七頁。
38――大谷、前掲書、五六頁。
39――Benatar の英語発音は「ベネター」と聞こえる。
40――David Benatar, *Better Never to Have Been: The Harm of Coming into Existence.* Oxford University Press, 2006（デイヴィッド・ベネター『生まれてこないほうが良かった――存在してしまうことの害悪』小島和男・田村宜義訳、すずさわ

書店、二〇一七年)。

41——吉本陵も「誕生害悪論」と呼んでいる(吉本陵「人類の絶滅は道徳に適うか?——デイヴィッド・ベネターの「誕生害悪論」とハンス・ヨーナスの倫理思想」『現代生命哲学研究』第三号、二〇一四年、五〇~六八頁)。吉沢文武は「誕生害悪説」と呼んでいる(吉沢文武「ベネターの反出生主義をどう受けとめるか」『現代思想』二〇一九年九月号、一二九~一三七頁)。

42——Coming into existence is always a harm. ベネター前掲書の第二章のタイトルの一部でもある。

43——この三つを使い分けるのは、日本語の特性による。英語の「good」には、日本語の「良悪」としての「良い」、「善悪」としての「善い」の二つの意味があり、さらに日本語には「good」とは関係のない「~したほうがよい」という「よい」の使用法がある。

44——厳密には、「ある人が存在する(X exists)」と「ある人がけっして存在しない(X never exists)」の比較である。「never」には、その人はかつて一度も存在したことがないという含みがある。つまり、ここでは生まれてこない状況を考えているのであり、死んだ後の状況を考えているわけではない、ということである。

45——この図はBenatar(2006)の三八頁の図二・一(ベネター、訳書、四八頁)に手を加えたものである。

46——では誰にとって善なのかといえば、正確には二つのことが意味されている。ひとつは現存している人の場合で、もしその人が現存していなかったとしたら存在していなかったであろう苦痛についてであり、もうひとつはそもそも現存していない人の場合で、現存する可能性だけがあった人の可能的な苦痛についてである。この二つの場合、苦痛の不在はともに反事実的な彼らにとって善である、とベネターは言う。Benatar(2006), pp.30-31(訳書、三九~四〇頁)。

47——ただし、存在している人が死んで存在しなくなる場合は、その人が生き続けていたら感じていたであろう快楽が剝奪されることになるから、「悪いことではない」とは言えないとベネターは主張する。この四象限の図でベネターが念頭に置いているのは、人がまだ生まれてきていない場合である。

48——P.32.(訳書、四一頁)。

49——もちろん、気持ちよくなることが保証されているはずの浜辺で、人々がそれを感じていないのは悪い状況である。ところがそれは人々がその島に存在しているときの話であって、そもそも島に人々が存在していないときには、そのような話にはならない。
50――この議論とまったく同じものは、ベネターの同書にはない。ベネターの議論に森岡が手を加えて作成した。
51――たとえば、自室で漫画を読書中に居眠りをすることは「悪いことではない」が、別に「善いこと」でもない。
52――PP.47-48(訳書、五六頁)。
53――"The pleasures in A are not better than the absent pleasures in B", (p.41). "(2) is not an advantage over (4)". (p.43). (訳書、五一頁、五三頁)。
54――PP.41-42(訳書、五〇~五二頁)。
55――ベネターの論理だと、後者は前者と等しいかあるいは前者を上回ることになるはずなので私はこう書いた。
56――吉本陵もこの点にベネターの難点を見る。吉本前掲論文、五六~五七頁。
57――ベネターの論理を正確に追うと、こうなる。ある人が死ぬことによって快楽が剝奪されるのは「悪い bad」。この場合、死ぬ前と死んだ後を比較すると、bad は比較級の worse となり、死んだ後のほうが「より悪い worse」。ところで、いまわれわれが議論しているのは生まれてくる前の非存在の場合であって、そこには何の快楽の剝奪もないのだから、それは「悪くない not bad」。このとき、生まれる前と生まれた後を比較すると、(ちょうど死ぬ前と死んだ後を比較する場合に bad が比較級の worse になったのと同じように) not bad は比較級の not worse となり、生まれる前は生まれた後より「もっと悪いわけではない not worse than」(pp.41-42)。この後者において not bad を not worse に変換する点にベネターのゴマカシがある。なぜなら、剝奪のあるなしは、生から死への移行においては快楽の剝奪があるから bad であり、無から生への移行においては快楽の剝奪がないから not bad であるという判断にのみ影響を与えるのであり、存在と非存在の善悪の比較それ自体の判断にはまったく影響を与えないのに、ベネターはあたかもそれが影響を与えるかのように印象操作しているからである。この点は別の論文で詳述する予定である。さらに言えば、ベネターは、「非存在が存在よりもっと悪い」わけではないという論証をしようとするが、それによっては、「非存在と存在の善悪の比較はそもそもできない」という主張を退けることはできない。この点については本書第7章で考察する。
58――(Christoph) Fehige の独語発音は「フィーエゲ」に聞こえる。訳書では「フェーイゲ」とされており、その表記も慣例に即しているので、いずれのカタカナ表記でも良いと思われる。

59——フィーエゲの議論は、pp.54–57（訳書、六四〜六七頁）。ベネターは、私が本文でまとめたような議論は行なっていない。ベネター自身によるフィーエゲの取り扱いについては、同書を参照していただきたい。

60——この論理を死ぬことに適用すれば、どんな人間であれ「死ぬほうが良い」ことが導かれそうに思うが、それは導かれないとベネターは考える。なぜなら、死ぬことによって、いま存在する快楽あるいはこれから存在するであろう快楽がその人から剝奪されてしまうからであり、これは悪だからである。

61——P.48（訳書、五八頁。訳文は変更した）。

62——P.161（訳書、一六九頁）。訳書は「妊娠中絶賛成派」としているが、ベネターの立場はプロチョイスとしての中絶賛成派よりもさらに強いものである。中絶に関しては、「pro-life（胎児生存主義）」、「pro-choice（胎児選択主義）」の二者があるが、ベネターはこれに「pro-death（胎児死亡主義）」を追加しようというのである。これを主張したのはベネターが最初ではない。第3章参照。

63——P.162（訳書、一七〇頁）。

64——P.182（訳書、一九〇頁）。

65——Zapffe のノルウェー語発音は「ツァプファ」と聞こえる。「サッファ」「ザッファ」とも聞こえる。

66——Gisle Tangenes, "The View from Mount Zapffe", *Philosophy Now* 45（4）,（2004）. https://philosophynow.org/issues/45/The_View_from_Mount_Zapffe（二〇二〇年一月一七日確認）。ツァプファはノルウェーの哲学者で、一九三三年の詩的エッセイ「最後のメサイア」（The Last Messiah）は反出生主義文献としてよく言及される。人類は進化した脳が生み出した文明によって自分たちを苦難に追い込んでいる。彼らに必要なのは子どもを産むのを止めて、地球上を静穏にすることだと示唆している。英訳は https://openairphilosophy.org/wp-content/uploads/2019/06/OAP_Zapffe_Last_Messiah.pdf（二〇二〇年一月一七日確認）。ツァプファやシオランに見られるような、人間存在を悪とする見方には、グノーシス思想が影響していると考えられる。吉本もベネターの反出生主義はグノーシス主義の現代版であると指摘している。吉本陵、前掲論文、六七頁。

67——第3章で述べる。

68——P.199（訳書、二〇六頁）。

69——私の知りうる例外は、ハルトマンとフロイトである。第3章参照。

70——David Benatar, "The Misanthropic Argument", in David Benatar and David Wasserman, *Debating Procreation: Is It Wrong to*

Reproduce? Oxford University Press（2015）, pp.78–121. ベネターは、生まれてくる人間のことを思って彼らのために出産を控えるという議論を「人間博愛的（肯定的）議論 philanthropic argument」と呼び、misanthropic argument と対比させる。

71——David Benatar, *The Human Predicament: A Candid Guide to Life's Biggest Questions*, Oxford University Press（2017）, p.2.

72——P.200.

73——P.35.

74——P.210.

75——P.179.

76——P.166.

77——P.186.

78——P.193.

79——P.194.

80——P.165.

81——Jan Narveson, "Utilitarianism and New Generations", *Mind* 76（1967）:62–72. Hermann Vetter, "Utilitarianism and New Generations", *Mind* 80（1971）:301–302. ちなみにナーヴソンのこの論文は、デレク・パーフィットが『理由と人格』で言及しており、人間を生み出すことの価値についてのパイオニア的業績であると高く評価している。Derek Parfit *Reasons and Persons*, Oxford University Press,（1984）p.394, p.525.

82——P.70.

83——P.72.

84——P.72.

85——P.302. 訳文は多少意訳した。フェターの「幸福な経験が奪い去られてしまうところの人間主体は、誰ひとりとして存在していないから」は、ベネターの非対称性の公理の（4）「快楽の不在は、その不在が剝奪になってしまうような誰かがいないときに限り、悪くない」を思い起こさせる（Benatar（2006）, p.30. 訳書、三九頁）。

86——Hermann Vetter, "IV. The Production of Children as a Problem of Utilitarian Ethics", *Inquiry* 12（1969）:445–447.

87――内田詔夫・小河原誠訳『開かれた社会とその敵　第一部　プラトンの呪文』未來社、一九八〇年、二四五頁（Karl Popper, *The Open Society and Its Enemies*, Routledge, 2002, pp.630–631）。訳は変更した。

88――negative utilitarianism はこれまで消極的功利主義と訳されてきたが、意味的には負の功利主義とかマイナス功利主義と訳すほうがよいであろう。

89――Roderick Ninian Smart, "Negative Utilitarianism", (*Mind* 67 (1958):542–543), p.542.　J. J. C. Smart とは別人である。

90――P.543.

91――スマートは "which is admittedly fanciful, though unfortunately much less so than it might have seemed in earlier times" と書いている（p.542）。

92――ベネターは人類の瞬殺は肯定していないが、人類のなるべく早い絶滅は提唱している。

93――トーマス・ベルンハルト「行く」（一九七一年）『アムラス』（河出書房新社、二〇一九年、所収）、一三九頁。

94――例として、Théophile de Giraud (2006), *L'art de guillotiner les procréateurs: Manifeste anti-nataliste*. Le Mort-Qui-Trompe（テオフィル・ド・ジロー『出産者を断頭する技法――反出生主義宣言』二〇〇六年）は反出生主義という語を導入したとされる。この本には、古今東西の反出生主義的な言葉が膨大に収集されている。内容は文学的である。トマス・リゴッティも自身のウェブサイトで、反出生主義的な言葉のアンソロジーを公開している（Thomas Ligotti, "Antinatalism – list of books, articles and quotes" http://www.ligotti.net/showthread.php?p=93087 二〇二〇年一月一一日確認）。これらの言葉のリストは有用だが、アジアの項目を見れば分かるように、文献引用に不正確さがある。「自主的な人類絶滅運動 Voluntary Human Extinction Movement」は、レス・ナイトによって開始され、地球環境のために人類絶滅を目指す思想を普及する運動をしている。ウェブサイトは一九九六年に設立された。また英国には「反出生主義党 The Anti Natalist Party」と称する団体がある。子どもを持たずに生きるチャイルドフリーの運動も、反出生主義と関連する。『BBC』サイトの記事「Anti-natalists: The people who want you to stop having babies」（二〇一九年八月一三日）によれば、フェイスブックなどで反出生主義のグループが増加している。環境問題への危惧やメンタルヘルスと関連があると紹介されている。『*Guardian*』誌は「I wish I'd never been born: the rise of the anti-natalists」（二〇一九年一一月一四日）という記事で、ベネターの哲学からヴィーガン運動まで、現在の反出生主義運動を手際よくまとめている。『Refinery29』サイトの記事「Antinatalism: The Popular Reddit Movement To Stop Procreation」（二〇一九年八月一五日）も若者のあいだに浸透し始めている反出生主義を取り上げている。『*New Yorker*』誌は「The Case for Not Being Born」（二〇一七年一一月二七日）という記事で、ベネターへのロングインタビューを掲載している。日本では雑誌『現代思想』（二〇一九年一一月号）が反出生主義の特集を行なった。おもにベネターの哲学をめぐる議論が中心となっている。私は雑誌冒頭で戸谷洋志と対談を行なった。なお私自身は二〇一一年より「誕生肯定」という概念を提唱し、連続論文を刊行してきている。本書もこの研究の途中で生まれたものである。

第3章

ショーペンハウアーの反出生主義

1　生命論へと変換されたカント哲学

ショーペンハウアーの反出生主義とはどのようなものであろうか。彼は、若い頃にゲーテと知り合い、大きな影響を受けた。ショーペンハウアーの哲学は、主著『意志と表象としての世界』（正編・続編）に集大成されている。本章では、まずショーペンハウアーの生命の哲学を概観し、そのあとで彼の反出生主義を見ていくことにしたい。[1]

ショーペンハウアーの哲学には二本の柱がある。ひとつはカント哲学である。ショーペンハウアーはカント哲学を独自に発展させようとした。もうひとつは、『ウパニシャッド』や仏教などの古代インド哲学である。彼は『ウパニシャッド』を、『ウプネカット』というタイトルでペルシア語訳されたのちにさらにラテン語訳されたテキストを通して吸収した。仏教についても、同時代のインド学者による研究を貪欲に吸収した。カントに代表される近代ヨーロッパ哲学と、古代インド哲学を二本柱にして、「生まれてこなければよかった」という生命の哲学を構想したのである。[2]

ショーペンハウアーは、カントのような論理的な哲学体系を構築することはなかった。主著におけるショーペンハウアーの語り口はどこまでもレトリカルである。だが後世への影響力は巨大であった。直系の生命の哲学者としてニーチェがおり、またシュヴァイツァー、ハイデガー、ヴィトゲンシュタインにも多大な影響を与えた。性と無意識への注目という点ではフロイトやバタイユがいる。前章で論じたベネターの反出生主義思想も、その多くがショーペンハウアーから出ている。ショーペンハウアーは、二〇世紀以降のヨーロッパの生命の哲学の産みの親であると言ってもよいだろう。

さらには、ヨーロッパ哲学とインド哲学を比較研究し、東西の哲学の統合を目指した点においても先駆的である。ショーペンハウアーは今日の日本の一般読者にはあまり読まれなくなったが、生命の哲学の研究が進展すれば、その名はふたたび大きく浮上してくるにちがいない。[3]

主著『意志と表象としての世界』は、一八一九年、ショーペンハウアーが三一歳のときに刊行された。しかし評判を呼ばず、一八四四年、五六歳のときに続編が刊行された。このときに彼は正編の内容に手を加えている。[4] この二五年のあいだに、仏教についてのショーペンハウアーの知識は深まり、自身の思想も広がりを見せた。だが、追加改訂された主著の内容は、いくぶん混沌としたものになった。現在、ショーペンハウアーの人生の各ステージに着目した研究が進められている。本章では、それらの研究を参照しながら、とりあえず主著をひとまとまりの哲学思想を表現したものとみなして、そこに表われた反出生主義を中心に考察していきたい。

『意志と表象としての世界』のタイトルで使われている「意志」と「表象」という言葉は、カントの「物自体」と「現象」にそれぞれ対応している。そこでまず、カントの認識論について簡単に見ておきたい。

私が目の前のコップを見ているとする。このとき何が起きているかというと、まず「時間」と「空間」を備えた客観的な世界にコップという物体があり、その物体の表面に反射した光が私の目の中に入ってきて認識が成立する、というふうに考えるのが普通であろう。しかしカントはこのような考え方を根本からひっくり返すのである。カントは、時間と空間が客観的な世界の側にあるとは考えない。そうではなくて、時間と空間は、世界を認識しようとする私の側にある、と考えるのである。すなわち、世界の側には、まだ時間も空間も備えていないような、なにか得体の知れないものがあって、それが私の感覚（感官）の中に入り込んでくるときに、私の側にある「時間」と「空間」というフィルター（感性的直観の形式）を通過し、さらにそれが私の中にある知性（悟性）によって秩序を与えられ、その結果として「いま目の前に一個のコップがある」という認識が成立するのである。

このとき、世界の側にあって、まだ時間も、空間も、秩序も与えられていない、なにか得体の知れないもののことを、カントは「物自体」と呼んだ。この「物自体」が具体的にどんな姿をしているのかを、私はけっして認識したりイメージしたりすることはできない。私が認識できるのは、「物自体」が私のほうに向けて送り込んできて、私の感覚にまで届いたもの、すなわち「現象」として表われたもののみである。私は「現象」を認識することはできるが、その「現象」の背後にある謎の「物自体」を、けっして認識することはできない。「物自体」については、私はそれを考えることができるのみである。

ショーペンハウアーは、カントのこの認識論を正面から受け取ったうえで、それに新たな展開をもたらすのである。以下、私の言葉で要約してみよう。まず、「物自体」が私の感覚へと素材を送り込んできて、私の「表象」を形成する。「表象」はカントの言う「現象」に対応する。[5]ここで「物自体」の側に注目すれば、「物自体」は、感覚へと素材を送り出す自発性を持っていると考えられる。ショーペンハウアーは、この自発性のことを「力 Kraft」と呼び、ここに物自体の「意志 Wille」を見た。[6]

ショーペンハウアーはこの考え方を、カントを超えてさらに大胆に進めていくのである。すなわち、自然界に見られるあらゆる「客観的」な現象、たとえば植物の生長する力も、結晶が形成される力も、磁力も、万有引力も、この物自体の「意志」が表象したものだと言うのである。[7]これは非常に不思議な考え方だ。ふつう「意志」というのは、私の内面に存在するものと考えられるのであり、私の外側に広がる客観的世界に存在する植物の生長の力や、万有引力を「意志」の表象であるとは言わないだろう。しかし、ショーペンハウアーは「自然の中のあらゆる力を意志と考えてみよう」と主張する。[8]

このような世界観を取った時点で、ショーペンハウアーの哲学は、カントとはまったくの別物へと変容してしまった。カントにおいては希薄であった、自発性を持って次々と世界のものごとを生み出していく力、すなわち一般に「生命」の力として捉えられるものを、ショーペンハウアーは「意志」とみなしたのだ。[9]これはいわば、生命論へと変換されたカント哲学である。もちろんショーペンハウアーも、「意志」は客観的世界に表われるだけでなく、私の内側にもまた表われると考えている。[10]「意志」は自発性を持って私の内側に表われ、「私の意欲」となるのである。[11]

これに関して、板橋勇仁は『底無き意志の系譜』において、「物自体」の意志がまず先立って存在していて、その次に、それが表象としての世界へと表われてくるというふうに考えるのは間違った解釈であると主張する。「物自体」の意志と、表象とは、世界という同一のものの表裏二面なのであり、互いに因果関係にはない。板橋の主張には説得力があり、学べるものが多いが、私は「物自体」の主体性を強調してショーペンハウアーの生命論的な世界観を語ることも許されると考える。[12]

2 生きようとする意志

ショーペンハウアーによれば、この「意志」の本質は「生きようとする意志 Wille zum Leben」である。[13]この「生きようとする意志」は、盲目的であり、抑制不可能な衝動である。「生きようとする意志」は、無機物、植物、動物、人間を含む自然世界全体を、その背後から動かしている。すなわち、とにかく生きよう、生きようとする意志が、この自然世界のすべてを動かしているのである。[14]

「生きようとする意志」によって無から生み出された生物個体は、ひとときの生を享受したあと、ふたたび無へと帰っていく。ショーペンハウアーは次のように言う。「無から現われ出て来て、おのが生をあたかも贈り物のようにして受け取り、やがて死を通じてその贈り物を喪失して無へと戻っていくのが個体だということになるであろう[15]」。

　この宇宙にあるすべてのものは「生きようとする意志」によって突き動かされている。しかしながら、人間をも含めた生物個体は死の宿命をまぬがれ得ない。そこで生物個体は、生殖行為によって死を乗り越えようとする。彼らの「生きようとする意志」は、究極的には生殖行為へと収斂していくのである。それは『余録と補遺』に収められた次の文章からも明らかであろう。「世界を把握するにあたって、物自体、すなわち生きようとする意志を出発点とする場合、われわれがその核心として、その最大の焦点として見出すのは、生殖行為である[16]」。この生殖行為は、「生きようとする意志」を正面から肯定することである。生殖行為によって「苦しみも、そして死も、生命の現象の一環としてあらためて一緒に肯定されるのである[17]」。そして生殖行為を起動するところの「性欲」は、「生きようとする意志のもっとも決定的な、もっとも強力な肯定である[18]」。このような視点は、カントには見られない。

　だが、ショーペンハウアーのセックスの描き方は、けっして肯定的なものではない。彼は人間を、暗い衝動である生殖器と、明朗な主観である頭脳によって引き裂かれた存在として見ている。「人間は意欲の激しい、暗い衝動である（これはその焦点である生殖器という極によって示される）。人間はそれと同時に、純粋認識の永遠な、自由な、晴朗な主観である（これは頭脳という極によって示される)」[19]。そして生殖器という暗い衝動は、それに見合った暗い経験を私たちにもたらすばかりである。ショーペンハウアーはモンテーニュを引用しながら、おそらく男性の射精について、慎重な言い回しではあるが、「一種独特の悲哀と後悔がこの行為のあとただちに生ずる」と記し、「冷静に考えればたいていいやな気になり、高尚な気分のときは唾棄される行為である」とまで書いている[20]。

「セックスの哲学」が生命の哲学の重要な部分を占めると指摘したのは、ショーペンハウアーの先見の明であろう。「生きようとする意志」の肯定というと、明るくて、生き生きとしたイメージがあるが、ショーペンハウアーはそういうまとめ方をしない。彼にとって生とは、ちょうど男性の射精のように、盲目的な衝動によって翻弄される、暗く、苦しく、耐えがたいものだったのである。

ショーペンハウアーは言う。「性欲は欲情の最も激烈なるもの、願望中の願望、われわれのいっさいの意欲の集中的発揮」である。この性欲を物体として表わしているものが「精液」であり、それは「分泌物中の分泌物、あらゆる液汁のなかの精髄、あらゆる有機的機能の最終的な結果である」[21]。しかしながら、すでに指摘したように、射精は男性にとって自己肯定のよろこびにつながるものではない。それはただ悲哀と後悔へと帰結するものにすぎない。ショーペンハウアーは、古代ローマの医学者ケルススの「射精は霊魂の一部を捨てることだ seminis emissio est partis animae jactura」という言葉を引いている[22]。

生命の哲学をセックスの上に構築するというアイデアは、ショーペンハウアーのオリジナリティである。[23] しかし、ショーペンハウアーの生命の哲学の基盤に、男性セクシュアリティの陰鬱たるリアリティが横たわっている点には、とくに強い光を当てて考察しなければならない。もし仮に、交接する者たちのあいだの共感や、互いを包み込むように高まっていく快楽や、交わされる愛撫や慈しみといったセクシュアリティを基盤として「生きようとする意志」が語られたとすれば、それはまったく異なった哲学を開花させていたことだろう。セックスのあり方を肯定的に捉え、セックスから導かれる生命の出生をストレートに肯定していく哲学すら構想可能であった。しかし彼の思索はそちらのほうには向かわなかった。彼が注目するのは、「生きようとする意志」に盲目的に突き動かされ、繰り返しセックスへと向かわざるを得ない人間（あるいは男性）の姿である。[24]

なぜ人間や動物に性欲があるのかと言えば、個体に死が訪れるからである。個体が死んでも生物種の存在が断絶しないように、人間や動物はセックスを行なって子孫を残そうとするのだ。したがって、「生きようとする意志」は生物種に属するのであって、個体に属するのではないとショーペンハウアーは言う。[25]「いかなる時にも生きているのは種属」である。[26]「生きようとする意志」によって生を自己展開していく生物種の目からすれば、有限な生物個体など、単なる使い捨ての駒のようなものでしかない。ちょうど、われわれがまったくの無関心のうちに小さな虫を踏みつぶしてしまうように、生物種は生物個体には無関心であり、ただそれらが破滅して死んでいくにまかせるのである。[27]

3 いっさいの生は苦しみである

結局のところ、生物個体の視点から生を眺めてみても、そこに広がっているのは鬱々とした光景にすぎない。生物個体はつかの間の生を経験したあと、死によって生を断たれ、大いなる自然の力によって、まったく無関心に踏みにじられていくほかないのである。「生きようとする意志」は、私たちに存在の肯定を与えるものであるかのように見えるが、実はまったくそうではないのだ。

この世界を冷徹な目で見てみよう。すると分かるのは、世界は苦しみに満ちているという事実である。あらゆる生物個体は「生きようとする意志」によって突き動かされているわけであるが、その生きようとする努力は、かならずどこかで挫折する運命にある。他との闘争に敗れることも多いし、最終的には死によって生は敗北する。すべての生物個体は「苦しみ Leiden」を余儀なくされる。[28]人間だけでなく、植物や動物もまた至るところで努力を挫折させられており、苦しんでいる。ゾウリムシのような最下等動物からはじまって、神経系が発達するにしたがって、この苦しみの度合いも高まっていく。そしてその苦しみは人間で最高度に達し、また知能が高いほどそれは増大する。[29]「いっさいの生は苦しみである alles Leben ist Leiden」というのがショーペンハウアーの結論である。[30]

そもそも考えてみれば、人間が生きているとは、死を絶えず延期させながら生き延びることであるが、しかしいずれは死という最終地点が待ち構えていることに間違いはないのだ。それは、「シャボン玉を、それがいずれは破裂するであろうことを確実に知りながらも、できるだけ長くまたできるだけ大きくふくらませようとしている」ことと同じである。そして、死に向かう人生行路の中身はというと、何かを求めて目標に達するまでのあいだは苦しみに包まれており、その目標に達してみれば今度は空虚と退屈に包まれるのであり、したがって人生は「まるで振り子のように、苦しみと退屈のあいだを行ったり来たりして揺れている」にすぎない。[31]

そもそも人間が生き続けようとするのは、生への愛着からではなく、死への恐怖があるからだ。しかし、死への恐怖を逃れようとしていくらがんばったとしても、まさに最終的な全面的難破である自己の死に向かって舵を取っているだけのことである。[32] 私たちは幸福になるために生きているという考え方があるが、ショーペンハウアーによれば、それは明らかな虚偽なのであって、まさに苦しみこそが生きる者の真の定めであると言わざるを得ないのだ。生が苦しみと退屈に覆われていること、そして生が結局は死へと帰結することを考えれば、生は「われわれに幸福を感じさせないことをほんらい目的としているような観をすら呈している」のである。[33]

さらに言えば、「願いごとはけっして満たされないし、努力は水の泡となるし、希望は無慈悲に運命に踏みつぶされるし、一生は全体として不幸な誤算であるし、おまけに悩みは年齢ごとに多くなって最後に死がくるというのであれば、これはなんとしても悲劇である」[34]。けっして祝福され得ないもの、それこそが人生なのである[35]。

これらのことを考えてみるに、この世界はあらゆる可能世界の中で最善なものであるとするライプニッツの哲学は間違っているとショーペンハウアーは断ずる。というのも、もしこの世界がいまよりも少しでも悪いものになれば、この世界は絶対に存続できなくなるであろうから、この世界は存在可能なあらゆる可能世界の中でも最悪のものでなければならないのである[36]。

そしてショーペンハウアーは言う。こんなことならば生まれてこないほうが良かった、と。彼は何通りかの言い方でそれを書いている。

まずは、悲劇の本質を語る箇所でショーペンハウアーが引用したスペインの劇作家ペドロ・カルデロン・デ・ラ・バルカの言葉、「人間のもっとも大きな罪は／彼が生まれてきたということにあるのだから」がある[37]。ショーペンハウアーはこれを「存在そのものの罪」と呼んだ[38]。あるいはこのようにも言う。思慮深い人は、人生の終わりに際して、人生をもう一度繰り返したいなどとは思わないだろう。「むしろそんなことをするくらいなら、まったく存在しないこと gänzliches Nichtseyn を選ぶ方がまだしもはるかにましだと思うことだろう」[39]。また次のようにも言う。「われわれは根本的にいって存在すべきではなかった何ものかなのである Wir sind im Grunde etwas, das nicht seyn sollte」[40]。そして次のように結論する。「われわれはこの世に存在しないほうがよかったのだ wir besser nicht dawären という認識こそ、……あらゆる真理のなかで最も重要な真理である」[41]。ここで言われている、「われわれは存在しないほうが良かった」は、「われわれは生まれてこないほうが良かった」という言葉として解釈できる[42]。まさに誕生否定の思想が謳われているのである。ショーペンハウアーが稀に見る誕生否定の哲学者であったことは、これらの言葉から明瞭である。ただしショーペンハウアーが誕生否定を語るときに「存在」という言葉を使用している点については、留意しておきたい[43]。

ショーペンハウアーが、先ほどの引用で、「私は存在しないほうが良かった」という次元を通り越して、「われわれは存在しないほうが良かった」と主張していることに注意してほしい。「存在しないほうが良かった」というのは、絶望にかられたひとりの人間にのみ当てはまるのではなく、この世に生まれてきたあらゆる人間たちに当てはまる真理だと彼は示唆している。

ショーペンハウアーは、ペトラルカの「千の快楽も一つの苦しみにかなわず[44]」という言葉を引用して次のように語る。「何千人という人間が幸福に楽しく生涯を送ったとしても、そのことによって、ただ一人でも悶々たる不安と死の責苦を受けたという事実を解消することは断じて不可能」である[45]。すなわち、この世界にいくら快楽が充ち満ちていたとしても、ただひとつの苦しみがあっただけで、世界は「喜ぶべきではないもの[46]」になるというのである。ショーペンハウアーは、さらに続ける。「この世に悪が実際より百倍少ないとしても、その悪が現に存在しているというだけで、あるひとつの真理を基礎づけるのに充分である[47]」。その真理は何かといえば、「世界が存在しないほうが存在するよりましだ」というものである[48]。これは第2章で紹介したベネターの、「たとえ善いことに満ちあふれた人生であっても、もし悪いことがほんの少しでもあったとしたら、……その人生は、人生の非存在よりもかならず悪くなる」という考え方と同型である。ベネターの誕生否定の思想は、ショーペンハウアーの直系子孫であると言えよう。

ところで、さきほどの引用において、ショーペンハウアーの否定の精神は、われわれ人間の次元を通り越して、世界それ自体の存在の否定にまで拡大されている。世界に苦しみと悪が存在するならば、世界など存在しないほうがよかったのだ、すべては無であったほうがよかったのだ、というのである。これは『ファウスト』においてメフィストが語る「何も生じてこなければよかったのだ」に匹敵する言葉である。私も、あなたも、動物も、植物も、岩石も含めた、この世界それ自体が生じてこなければいちばんよかったというのである。これは、人間が考えることのできる最大の存在否定の形式であろう。[49]

ここが、ショーペンハウアーの誕生否定の思想の最深到達点である。古代ギリシアの反出生主義と、グノーシス主義の水脈が、ショーペンハウアーにまで届いてきているのだ。[50]

4 「無意志」の状態こそが最高善である

いのちあるものとしてこの世に存在することは、苦しみ以外の何ものでもない。であるから、われわれはそもそも生まれてこなければよかったし、世界はそもそも存在しないほうがよかった。

これがショーペンハウアーの根本的な考え方である。われわれは「生きようとする意志」に突き動かされて生きているから、ふだんはそんなことを考えもしないが、世界の有様を冷静な目で眺めてみれば、この世界は生きるに値しないし存在するに値しないという真理を、正しく見ることができるようになる。人間にはそのような「認識」の力が備わっている。

正しく世界を見る境地に至った人間がなすべきは、「生きようとする意志」を、みずから進んで捨て去ることである。ショーペンハウアーは、人間を突き動かす盲目的な「意志」と、その意志の暴走を鎮めようとする「認識」の力とを対立させて捉え、「認識」の力のほうに希望を見ようとする。なぜなら、われわれは「認識」の力によってはじめて、「生きようとする意志」から脱却し、真の救済へと至ることができるからである。ショーペンハウアーは、これを「意志に対する認識の勝利」と言う[51]。

それは、「生きようとする意志」を自分自身の内側から消し去って、真の「無意志 Willenslosigkeit」の状態に至ることである。これこそが「最高善」と呼ばれなくてはならない[52]。たとえ世界に対する愛に満ちた人がいたとしても、この世界を肯定することは不可能である。なぜなら、この世界で生きているすべての生き物は苦しみにまみれているからである。愛ある人は、それら苦しむすべての生き物たちと共苦し、彼らの苦しみをみずからの苦しみとするであろう。しかし、いくら共苦の態度を貫いても、彼らの苦しみそのものを根絶させることはできないのだから、そのことを明瞭に認識した人は、「生きようとする意志」を捨て、ありとあらゆるものに対する無関心を自分の中に育て、完全な無意志の状態に移行する。このようにして、世界に対する愛から、世界に対する否定が導かれるのである。[53]

「生きようとする意志」を捨て去り、あらゆるものに対する無関心の境地に至ることこそが、真の「自由」であるとショーペンハウアーは言う。[54] 洋の東西を問わず、禁欲的な聖人と言われる人物はこのような自由を獲得している。自我を肥大させてあらゆることを自在に行なえるのが自由なのではなく、自我を滅却してこの世に生きる苦しみから解放されることこそが自由なのだ。

実際、無意志の状態は、喜びにあふれた境地でもある。たとえ物に恵まれず、貧乏であったとしても、その内面は喜びと安静に満たされている。ここで言う喜びとは、生を貪欲に追い求める人が経験するような、苦しみをその前後に伴った喜びのことではなく、そのような生への欲望を内面から消し去った後に訪れるところの、「不動不壊の平和」であり「深遠なる寂静」であり「心からの快活」である。[55]

この境地に至った人は、「生きようとする意志」が完全に消し去られており、内面は至福に満ちており、何ものもその心を動かすことはない。なぜならその人は、欲望や恐怖などをすでに断ち切っているからである。そしてその人は、ただ純粋な認識者となって世界を映す鏡のようなものとなる。[56] 正しい認識によって導かれる欲望の断滅という考え方は、古代インドの原始仏典にも見られるものである。

さて、「生きようとする意志」を消し去った人にとっては、死は恐怖ではない。それどころか、死は「最後には好ましいことに思えてくる」[57]。というのも、すでにこの世への執着は断ち切られているのだから、死によってこの世を離れることはもはやたいした出来事ではないのだ。死は怖れるべきものでもないし、忌避すべきものでもない。いったん「生きようとする意志」を断滅させてしまえば、あとは平安のうちに死をたんたんと迎えるだけのことである。したがって、実際の死は「待ち望んでいた救済としていたく歓迎され」、彼らは「喜んで、こころ静かに、幸福のうちに死んでいく」[58]。その心境を私たちのほうから見れば「無」の境地と映るだろうが、無意志の人から見れば、「われわれの世界のほうが、そのあらゆる太陽や銀河をもふくめて、――無なのである」[59]。

板橋勇仁は、この無であり自由である境地を次のように説明している。「一々のことは、そのようにあるべきゆえにあり、あるがままにあることとして、そうした必然性において、ありのままに認識され行われる。それは、一々のことのそのありのままが、現に意志自らがもともと望み意欲するがままであるということなのである」[60]。板橋はこれを「底無き意志の自由」と呼ぶ。のちに第6章で考察するニーチェの「運命愛」を彷彿とさせる。

もちろん、実際に「生きようとする意志」を消し去るのは簡単なことではないだろうとショーペンハウアーも認めている。なぜなら、私たちは身体を持った存在であり、身体の奥底には「生きようとする意志」が強力に埋め込まれていて、それはちょっとした隙を見つけては噴出してくるからである。そうなると、私たちはふたたび「生きようとする意志」を断滅させるべく努力しなくてはならなくなる。したがって、私たちが身体をもって生存しているあいだは、身体の奥底から湧き上がってくる意志と、それを断滅させて不動不壊の平和を求めようとする精神のあいだで、不断の闘争が繰り広げられることになる。そしてこの闘争は、私たちが死によって消滅するそのときまで続けられるのだ。[61]

このように考えてみれば、もっとも好ましいのは、やはり「そもそも私が生まれてこない」ことであろう。生まれてこなければ、生きる苦しみもないし、不断の闘争に巻き込まれることもないからだ。ショーペンハウアーの思索の全体を支えているのは、やはり、私を含むこの世界が存在してしまったことに対する否定の精神であり、徹底したペシミズムである。本来ならば、生まれてこないのがいちばんよかったのだが、現に私は生まれてしまっている。だとしたら次善の策として、生にしがみつくのはやめて、無意志の状態になるように努力するのがよいというわけなのである。ここにショーペンハウアーの反出生主義の核心がある。[62]

それはまた、古代インドで仏教修行者たちが目指した境地にも似ている。事実、ショーペンハウアーは、著書の中で仏教の修行について何度も熱く語り、仏教修行のあり方に大きな共感を寄せている。だが、ショーペンハウアーの実人生を見るに、彼が仏教修行者のような生を送った事実はないし、実際に無意志になろうと試みたこともない。ショーペンハウアーは、遠いアジアから入手した翻訳テキストや、当時のインド学者の手による仏教研究に傾倒していたにすぎなかった。彼自身は、あくまでも世俗にまみれた哲学者であり、けっして宗教の実践者ではなかったのだ。[63]

5　自殺について

そもそも、生にしがみつくのをやめるというのなら、いっそのこと自殺してしまえばいいではないか。しかしショーペンハウアーは、自殺を基本的には評価しない。ここで彼の自殺に対する考え方を『意志と表象としての世界』に沿って見ておきたい。

まず、自殺とは「生きようとする意志」を否定した結果なされる行為ではなく、その逆に、「生きようとする意志」を手放そうとせず、それにとことん執着するがゆえになされる行為であるというのが、ショーペンハウアーの基本的な考え方である。[64] ショーペンハウアーは簡潔に表現している。「もともと自殺者は生を欲しているのだ。自殺するのはただ、現在の自分の置かれている諸条件に満足できないというだけの話なのである[65]」。

すなわち、自殺者は、ほんとうのところは生きたいのである。もし幸福な人生だったとしたら、それを謳歌したいのである。しかしながら、実際の自分の人生は苦しみに満ちているし、自分の思うようには生きられない。こんな苦しみを生き続けるよりは、自分の生を無にすることによって、この苦しみから完全に解放されるほうがましだ。そう思って自殺を決行する。

ショーペンハウアーは、このような思考の道筋に何か許し難いものを感じるのだ。なぜなら、自殺者は「ほんとうは生きたい」と思っているのだが、その「ほんとうは生きたい」という執着の思いをこそ、本来は断滅しなければならないはずだからである。

　現代の自殺予防の考え方と比較すれば、ショーペンハウアーの特色がより鮮明に浮かび上がる。自殺予防では、自殺を考えている人に対して、「あなたが自殺したいと言うときに、あなたがほんとうに望んでいるのは、この苦しみをなんとかしてほしいということだ。あなたがほんとうに望んでいるのは、けっして死によって人生を終えることではなく、この苦しみから解放されて人生を生きていくことだ。だから自殺は思いとどまってほしい」というメッセージが送られる。実はショーペンハウアーも結論は同じなのだが、結論に至る理由がまったく異なる。ショーペンハウアーだったら、きっとこう主張するだろう。「あなたが自殺したいと言うときに、あなたがほんとうに望んでいるのは、けっして死によって人生を終えることではなく、この苦しみから解放されて人生を生きていくことだ。だから、そんな不純な動機によってなされる自殺は、けっして推奨されない」。現代の良識からはけっして出てこないような、特殊な思想がここにはある。

　ただしショーペンハウアーは、唯一肯定できる可能性のある自殺のやり方をあげている。それはみずから餓死を選び取る場合である。これは、禁欲修行にはげむ人間が、「生きようとする意志」を完全に消滅させた結果、食べ物を摂取しようとする意志すら消えてしまい、その結果、食べるのをまったくやめて死へと赴くことである。このような形の自殺は、「生きようとする意志」を完全に消滅させた結果として起きるのであり、「生きようとする意志」に執着したままでなされる自殺とは決定的に異なっている。ショーペンハウアーは、餓死による自殺に対しては、否定的なまなざしを向けていない。[66]

後年の『余録と補遺』で多少の追加がなされているので、見ておきたい。まず、自殺に反対するまともな根拠としては、右に述べたような、自殺者は「生きようとする意志」に突き動かされているから自殺はダメだという根拠しかあり得ないと彼は強調する。宗教的理由で自殺に反対するユダヤ・キリスト教や、それに迎合する哲学者の考え方は詭弁であるとしている。[67] また、「生きようとする意志」の否定とは、単にあらゆることを意欲しないようにするということだけを意味するのであり、けっして意欲する実体の絶滅（つまり自殺）を意味するのではない。意欲をまったく失った結果として、その人が無に移行するだけのこと（つまり餓死）であると言う。[68] いずれにせよ、反出生主義者であるショーペンハウアーとベネターが、ともに自殺を基本的に推奨しないのは、たいへん興味深い点である。[69]

ショーペンハウアーの自殺観に関する研究は、さほど多くは見当たらない。その中で、デール・ジャケットの論文「ショーペンハウアーにおける自殺の倫理学」は、餓死による自殺の妥当性を検討しているので、見ておきたい。餓死による自殺を試みる者は、「生きようとする意志を表現するためでもなく、死のうとする意志を表現するためでもなく、いかなるタイプの意志に対しても完全に無関心を貫きながら」餓死をするのである。[70] しかし生にも死にも無関心なはずの人が、なぜ餓死のほうに向かってしまうのか。餓死の形で死ぬことへの関心はやはり「生きようとする意志」の表明だと言わざるを得ないのではないか、とジャケットは指摘する。[71]

この点については、次のように考えることができる。ジャケットは、人が餓死の形で死ぬことに積極的な関心を持った結果、餓死を試みるようなケースを想定している。しかしそれと、「生きようとする意志」を完全に失った結果として起きる餓死とは区別されなくてはならない。すなわち、「いまから餓死によって生を終えよう」と意志した結果なされる餓死と、生にも死にもまったく関心がなくなった結果として、飲食することへの関心をも失い、その結果として口に水や食料を運ぶ意欲すら失って餓死することとは、区別しなければならない。ショーペンハウアーの考え方にもとづけば、後者は無意志に基づいた餓死だから肯定できるが、前者は無意志ではないがゆえに、否定されることになるはずである。この路線で考えれば、日本のいわゆる「即身仏」も否定されることになるだろう。彼らは「死へみずから向かうことによって仏になろう」と意志して餓死を選ぶのであるから、「意志」というものからまったく自由にはなっていない。なお断食による餓死については、ジャイナ教の「サンターラー」の儀礼があり、今後の研究が必要である。

6　死によっても壊れ得ないもの

ショーペンハウアーの思索をさらに追ってみよう。まず、「生きようとする意志」は性欲へと収斂する。したがって、われわれが行なうべきは、性的な禁欲を実行することである。もしすべての人間が禁欲に成功したならば、人類は絶滅する。

これに関して、ショーペンハウアーは、アウグスティヌスの『結婚の善』に言及し、すべての人間が性的な禁欲をすれば世の終わりが早められ、その結果として神の国がすみやかに実現されるとアウグスティヌスは述べたとしている。そして、古代の真のキリスト教においては、結婚よりも禁欲のほうがはるかに好ましい徳とされていたと結論する。[72]

たしかにアウグスティヌスは、『結婚の善』で、性的禁欲は善であり、結婚はそれよりは劣るかもしれないがやはり善であるとして、結婚は悪であるとする説を退けた。同書には、次のように書かれている。「しかし次のようにつぶやく人たちがいることをわたしは知っている。「もしすべての人があらゆる性的関係を控えることを欲したら、どうやって人類は存続するのだろうか」。ああ、すべての人が、ただ「清い心と正しい良心と偽りのない信仰」によって、そのこと［節制］を欲してくれたらよいのに。そうしたら、神の国はもっとすみやかに成就し、世の終わりは早まるであろう」[73]。この箇所を読むかぎり、アウグスティヌスは、すべての人が性的禁欲を行なって人類を絶滅させたら、最後の審判が早く来て、神の国の実現が早まると期待しているように見える。

そしてショーペンハウアーによるこの箇所の引用の仕方を見るかぎり、彼もまた性的禁欲による人類の絶滅について肯定的な評価を下しているように思われる。ショーペンハウアーは出産否定による人類の絶滅を好ましいものと考えるタイプの反出生主義者だったと私は考えたい。

ショーペンハウアーは、自殺を、絶望による自殺と餓死による自殺に分け、餓死による自殺を肯定的に捉えていた。おそらく彼は、性的禁欲による人類の絶滅を、餓死による個人の自殺と同じような種類のものとして捉えていたのだろう。ちょうど餓死による個人の自殺が、食を絶って個人の生を消滅させることであるように、性的禁欲による人類の絶滅は、性欲を絶って人類の生を消滅させることであるというわけである。これは重要な論点だ。自分の身体を無理やり刃物で刺したり、核兵器によって人類全体を爆殺したりするのではなく、いわば花がおのずとしぼんでいくような形で生の無化が達成されるのである。ここには、負の感情にとらわれたり自暴自棄になったりして暴力的に生を終わらせるのではなく、きちんと納得したうえで静かにしぼむように生を終わらせることへの、何かあこがれのようなものがあるように私には感じられる。いずれにせよ、餓死によって個人の生を終わらせること、そして性的禁欲によって人類を絶滅させること、これがショーペンハウアー的な反出生主義にもっともなじみやすい生存の終わらせ方であると言えるだろう。

考えてみれば、「生きようとする意志」が私の中へと表われてきて、私の意志すなわち私の意欲となるのであった。その私がなすべきことは、みずからの意志を発揮して生き生きと生きることではなく、その逆に、みずからの意志を減退させて無意志になることである。ショーペンハウアーは、無意志に向かう行為は成立すると考える。[74] そして私の中で、「生きようとする意志」と「無意志に向かう行為」が衝突する。ショーペンハウアーはそれを「不断の闘争」と呼んだのであった。しかしショーペンハウアーは、その二つは最終的には平和裏に調停され得ると考え、そこに救済を見た。すなわち、私の中の「生きようとする意志」を、私の中の「無意志に向かう行為」が減退させることで、「生きようとする意志」が縮小し、それを減退させようとする「無意志に向かう行為」もまた縮小し、ともに揃ってしぼんでいって、ひとつの平和な終局が訪れるというプロセスがあり得ると考えたのだ。

このような調和的で平和な落ち着け方は、第2章で述べたような、生物進化と反出生主義のあいだの永遠の戦いとはまったく異なるものである。ショーペンハウアーの時代にはラマルクがいたが、生物進化の考え方はまだ哲学に本格的には入ってきていない。もしショーペンハウアーの考え方を現代に蘇らせるとしたら、彼の言う「生きようとする意志」の中に、自発的にみずからを進化させていこうとする生物進化の意志というものを組み込む必要が出てくるだろう。すなわち、みずからを内発的に解体して、これまでになかった新たな生物種へと生まれ変わらせていくパワーを、「生きようとする意志」の中に読み込まなければならない。その作業は、後の哲学者アンリ・ベルクソンの「生の跳躍（エラン・ヴィタール）」の概念によってなされた。本シリーズ第二巻以降でベルクソンについて検討するので、そのときにふたたびこの論点を掘り進めることにしたい。

ところで、反出生主義の哲学からはいったん離れることになるが、ショーペンハウアーが「私の死」というものをどのように捉えていたのか見ておきたい。まず、彼が参照していたカントの哲学を振り返ってみよう。カントは、現象世界に表われるものはすべて感性的直観の形式である時間と空間によって規定されると考えた。これに対して、現象世界の背後にあるとされる物自体や「私」（超越論的統覚）について言えば、それらは時間や空間の制約を離れているがゆえに、時間的な意味では生まれることも消滅することもない。では、死後に私の「魂」はどうなるかであるが、このような問いの立て方はそもそも間違っているとカントは言う。なぜなら霊魂の不滅は論理的に証明できる性質のものではなく、道徳を成立させるために実践理性によって要請されるべき性質のものだからである。[75]

「私」は時空の制約を離れたところにあるとするカントの哲学を、ショーペンハウアーは受け継ぐ。「私」は時間の制約を離れているのであるから、死後において魂が永遠に存在し続けると言うのも、死後において永遠の無が到来すると言うのも、ともに間違いである。[76]

時空をともなった現象の世界においては、たしかに「私」は死ぬ。しかしながら、現象の世界において「私」が死んだとしても、時空の制約を離れたところで「私」を支えていたその本質は「壊れないまま」なのである。ショーペンハウアーは、「私」の本質が持つこの性質のことを「不壊性」[77]と呼ぶ。「私」が現象世界で死んだとしても、その本質は壊れずに残る。だがそれは、時間的な意味で死後に残るわけではない。ここまではカント哲学の枠組みでぎりぎり言える。カントは、この壊れ得ないものの不死を要請した。だがショーペンハウアーはここでカントの外に出るのである。

ショーペンハウアーに言わせれば、この不壊性を担っている本質こそが、「生きようとする意志」である。私が死ぬとき、意識は失われるけれども、「意識を生みだし維持したところのものはなくならず、生命は消えるが生命において顕現した生命の原理までともに消えるわけではない。だからこそ自分のなかにはまったく不滅不壊なるなにかがあるとの確かな感じがだれの心にも湧いてくるのだ[78]」と彼は言う。すなわち、「生きようとする意志」は、たとえ私が死んだところで、壊れることはない。だから私は、自分の中に何か壊れ得ないものが存在するという直覚をもつことができるのである[79]。

ショーペンハウアーの思索は、ここから大きく跳躍する。「私」の死によっても破壊されることのない「生きようとする意志」が「私」の死後にどうなるのかというと、それは他の人間の生命へと再生していくのである。ひとつの人生が死によって終わるたびごとに、それを駆動していた「生きようとする意志」は、新たにこの世へと誕生してくる赤ちゃんの内部へと入り込み、そうやっていくつもの人生を次々と巡っていくというのだ[80]。これは輪廻と呼んでもいいが、認識主体が輪廻するのではなく、その主体の根底にある「生きようとする意志」が輪廻するのである[81]。新たな人間は、以前の記憶を持たない。なぜなら、輪廻するのは「生きようとする意志」だけであり、知性は輪廻しないからだ[82]。ショーペンハウアーは、この「生きようとする意志」の輪廻のことを「再生 Wiedergeburt」と呼んで、通俗的な輪廻とは区別している[83]。

ということは、生まれた赤ちゃんを見るときに、我々はすでに死んでしまった別の人間の「生きようとする意志」と目の前で再会していることになる。キリスト教において、我々は、死んでしまった人間たちと復活後の世界において再会するのだが、「生きようとする意志」の輪廻の考え方においては、「再会はいま現在すでに進行中」ということになるのだとショーペンハウアーは書いている[84]。この考え方は、イスラム化した地域以外の全アジアに広がっており、エジプトやギリシアにおいても確認されると彼は言う[85]。たしかに、輪廻の考え方はすでに『ウパニシャッド』に説かれており、仏教において精緻化された。ショーペンハウアーの考え方は仏教の輪廻に近い。その証拠に彼は、輪廻の中で「不壊なる意志が生の夢想を継続して」いき、数多くの認識を受け継ぎながら向上し、「ついには自己自身を廃棄するにいたる」と語っている[86]。

ショーペンハウアーのアジア的な輪廻への傾倒は、ショーペンハウアー研究者たちを悩ませた。たとえばヘルムート・グラーゼナップは、「ショーペンハウアーにとって輪廻説は、カントの言葉を使えば、実践理性の要請の模範である」と述べており、輪廻の実在は証明できないけれども存在すべきものとして措定したのだと解釈している[87]。だがその解釈は、ショーペンハウアーをアジア的なものから過度に隔離しようとしている疑いがある。実際、ショーペンハウアーは「生きようとする意志」の「再生」の自説を語ったあとで、それは秘教的な仏教の教理とも一致するとし、その後に「他方、経験的な根拠もまたこの種の再生を証明している、という点を見失ってはならない」と述べるのである[88]。その経験的な証拠とは、「死亡者数と出生数はいついかなる場所にあっても同率で増減する」ことであり、それは死亡した人の「生きようとする意志」が、この世に新しく生まれてきた人の中に入り込むからである。[89] ショーペンハウアーは死亡者数と出生数の同率を事実についての報告として描写している。ショーペンハウアーは「生きようとする意志」の「再生」を本気で事実と考えていたのだと私は判断する[90]（以降、「再生」を「輪廻」と等置して考えていく）。

たしかにカントの超越論的哲学を、生のエネルギーが次々と輪廻転生していくという古代インド哲学に直接結びつけるのは、かなり危ない冒険である。しかしアートマンや無我の概念は、カントの超越論的統覚の概念と親近性があるとも言えるので、哲学的に重要な論点をショーペンハウアーが発見している可能性もある。すなわち、いま目の前にいる人間を存在させているところのものは、それ以前には他の別の人間を存在させていたところのものだったのであり、さらにそれはどんどん世代を遡っていく。したがって、私は目の前のひとりの人間と出会うときに、無数の人間たちを経てそこへと流れ込んできた「生きようとする意志」に刻まれた無数の人間たちの「痕跡」に同時に出会っているとも言えるのである。[91] そしてまたそれは、この私自身についても当てはまる。この私の奥底に、限りない世代を通じて流れ込んできた「生きようとする意志」に託された無数の人間たちの「痕跡」が刻まれているとも言えるのである。ショーペンハウアーは輪廻説をカント哲学と両立させようとしているから、人間たちに何度も流れ込んでくる「生きようとする意志」は、カントの「物自体」と同一視される。すなわち、カントにおいては現象世界の背後から感覚刺激を送り込んでくる物自体が、ショーペンハウアーにおいては、生まれて死んでいく人間たちに次から次へと乗り移って彼らの生を駆動していく「生きようとする意志」となるのである。これは、物自体が流動的な生のエネルギーとなって、人間から人間へと無限に輪廻する世界でもある。

ただし、これらの出来事は叡智界（ヌーメノン）で起きることであるから、時間的な継起として考えてはならない。では、そこで言われる輪廻を、無時間的なものとして把握するにはどうすればいいか、という難問が生じてくる。ひとつの答え方は、この世界内での生は時間的に生起するが、死後の輪廻は時間的には生起せず、したがって輪廻によってつながれる二つの生のあいだにはどちらが先でどちらが後かという順序関係はあるけれども時間的継起の関係はないというものになるだろう。すなわち、先後の順序関係によってあらゆる意識存在は一対一でつながり合っているのだが、それがつながっている場所は時間の制約を離れた叡智界であるから、時間的な意味でこちらの生が終わった後にあちらの生が始まったというふうには言えない、ということになるだろう。

さらに考えてみれば、そもそも輪廻的な世界観のもとでは、反出生主義は敗北を宿命づけられている。なぜなら、「私は生まれてこないほうが良かった」と主張したとしても、生まれる前の私は無ではなく、そこには生のエネルギーによって接続された生を生きる別の誰かがいるのであり、その誰かが生きる生もまた「生まれてこないほうが良かった」ようなものだったはずだからである。この連鎖は無限に続く。反出生主義は生物進化に負けるだけでなく、輪廻的世界観にもまた負けるのである。それはおそらく、生物進化と輪廻が同じひとつのものから導かれており、反出生主義はその同じひとつのものにけっして勝てないだろうからである。それは一般に生のエネルギーという観念で把握されているものであり、ショーペンハウアーはこれを「生きようとする意志」と呼んだのだった。

話を戻せば、ショーペンハウアーがカント哲学とインド哲学を融合させて構想していたのは、いわば「ひとりとは、ひとりでないことだ」という哲学である。事実彼は、「かの無限に多い自我も唯一の自我と異なるところはない」と主張する。[92] ショーペンハウアーはこれを梵我一如的な共苦の概念によって基礎づけようとした。だが私は、それを輪廻説につなげるほうが興味深いと考える。すなわち、魂の無時間的な転生によって人間の共同性が基礎づけられるという世界観である。実は、これと同じ思索を渡辺恒夫がかねてから行なっており、注目される。渡辺は『輪廻転生を考える』(一九九六年)において、「遍在転生観」という概念を提唱した。[93] これは宇宙に存在するのはこの私ひとりだけであるという独我論と、そのひとりだけの私が輪廻転生によってこの世界に何度でも無限に生まれてくるという転生観を合体させたものである。そして何度でも転生して生まれてくるこの私は時間的制約を離れて、すべていまこの世界へと折りたたまれている。つまり、私が出会う人間たちは、すべてこの私の生まれ変わりなのである。たくさんの霊魂が輪廻転生しているのではなくて、この私というたったひとつの存在が、時間軸を超えて何度もこの世界へと転生して、人間社会を作り上げているのである。地上に存在する数十億人の人間たちは、すべてこの私が転生して生み出された存在だということになる。この発想はショーペンハウアーの「かの無限に多い自我も唯一の自我と異なるところはない」という命題の輪廻的な具現化であると考えられる。そしてその原初形態は『ウパニシャッド』のアートマンの概念にまでさかのぼる。[94]

ミヒャエル・ハウスケラーは著書『生の嘆き』において、ショーペンハウアーが心酔した『ウパニシャッド』の金言「汝はそれである」に着目し、そこから導かれる共同性の命題は、「あらゆる生ける個体を、あたかもそれが唯一のものであるかのように、あたかもその苦悩のみが現実的であるかのように、あたかも、まさにその現存に世界の現存が懸かっているかのように扱え、というものになるであろう」と述べている。[95] これはたいへん面白い考え方であり、もしこのような路線で考えるとしたら、この文章中の「かのように」をどう理解するかがポイントとなる。ただしショーペンハウアーと『ウパニシャッド』の両者を綿密に検討した湯田豊は、ショーペンハウアーは『ウパニシャッド』の「汝はそれである」の意味をそもそも誤解しており、「汝はそれである」からは共同性の倫理学は導けないと断言している。[96] しかし私は思うのだが、ショーペンハウアーのテキストから離れて、現代の倫理学としてその路線の考え方を構想することは不可能ではないはずだ。『ウパニシャッド』については第4章で詳しく取り上げるので、その際に再度考えてみたい。

さて、ここまで考察してみて、ショーペンハウアーはどのようなタイプの反出生主義者だったと言えるだろうか。まず彼は、「われわれは存在しないほうが良かった」という形の誕生否定を主張する。それは「世界が存在しないほうが存在するよりましだ」というところまで行き着く。そしてすでに生まれてきてしまっている私たちはどうすればいいのかと言えば、「生きようとする意志」を消し去って「無意志」の状態になることを勧める。子どもを産むことについては、性的禁欲による出産否定を主張する。その結果として人類が絶滅することに対しては許容的である。自殺については、基本的には推奨しない。ただし「無意志」になった結果としての餓死は肯定する。人が涅槃に至らずに死ぬと、意識は消滅するが、その人の生を突き動かしていた「生きようとする意志」は輪廻し、別の人間へと再生していく。

ショーペンハウアーは、テオグニスともベネターとも異なった独特の反出生主義者である。そしてショーペンハウアーは、ヨーロッパの反出生主義の思想史の要(かなめ)に位置する哲学者である。それまでの数々の反出生主義思想が彼へと吸い込まれ、彼を経由して、後の思想家たちへと流出していった。ショーペンハウアーは、これまでペシミズムの哲学者として、あるいはカント主義の系譜の哲学者として位置づけられてきた。それに対して、「反出生主義者ショーペンハウアー」という姿が今日浮上してきている。[97] これは今後のショーペンハウアー研究に新しい光を当てるものであろう。

その一例として、反出生主義者ケン・コーツによるショーペンハウアー批判を見ておきたい。コーツはショーペンハウアーが重要な反出生主義の思想家であることを認めながらも、すでに生まれている個人の救済にのみ考察の焦点が当てられており、子どもの出生の「予防prevention」の考え方がほぼ抜け落ちていると批判する。コーツは言う。「たしかにショーペンハウアーは強力な反出生主義の見解を表明してはいるのだが、彼はまだ生まれてきていない人間を今後存在させない手段としての反出生主義を、擁護できていないとまでは言えないとしても、きちんと考察するところまでは行けていない」[98]。すなわち、具体的な出産否定のプログラムを提唱できていないというのである[99]。すでに見たように、ショーペンハウアーはアウグスティヌスの人類の絶滅のエピソードを肯定的に捉えている。だがたしかに、子どものためを思った出産否定とその先にある人類絶滅へのプランをショーペンハウアーは具体的に構想してはいなかった。現代の反出生主義者によるショーペンハウアー批判として一考に値する。

7　ショーペンハウアーの影響力

ショーペンハウアーの反出生主義から影響を受けたヨーロッパの二人の思想家を取り上げ、簡単に紹介したい。

ひとりは、エドゥアルト・フォン＝ハルトマンである。今日では忘れ去られてしまったが、かつては一世を風靡し、森鷗外が小説「妄想」にて、「十九世紀は鉄道とハルトマンの哲学とを齎したと云つた位、最新の大系統として賛否の声が喧しかつた」と述べていた哲学者である[100]。ハルトマンは一八六九年に『無意識の哲学』を刊行し、ショーペンハウアーと生物進化論を結びつけた。鷗外が読んだのはこの本である。ハルトマンは、人間は「無意識」によって突き動かされていると考える。これはショーペンハウアーの「生きようとする意志」に当たるものである。そして彼は、人類が「無意志」を達成するにはどうすればよいかを考察する。そのために必要なのは、まず人類の意識が生の悲惨によって貫かれ、それを通して人類が無の平和と無痛への深いあこがれを抱き、みずからの意志を消し去って早くそこへ向かおうとすることだと言う。それが成功して、全世界に存在する意欲をすべて消し去ることができたとき、全宇宙は瞬時に消滅する。[101]それは最上の可能世界であり、意識のもっとも偉大な進化である。これがハルトマンによる全人類同時無意志化計画である。[102]

だがこのシナリオは、すべてがうまく運んだときに限るとハルトマンは言う。たとえ人類が滅んだとしても、宇宙に存在する「無意識」は次の機会を狙って、新しい人類やそれに似た生物種を生み出すかもしれず、そうなったらあのすべての悲惨なことがふたたび最初から始まるかもしれない。さらには、「無意志」への旅は人類によってなされるかもしれないが、高次の動物たちが地球上に出現して人類の旅を引き継ぐかもしれないし、あるいは地球というのはこの旅を達成するのにはそもそも適していないのかもしれないし、我々からは見えない他の恒星を回る惑星でのみそれは達成できるのかもしれない。実際にどうなるのかは、なんとも言えないとハルトマンは書いている。[103]ショーペンハウアーの反出生主義をダーウィンの生物進化論に結びつけたもっとも早い例である。[104]

精神分析学の始祖、ジークムント・フロイトもまたショーペンハウアーから強い影響を受けた。それはフロイトの無意識やリビドーなどの概念に現われているが、ここでは論文「快感原則の彼岸」における性と死の考察を見ておこう。

フロイトはこの論文の後半で、性と死について、ひとつの仮説を提示している。人間の根底には快感原則があるが、実はそれをしのぐものとして反復強迫の欲動がある。これは生命体がその初期状態を回復しようとする欲動である。生命体にとっての初期状態とは、まさに生まれてくる以前の状態のことだ。すなわち、私たちの言葉で言えば、生命体は「生まれてこなければよかった」という方向への欲動を、その根底に持っているのである。

生命は変化と進歩を模索しているという説があるが、それは誤りであるとフロイトは言う。そうではなくて、生命は最初の状態に戻ること、すなわち生命が生まれる前の「生命のない状態」に戻ることを目標にしているのであり、これを敷衍すれば、「すべての生命体の目標は死である」ことになる。地球の生命進化の最初の時点で、物質から生命が生まれたのであるが、生まれたばかりの生命が持つことになった最初の欲動は、「生命のない状態に還帰しようとする欲動」だったとフロイトは主張する。[105]

原初の生命は、この欲動に従って、生まれてすぐに死んでいた。しかしあるとき、決定的な生命の進化が起き、生命は生殖によって子孫を残してから死ぬという迂回路を通るようになった。

もちろんそのような迂回路を通ったとしても生命はいずれ死んでいく。しかしながら、一個体が死んでも、その生命は子孫へと引き継がれるのだから、ある意味で生命が死ぬまでの時間は引き延ばされることになったのだ。

かくして、生命には、生まれてからできるだけ早く元の生命のない状態に戻ろうとする「死の欲動」と、死までの経路を迂回してなるべく延命しようとする「性の欲動」の二つが刻み込まれることとなった。フロイトは前者を「生命を死に導く欲動」と呼び、後者を「生命の更新をつねに求め、貫徹しようとする性欲動」と呼んでいる。[106] いわゆるタナトスとエロスである。

フロイトは、この二つを完全に別物としては捉えない。というのも、「性の欲動」も、結局は死を目標としている点で、「死の欲動」と同じ方角を向いているからである。それは「性の欲動」について書かれた次の文章を読むと明らかだ。「しかしついに、ある決定的な外部の影響が働き、その時点に生命を持っていた物質が、原初の生命の経路から大きく逸脱し、複雑な迂回路を経由して、最後に死という目標に到達するようになったと考えられる」。[107] すなわち「性の欲動」は、生殖という迂回路を経由することによって、生物種としての死の到来を長引かせるにすぎないのであり、その目指すところが死であることに変わりはないというのである。

これはまさにショーペンハウアーの世界である。ショーペンハウアーは書いている。「われわれの身体が生きているということは、じつはそれは死ぬことのたえざる阻止、つまり死ぬことがそのたびごとに先へと延期されていることにほかならない」と。[108] フロイトも次のように述べる。

「われわれはおもいがけずも、ショーペンハウアーの哲学の〈港〉へと舳先を向けてしまったのである。ショーペンハウアーの哲学によると、死は生命の「本来の結果 das eigentliche Resultat」であり、目的 Zweck でさえある」[109]。さらにはこの論文の註において、プラトンとともに『ウパニシャッド』が言及されていることも興味深い[110]。フロイトは、この仮説を自分がどの程度まで信じているか自分でも分からないと吐露する。だが、ショーペンハウアーを経由した反出生主義が、フロイトの「快楽原則の彼岸」論文に影響したことは間違いないであろう[111]。

フロイトによる反出生主義と生物進化論の解釈は独特である。フロイトは「死の欲動」を、「いちばん良いのは生まれてこないこと、次に良いのは来たところに早く戻ること」という古代ギリシアの誕生否定の思想に当てはめるようにして説明する。そのうえで「生の欲動」を、そのような誕生否定への「反抗」として設定するのだ。しかしその反抗は、せいぜい誕生否定の手のひらの上でなされるものにすぎず、個体の死の連続によっていくら生物種の生命が引き延ばされたとしても、終局的には生物種の絶滅によってその生命は無に帰するのである。フロイトの脳裏では、地球上の全生命はいずれ絶滅という同じ結末に至るとみなされているのではないか。フロイトの描く世界においては、生物進化は一時の反抗にすぎず、最終的には生物が内在させている反出生主義の力に負けてしまうのである。フロイトは、反出生主義が生物進化に勝つと考えている。もちろんフロイトの「死の欲動」は、人間に見られる反復強迫の症状から発想されたものであり、それを原初の生物へと思弁的に当てはめてみたものにすぎない。しかしこの独自の展開には見るべきものがある。

さて、すでに何度も述べたように、ショーペンハウアーは古代インドの聖典『ウパニシャッド』を含むヴェーダーンタ文献群、そして原始仏典・大乗仏典から多大な影響を受けている。ただし、当時のインド哲学研究はまだ本格的に始まったばかりであったから、たとえショーペンハウアー自身はそれらを充分理解したつもりであったとしても、今日の学問的水準からすればかなり怪しい理解であったと考えられる。グラーゼナップは、ショーペンハウアーをヴェーダーンタおよび仏教と比較検討し、ブラフマンと「生きようとする意志」を同一視するのは誤りであること、ショーペンハウアーは世界全体の救済について語るが古代インドでは救済は個々人の問題とされていたことなどを指摘する。[112] モイラ・ニコルスも、ショーペンハウアーは「生きようとする意志」をこの世界の苦しみの根源と考えているが、ヴェーダーンタではブラフマンをそのようなものとは考えないし、またショーペンハウアーは「物自体」を通常意識で思考できるとしているが、ヴェーダーンタではヨーガの体験を通してのみ接近できると指摘している。[113] 湯田豊もまた、ショーペンハウアーの哲学は本質的にキリスト教的であり、彼の「インド哲学の理解は、大部分正しくない」としている。[114]

ショーペンハウアーから見た古代インド哲学と、現実の古代インド哲学のテキストで語られていることのあいだには、かなりの開きがあったと考えなくてはならない。しかしそれでもなお、ヨーロッパとインドを橋渡ししようとしたショーペンハウアーの仕事は偉大である。グラーゼナップは書いている。「ショーペンハウアーほどインドの智慧のヨーロッパ普及について功績のあった人はほかに誰一人としていないのである」と。[115]

ヨーロッパの哲学界は、ショーペンハウアーを通じて古代インド哲学を本格的に発見した。それはたとえば、若き日にショーペンハウアーに傾倒したルートヴィッヒ・ヴィトゲンシュタインの『論理哲学論考』に、原始仏教中部経典『蛇喩経（じゃゆきょう）』の「筏のたとえ」や、大乗仏教『維摩経（ゆいまぎょう）』の「維摩の一黙」があからさまに反映されていることからも確認できる。すなわち、川を渡ったのち不要になった筏は捨て去らないといけないという「筏のたとえ」[116]は、『論考』の「梯子をのぼりきった者は梯子を投げ捨てねばならない」に反映され[117]、言葉の次元を超える真理について問われた維摩が沈黙して語らなかったとする「維摩の一黙、雷のごとし」[118]は、『論考』の「語りえぬものについては、沈黙せねばならない」に反映されている。[119]古代インド哲学は、一九世紀から二〇世紀のヨーロッパ哲学思想をその背後で駆動した巨大な水脈のひとつである。

ショーペンハウアーが吸収した古代インド哲学とは何であったか、そしてそこにおいて反出生主義はどのように扱われていたのか。それを調べるために、私たちは二五〇〇年の時を遡って古代インドの世界へと分け入り、第4章で『ウパニシャッド』を考察し、第5章で原始仏教における出生と死の哲学を考察することにしたい。第6章ではふたたびヨーロッパに戻ってニーチェの生の哲学を考察し、運命と永遠をめぐる思索が誕生の肯定へとつながり得るかどうかを調べていく。

それでは次章で『ウパニシャッド』を見ていこう。これは世界最古レベルの哲学的文献を含むテキスト群であり、原始仏教を理解するうえでも避けては通れないものである。私たちはそこに近代以降のヨーロッパ哲学とは異質な思索を見出すであろう。

1——引用は、正編は西尾幹二訳『意志と表象としての世界 Ⅰ・Ⅱ・Ⅲ』(中央公論新社、二〇〇四年。この訳書の旧版は西尾幹二責任編集『世界の名著45 ショーペンハウアー』中央公論社、一九八〇年)、続編は有田潤・飯島宗享・岩波哲男・塩屋竹男訳『ショーペンハウアー全集』第五巻、第六巻、第七巻(白水社、一九七三年、一九七四年)を用いるが、適宜訳語を変更した。正編の引用は、【新版の分冊番号と節番号と頁数:旧版の頁数】で表す。他の著作については『ショーペンハウアー全集』を参照した。

2——ショーペンハウアー自身は、この二つに加えてプラトンの哲学をあげている。

3——もちろん、国内外の専門的なショーペンハウアー研究は途絶えることなく続けられており、研究書も出版され続けている。

4——本章でテキストとしたのは、このときの正編・続編の第二版である。

5——ショーペンハウアーは正編で書く。「現象とは表象のことであって、それ以上のなにものでもない。いかなる種類のものであろうと、すべての表象、すなわちすべての客観は、現象である」(Ⅰ、二一節、二四三頁:旧二六二頁)。ここにおいて表象は客観と等置されている。ただ、後の続編においては、生理学的な見地から、表象とは「ある動物の脳髄中のきわめて複雑な生理学的出来事であって、その結果が、ほかならぬその脳髄中に生ずるある形象の意識」である(続編、全集第六巻、一〇頁、傍点訳書)とも書く。表象の概念が意味するものはクリアーではない。

6——正編Ⅰ、二二節、二四七〜二四八頁:旧二六四〜二六五頁。ショーペンハウアーは、「世界は私の表象である」とともに「世界は私の意志である」とした(正編Ⅰ、一節、五頁、九頁:旧一一頁、一一三頁)。ショーペンハウアーは「素材」および「自発性」という言葉を使っていない。私が説明のために補った言葉である。

7――正編Ⅰ、二一節、二四二～二四三頁：旧二六二頁。

8――正編Ⅰ、二二節、二四七頁：旧二六四頁。さらに彼は、「すべての客観は、意志の現象であり、意志が目に見えるようになったものであり、いいかえればこの意志の客体性である」と言う（正編Ⅰ、二一節、二四三頁：旧二六二頁）。「全自然は生きようとする意志の現象」という表現もある（正編Ⅱ、五四節、二五〇頁：旧五〇四頁）。

9――兵頭高夫は、「生きようとする意志」を「一種の生命的な原理」であり「絶対的・根源的な力の場」としている（「ショーペンハウアーと東洋の宗教」（齋藤智志・高橋陽一郎・板橋勇仁編『ショーペンハウアー読本』法政大学出版局、二〇〇七年、二〇五～二一八頁）、二〇七頁）。また兵頭高夫は、ショーペンハウアーは「カントのように物自体を不可知のままに残しておくことはできなかった」とも述べている（『ショーペンハウアー論――比較思想の試み』行路社、一九八五年、四九頁）。エドゥアール・サンスも著書『ショーペンハウアー』（原田佳彦訳『ショーペンハウアー』白水社、一九九四年）において、ショーペンハウアーの「意志」は「生命の本質そのものなのである」と述べている（三三頁）。

10――「意志は盲目的に作用しているすべての自然力のうちに現象する。また人間の思慮深い行動のうちにも現象する」（正編Ⅰ、二一節、二四三頁：旧二六二頁）。

11――正編Ⅰ、一八節、二二一頁：旧二四八頁。「意欲」は Wollen。

12――板橋勇仁『底無き意志の系譜――ショーペンハウアーと意志の否定の系譜』（法政大学出版局、二〇一六年、一六～二一頁）。板橋は次のように言う。「しばしば誤解されてきたように、根拠を欠き、根拠の無い「物自体」としての意志がまずそれ自身で「表象の世界」に先立って存在して、そうした意味での（非合理的な）実体が「表象としての世界」へと現象し、自らを客体化する、と主張するものではない」（一六頁）。「世界は一面に根拠律による表象であるが、まったく同時に他面では意志であるということに他ならない」（一六頁）。板橋の主張は理解できるものの、私は完全には納得していない。というのも、その解釈を取ると、後に述べるような意志の輪廻説などがうまく説明できないように思われるからである。齋藤智志は論文「自然・脳・物質」（前掲『ショーペンハウアー読本』八一～九六頁）で、ショーペンハウアーはかねてより実体論的に誤読される傾向にあったと指摘したうえで、次のように言う。「なるほど、ショーペンハウアー自身がこうした誤読を誘発するような論述をしていることは否定できない。すでに『意志と表象としての世界』（正編）でもその傾向は見られるし、時代を経るごとにその傾向は強まる」（八五頁）。私は思うのだが、もし中期以降のショーペンハウアーにおいてその傾向があるのならば、その実体論的傾向は、もはや中期以降のショーペンハウアー自身の思想の一部と解釈しても差し支えないのではないだろうか。これはショーペンハウアーを脱インド化して読むことの是非と密接に関連するように思われる。たしかに初期ショーペンハウアーはカントの後継者として見たほうがよいのだろうが、その視線を中期以降に浸透させて解釈するのも偏ってはいないか。もちろん彼の主著を一貫して展開する思想の表現としてとらえる私のような位置づけ方も偏っているとは言える。いずれにせよ、これらは、彼が正編を書き直したときに、何が追加され、何が許容され、何が排除されたのかという点に関わる。今後の研究の進展を待ちたい。

13——西尾幹二訳では「生きんとする意志」、全集では「生への意志」と訳されている。「生への意志」と訳すと、ニーチェの「権力への意志 Wille zur Macht」がここから来ていることも明瞭になるので、語義的には「生への意志」が良い訳である。しかし「生きようとする意志」という言葉に表われたダイナミックな語感も捨てがたいので、本書では、引用文中の「生きんとする意志」および「生への意志」は「生きようとする意志」に変えた。また、「苦悩」も「苦しみ」に変えた。ちなみに英訳でも同じ事情が生じているようである。「will to life」と「will to live」の二訳があり、既存訳は will to live であったが、近年の研究書では will to life が使われている。クリストファー・ジャナウェイは、will to live だと生殖欲が排除されるという誤解を招くだけではなく、ショーペンハウアーが意志的な欲望のみを意味しているとの誤解をも招くと指摘する（Christopher Janaway, “Introduction”, (Christopher Janaway (ed.) *The Cambridge Companion to Schopenhauer*, Cambridge University Press, 1999, pp.1–17), p.9)。

14——ここにシュヴァイツァーの言う、「生きようとする意志に囲まれた生きようとする意志としての生命」という思想の萌芽を見ることもできるだろう。

15——正編Ⅱ、五四節、二四九頁：五〇三頁。後に述べるフロイトの説を思い起こさせる。

16——ショーペンハウアー「余録と補遺」秋山英夫訳、全集第一三巻、一九七三年、一一六～一一七頁。

17——正編Ⅲ、六〇節、四七頁：旧五八五頁。

18——正編Ⅲ、六〇節、四九頁：旧五八七頁。

19——正編Ⅱ、三九節、八〇頁：旧三九四頁。

20——続編、全集第七巻、一七一頁。射精後の悲哀と後悔については、私も『決定版　感じない男』（ちくま文庫、二〇一三年）において、「男の不感症」として正面から考察を行なった。

21――続編、全集第七巻、八七頁。

22――続編、全集第七巻、八二頁。ちなみに男性の勃起については、勃起を誘引する刺激があった場合、「誰もこれに抵抗することはできないのであって、勃起が作用しないようにするためにはそのきっかけを遠ざけてしまわなければならない」としている（正編Ⅰ、二三節、二五七頁：旧二七一頁）。

23――もちろんアジアにおいては、ヒンドゥー教や仏教に先例がある。

24――ショーペンハウアーに強い女性差別思想がある点にも注意すべきである。

25――「強力に躍動する生きようとする意志はこの種に根ざすのであって、個体にでは全然ない」（続編、全集第七巻、四二頁）。

26――続編、全集第七巻、三四頁。

27――続編、全集第七巻、二七頁。クリストファー・ジャナウェイはここにショーペンハウアーの優生思想を見ており、もしショーペンハウアーが遺伝子のことを知っていたら「利己的な遺伝子」について語っていただろうと指摘する（Christopher Janaway, "Will and Nature",（Christopher Janaway (ed.) *The Cambridge Companion to Schopenhauer*, Cambridge University Press, 1999, pp.138–170), p.152)。

28――苦しみとは、「意志とそのさしあたりの目標との間に障害が起こって、意志がこれに阻止されること」である。正編Ⅱ、五六節、三二九頁：旧五五六頁。

29――以上は、正編Ⅱ、五六節、三二八～三三二頁：旧五五五～五五七頁。

30――正編Ⅱ、五六節、三三二頁：旧五五七頁。

31――正編Ⅲ、五七節、五～六頁：旧五五九頁。

32――正編Ⅲ、五七節、八頁：旧五六一頁。

33――続編、全集第七巻、二七二～二七四頁。

34――正編Ⅲ、五八節、三二頁：旧五七六頁。

35――正編Ⅲ、五九節、三五頁：旧五七八頁。

36――続編、全集第七巻、一九三～一九四頁。

37――ショーペンハウアー自身のドイツ語訳では、"Da die größte Schuld des Menschen / Ist, daß er geboren ward". 正編Ⅱ、五一節、一九八頁：旧四七三頁。西尾訳では「罪は」の後に改行があるのでそれに従った。
38――正編Ⅱ、五一節、一九八頁：旧四七三頁。
39――正編Ⅲ、五九節、三七頁：旧五七九頁。この文章は、一見すると自殺を意味しているように思えるが、生涯の終わりでもう一度生を繰り返したいと思うかという問題設定なので、もう一度生まれるなどということはしたくないというふうに読むべきであろう。
40――続編、全集第七巻、七七頁。
41――続編、全集第七巻、二二七頁。
42――全集訳は「この世に生まれないほうがよかったのだという認識」。
43――ショーペンハウアーは、カルデロンの「生まれてきた罪」を「存在の罪」と言い直している。このことから、ショーペンハウアーは「生まれてきたこと」と「存在」を同一のものとして考えていることが分かる。この点については、本書の第7章で再度取り上げる。
44――"Mille piacer' non vagliono un tormento".
45――続編、全集第七巻、一八二頁。
46――続編、全集第七巻、一八二頁。
47――続編、全集第七巻、一八二頁。このようにも言う。「この世に善と悪とどちらが多いかなどということを論ずるのは、根本においてまったく無用のことである。というのは、悪が単に存在するというだけで事は決するからである」（続編、全集第七巻、一八一頁）。
48――続編、全集第七巻、一八二頁。"ihr Nichtseyn ihrem Daseyn vorzuziehn wäre". Ihr, ihrem は Welt。
49――クリストファー・ジャナウェイも、これをペシミズムのもっとも極端な言明であるとし、なぜほんのちょっとした苦しみで世界全体が否定されなければならないのだろうと嘆息している（Christopher Janaway, "Schopenhauer's Pessimism", (Christopher Janaway (ed.) *The Cambridge Companion to Schopenhauer*, Cambridge University Press, 1999, pp.318–343), p.332)。
50――以上のようなショーペンハウアーのネガティブな思想の根源を彼の気質や生い立ちから説明する者もいる。たとえば兵頭高夫はショーペンハウアーの家系に言及している(『ショーペンハウアー論』八七〜九〇頁)。

51──続編、全集第七巻、一六頁。

52──正編Ⅲ、六五節、一二四〜一二五頁:旧六三六頁。

53──正編Ⅲ、六八節、一六四頁:旧六五九〜六六〇頁。愛が意志の否定につながるという点は次の文章を参照。「そうしてあらゆる善・愛・徳・高潔が湧き出てきたのと同じ泉から、いよいよ最後に、生きようとする意志の否定とわたしが呼ぶところのものがどのようにして生じるかを示そうかと思う」(正編Ⅲ、六八節、一六四頁:旧六五九頁)。

54──正編Ⅲ、六八節、一八一頁:旧六七一頁。

55──正編Ⅲ、六八節、一八九頁:旧六七七頁。「心からの快活」は、西尾訳では「内心の明澄」。無意志の状態を喜びや寂静とするのは、原始仏教において涅槃の境地が喜びであり寂静とされたことから影響された面もあるだろう(本書第5章参照)。

56──正編Ⅲ、六八節、一九一頁:旧六七八頁。

57──正編Ⅲ、六八節、一九八頁:旧六八二頁。

58──正編Ⅲ、六八節、一七三頁、一九八頁:旧六六五、六八二頁。次のようにも言われる。「みずからすすんで、心から、喜びにあふれて死ぬことができるということ」は「生きようとする意志を放擲し否認した者の特権である」(続編、全集第七巻、七九頁)。

59──正編Ⅲ、七一節、二四四頁:旧七一一頁。「のほう」を補った。

60──板橋勇仁『底無き意志の系譜』三八頁。

61──正編Ⅲ、六八節、一九三頁:旧六七九頁。ショーペンハウアーはこれを「生きようとする意志に対する不断の闘争」と呼び、「意志を抑えつけようとする」ための「努力」としている(同頁)。

62──その先にあるのは「喜んで、こころ静かに、幸福のうちに死んでいく」姿であるとショーペンハウアーは『ファウスト』に言及しつつ述べている(正編Ⅲ、六八節、一九八頁:旧六八二頁)。

63──この意味で、ショーペンハウアーの主著のテキストをまじめに受け取るかぎり、彼は著しく言行不一致の人間であったと言える。

64――「自殺は意志の否定であるどころか、むしろ意志の強烈な肯定のひとつの現象である」(正編Ⅲ、六九節、二一〇頁：旧六八九～六九〇頁)。

65――正編Ⅲ、六九節、二一〇頁：旧六九〇頁。

66――正編Ⅲ、六九節、二一六～二一九頁：旧六九三～六九五頁。

67――「余録と補遺」全集第一三巻、一〇五～一〇七頁。角川ソフィア文庫にも収められている(石井立訳『自殺について』角川ソフィア文庫、一九五五年)。

68――「余録と補遺」全集第一三巻、一一〇～一一一頁。

69――ただしショーペンハウアーは、二者択一を迫られたとき、つまりハムレットの「生き続けるべきか、死ぬべきか」を迫られたときには、もし自殺が死後の無を保証してくれるのならば、自殺を選び取るのがよいだろうとしている(正編Ⅲ、五九節、三八頁：旧五七九頁)。ショーペンハウアーは輪廻思想に共感していたから、自殺しても存在は続いてしまうという考え方があって、自殺に否定的だったのかもしれないが、この点は、はっきりしない。

70――Dale Jacquette, "Schopenhauer on the Ethics of Suicide", (*Continental Philosophy Review* 33 (2000):43–58), p.53. ジャケットはこの論文を「ショーペンハウアーにおける死」と改題し、若干の手直しをして刊行している(Dale Jacquette, "Schopenhauer on Death", (Christopher Janaway (ed.) *The Cambridge Companion to Schopenhauer*, Cambridge University Press, 1999, pp.1–17))。

71――P.54.

72――続編、全集第七巻、二四八頁。ショーペンハウアー全集では『結婚の幸福について』と訳されている(正編Ⅲ、六八節、一六八～一六九頁：旧六六二頁も参照)。ショーペンハウアーは、禁欲こそが宗教の核心であると考えている。そして、禁欲の精神に立脚するキリスト教旧教(カトリック)、バラモン教、仏教を高く評価し、これに対してユダヤ教とキリスト教新教(プロテスタント)を一段価値の低いものとみなす。ショーペンハウアーによれば、「神の創りしものはすべてよかりき」とする旧約聖書は、キリスト教とはまったく縁のないものであった。なぜなら、新約聖書は、悪魔が世界の支配者であるとするからである。本来のキリスト教の教えは、禁欲の精神によってこの世の悪に打ち勝ち、はかない地上の生を超越した場所で、永遠の生命を得ることである。しかしながら、この禁欲の精神の根本である独身生活というものを、新教は放棄した。結婚して安穏に暮らす牧師たちは、キリスト教本来の教えから逸脱してしまったとショーペンハウアーはきびしく批判する（続編、全集第七巻、二五七〜二五八頁）。そもそもこの禁欲の精神は、バラモン教や仏教がはるか以前から実行してきたものであり、キリスト教はそれをヨーロッパ世界へと教えたにすぎないとショーペンハウアーは言う。たとえば『新約聖書』にある、明日のことに思い煩わずに今日一日を生きよという教えは、「ブッダがその弟子に率直に命令し、これを強めるためにみずから範を示したもの、すなわち、万事を放擲してビクシュー、すなわち乞食になれと説いた教えと同じことを、間接に説くものである」と指摘する（続編、全集第七巻、二七一頁）。古代インドの宗教とユダヤ・キリスト教を比較考察するこれらの議論は、たいへん興味深いものである。『意志と表象としての世界』続編、全集第七巻第四八章は、比較思想・比較宗教の論考としてもたいへん示唆的であり、刺激的である。

73——岡野昌雄訳『アウグスティヌス著作集　第七巻』教文館、一九七九年、二四六頁。引用に際して、『新約聖書』テキスト番号の指示を省略した。

74——本章第4節参照。

75——『実践理性批判』一七七節、A122。

76——続編、全集第七巻、五六頁。

77——続編、全集第七巻、五七頁。Unzerstörbarkeit.

78——続編、全集第七巻、五九〜六〇頁。

79——ただし、私の直覚（意識）へと表われる以前の段階でそれがいったい何だったのかという問いに対しては、答えることができないとショーペンハウアーは書いている（続編、全集第七巻、六〇頁）。

80——「新しく生まれた各存在はたしかに清新の気満ちあふれて新たな生存のなかへはいりこみ、これを天与の賜として享受する」。「その者は死没したが不壊なる胚種を保存し、これから右の新しい存在が発したというわけで、両者は一つのものである」（続編、全集第七巻、七一頁）。

81——続編、全集第七巻、六九〜七〇頁。ショーペンハウアー自身が「輪廻 Metempsychose」という言葉を使っている。

82——続編、全集第七巻、六九〜七〇頁。

83——続編、全集第七巻、七〇頁。

84——続編、全集第七巻、七二頁。

85――続編、全集第七巻、七三頁。
86――続編、全集第七巻、七〇頁。
87――ヘルムート・グラーゼナップ『東洋の意味――ドイツ思想家のインド観』大河内了義訳、法藏館、一九八三年（原著一九六〇年）、一一三頁。兵頭高夫『ショーペンハウアー論』一〇八〜一〇九頁も参照。
88――続編、全集第七巻、七〇頁。「以上の見解は、本来のいわば秘教的な仏教の教理とも一致する」（同頁）。
89――続編、全集第七巻、七一頁。
90――続編（全集第七巻）の六八〜七六頁を読むかぎり、そのようにしか考えられない。この点に関する私の解釈は、ショーペンハウアーの研究者たちの解釈とは相容れないものだ。
91――輪廻するのは意志であり、人間の精神や魂ではないのだが、その輪廻する意志に人間だったときの「痕跡」が刻まれていると考えることは可能である。ただしショーペンハウアーは、このような説明はしていない。
92――続編、全集第七巻、六八頁。この主張は第4章で見るように、『ウパニシャッド』の考え方である。彼はさらに続ける。「わたしは自分の生涯のあいだだけ存在するのかそれとも永遠にわたってであるのかということはじつはなんらの区別をも生まぬ、ということになるであろう」（同頁）。
93――渡辺恒夫『輪廻転生を考える――死生学のかなたへ』（講談社現代新書、一九九六年）、第三章および第四章。
94――渡辺は同書で、『ウパニシャッド』と仏教の自我観と輪廻観を検討している。ショーペンハウアーの名前は出ていない。
95――ミヒャエル・ハウスケラー『生の嘆き――ショーペンハウアー倫理学入門』峠尚武訳、法政大学出版局、二〇〇四年（原著一九九八年）。
96――湯田豊『ショーペンハウアーとインド哲学』晃洋書房、一九九六年、九五〜九七頁。これに関連して、多田光宏は論文「〈同情＝共苦〉の哲学」で、「物自体としての意志」には自己と他者の区別がないのだから、「他者の苦しみはわたしの苦しみでもある」とする考え方がそこから導かれるかもしれないと示唆している（多田光宏「〈同情＝共苦〉の哲学」（前掲『ショーペンハウアー読本』一三六〜一四六頁）、一四四頁）。これは、数多性のない「物自体」へと紐付けることによって人々の共同性を基礎づけようとするものである。だが、このやり方は、同じく「物自体」である叡智界（ヌーメノン）に属する理性の普遍性へと紐付けることによってある種の共同性を確保しようとしたカントの哲学とどう違うのかをはっきりさせないといけないだろう。

97——反出生主義の文献やネット記事では、反出生主義の典型としてショーペンハウアーが描かれることが多い。

98——Ken Coates, *Anti-Natalism: Rejectionist Philosophy From Buddhism to Benatar*, First Edition Design Publishing, 2014, p.69.

99——もちろんショーペンハウアーの時代には効果的な避妊方法がなかった点は考慮すべきとしている。P.74.

100——森鷗外「妄想」『舞姫』集英社文庫、一九九一年（原著一九一一年）、五九頁。「あるこういう夜の事であった。哲学の本を読んで見ようと思い立って、夜の明けるのを待ち兼ねて、Hartmann の無意識哲学を買いに行った」（同頁）。

101——"den gesammten Kosmos durch Zurückziehung des Wollens, in welchem er allein besteht, mit einem Schlage verschwinden lassen". Eduard von Hartmann, *Philosophie des Unbewussten* (Band 2): *Metaphysik des Unbewussten*, Carl Duncker's Verlag, 1876, S.405 (English translation, translated by William Chatterton Coupland, *Philosophy of the Unconscious* Vol.3, Kegan Paul, Trench, and Trubner, 1931, p.136.) この、意欲がすべて消え去ったときに全宇宙も消滅するという考え方は、ショーペンハウアーにも見られるものである（湯田豊『ショーペンハウアーとインド哲学』一七五頁）。

102——S.404–411. (pp.135–142.)

103——S.399, S.401. (P.129, p.132.)

104——鷗外は、「ショオペンハウエルを読んでみれば、ハルトマン・ミヌス・進化論であった」と突き放して書いている（「妄想」、六一頁）。

105——フロイト『自我論集』竹田青嗣編・中山元訳、ちくま学芸文庫、一九九六年、一六二頁。

106——同書、一七三頁。

107——同書、一六三頁。

108——『意志と表象としての世界』正編Ⅲ、五七節、四頁：旧五五八～五五九頁。

109——前掲『自我論集』一七九頁。

110——同書、一九一頁。フロイトは、プラトンのアンドロギュノス説や輪廻説に、インドからの影響があると考えている。

111——スティーヴン・アザートはフロイトのこの論文を検討したうえで、それでもなおショーペンハウアーとフロイトには大きな違いがあるとしている。というのもフロイトは死を生命の目的としているが、ショーペンハウアーにおいて目的とされているのは「無意志」になることであって、けっして「死」ではないからである（Stephan Atzert, “Schopenhauer and Freud”, in Bart Vandenabeele (ed.) *A Companion to Schopenhauer*, Wiley-Blackwell, 2012, pp.317–332), p.325)。

112——グラーゼナップ『東洋の意味』一〇七〜一三二頁。

113——Moira Nicholls, “The Influence of Eastern Thought on Schopenhauer's Doctrine of the Things-in-Itself”, (Christopher Janaway (ed.) *The Cambridge Companion to Schopenhauer*, Cambridge University Press, 1999, pp.171–212), p.183, p.186.

114——湯田豊『ショーペンハウアーとインド哲学』二〇九頁、二一一頁。兵頭高夫も、ショーペンハウアーがすでに持っていた思想の枠組みに対して、「インド思想がその完成のために一つの動機を与え、あるいは彼の思想の一つの支柱となった」としている（『ショーペンハウアー論』一五九頁）。橋本智津子も、「ショーペンハウアーにおける涅槃的な「無」の思想は、実際には仏教の思想とは関わりなしに成立した」と述べており、ショーペンハウアーはみずからの思想を補強するために仏教や『ウパニシャッド』を使用したという側面が強いとする（橋本智津子『ニヒリズムと無——ショーペンハウアー／ニーチェとインド思想の間文化的解明』京都大学学術出版会、二〇〇四年、八〇頁）。なお、David Cooper, “Schopenhauer and Indian Phlosophy”, in Bart Vandenabeele (ed.) *A Companion to Schopenhauer*, Wiley-Blackwell, 2012, pp.266–279も参照。

115——グラーゼナップ『東洋の意味』一三二頁。また、兵頭高夫『ショーペンハウアー論』一〇〜一一頁、参照。

116——羽矢辰夫訳「正しい教えの把握の仕方——蛇喩経」中村元監修、森祖道・浪花宣明編集、及川真介・羽矢辰夫・平木光二訳『原始仏典 第四巻 中部経典I』春秋社、二〇〇四年、三三一〜三三二頁。

117——6.54。野矢茂樹訳『論理哲学論考』岩波文庫、二〇〇三年、一四九頁。ヴィトゲンシュタインのショーペンハウアーへの傾倒については、米澤克夫「ウィトゲンシュタインの独我論」（『帝京大学文学部教育学科紀要』二七号、二〇〇二年）参照。

118——「なんらのことばも説かず、無語、無言、無説、無表示であり、説かないということも言わない、これが不二にはいることです」。そこで、マンジュシリーはヴィマラキールティに言った。「われわれはおのおの説を述べたのですが、あなたもまた、不二の法門について、何か語っていただきたいのですが」。そのとき、ヴィマラキールティは、口をつぐんで一言も言わなかった」(長尾雅人訳「維摩経」、長尾雅人・丹治昭義訳『大乗仏典　7』中公文庫、二〇〇二年(原訳書一九七四年)、一三八頁)。「維摩の一黙」については入不二基義氏から示唆をいただいた。ちなみに入不二氏の「不二」はこの『維摩経』に由来する言葉である。

119 ――『論理哲学論考』7。同書、一四九頁。

第4章

輪廻する不滅のアートマン

1　輪廻思想の誕生

古代インドでは、紀元前一三世紀頃から『ヴェーダ』と呼ばれる宗教文献群が作られた。宇宙の創世神話や、神々の物語を壮大に描いたものである。その各種の『ヴェーダ』の末尾には、哲学的な内容をもつパートが置かれた。それらを『ウパニシャッド』と呼ぶ。

非常に長い年月をかけて一〇〇編ほどの『ウパニシャッド』が成立した。もっとも成立年代の古いものとしては、紀元前六世紀前後にできたとされる『ブリハドアーラニヤカ・ウパニシャッド』と『チャーンドーギヤ・ウパニシャッド』があり、これらを含む一群の文書は古ウパニシャッドと呼ばれる。この二編の成立は、ゴータマ・ブッダより以前であり、古代ギリシアの自然哲学者と同時代か、やや新しいと考えられる。現存する最古の哲学的テキストのひとつである。[1]この二編は、古ウパニシャッドのなかでももっとも分量が多く、内容も深い。（『ウパニシャッド』自体は、紀元後まで綿々と作られ続けた）。

『ウパニシャッド』は、多数の作者たちによって作り上げられた。なかでも、古ウパニシャッドには、ウッダーラカ、シャーンディリヤ、ヤージニャヴァルキヤといった哲学者たち[2]が登場して、師匠と弟子、親子、夫婦のあいだで哲学対話が行なわれる。その様子は瑞々（みずみず）しく、さながら一編の文学作品を読むようである。[3]そしてそれらの哲学者たちの世界観は互いに少しずつ異なっており、またひとりの哲学者の中でも論の矛盾が見られることがある。これらの差異にも注目しなければならない。たとえばウッダーラカは「有の哲学者」と呼ばれ、その弟子であるヤージニャヴァルキヤは自己（アートマン）の存在論を師匠とは別の方向へと推し進めた。『ウパニシャッド』はこれらの哲学者たちの思索の集合体であり、けっして一つの哲学説から成っているわけではない。辻直四郎は、『ウパニシャッド』をあたかも一個人の作品のようにして読むことを強く戒めている。[4] これは大事な点である。本章では、これらの事情を考慮しながら、主に古ウパニシャッドに表われた出生に関するいくつかの哲学思想を考察する。

『ウパニシャッド』から代表的な哲学思想を取り出して考察する理由は、次の二つである。まず、反出生主義者ショーペンハウアーが生涯愛した『ウパニシャッド』とはどのような書物なのかを知ることである。次に、アジアの反出生主義を語るときに避けては通れないゴータマ・ブッダの哲学が、『ウパニシャッド』の世界観を参照しながら構築されたことである。[5] 多少、回り道のように見えるかもしれないが、古代インドの生命哲学について一緒に考えてみてほしい。

ショーペンハウアーは輪廻の哲学を語ったが、それは『ウパニシャッド』の輪廻思想から大きな影響を受けている。[6] 輪廻思想は、古代インドだけではなく、古代ギリシアや中東地域にも幅広く見られた。たとえば、ピュタゴラスの影響を受けたプラトンが、著書『国家』において、死後の魂の輪廻転生の姿を「エルの物語」として活写していることはよく知られている。[7] それらの輪廻思想のなかでも、『ウパニシャッド』に見られる輪廻の記載はもっとも古い。古代インドでは、まず『ブラーフマナ』文献において、人は死んだあとの世界でふたたびまた死ぬことになるという考え方が示された。[8] それを「再死」と呼ぶ。[9] その考え方が元となって、輪廻思想が生まれた。その具体的な中身を見てみよう。

『チャーンドーギヤ・ウパニシャッド』には、次のようなエピソードがある。ウッダーラカの息子シュヴェータケートゥは、あるときプラヴァーハナ・ジャイヴァリ王から質問を受ける。「この世を去って、生きものがどこへ行くか、お前は知っているか?」「どのようにして、ふたたび戻ってくるか、お前は知っているか?」「どのようにして、あの世が満たされないか、お前は知っているか?」など五つの質問である。「あの世が満たされないか」とは、もし死んだ生きものがすべてあの世に移るとしたら、あの世は死者によって満杯になるのではないか、という意味である。死者の行き先について問われたシュヴェータケートゥは、まったく答えられず、帰宅した。息子から話を聞いた父ウッダーラカは、王のもとに赴き、教えを請うことにした。

王は、人間がこの世に誕生するところから説き起こす。まず男が女の膣に精液を入れると胎児が生じる。胎児は約一〇か月間子宮にとどまってから誕生する。そして人生を生き、寿命が来て死ぬときに、輪廻の教え(五火二道説)を知っている人の場合は、死後にまず炎の中に入り、月と太陽を経巡り、最終的に電光の中に入る。そしてブラフマンの世界へと導かれる。これは、「神々へ至る道」と呼ばれる。死後に永遠の世界に至り、もう二度とこの世に帰ってくることはない。生死からの解脱がここで説かれている。

ところが、この輪廻の教えを知らない人は、解脱の道へは進まない。その人はまず煙の中に入り、夜に入り、半月に入り、太陽が南行する半年に入り、次いで祖先の世界に入り、虚空の世界に入り、月に入り、神々に食べられる。そしてその世界にしばし滞在した後に、行ったのと同じ道を通って虚空へと帰ってくる。虚空から風になり、煙になり、雷雲になり、雨雲になり、地上に降り注ぐ。そして米や大麦や豆となる。それらの食物を男が食べれば、その男の精液となり、ふたたび地上へと再生する。誰がこの食物を食べるかによって、バラモンに生まれるか、クシャトリアに生まれるか、不可触民に生まれるか、犬や豚に生まれるかが決まる。これは解脱に至ることなく、この世とあの世を行ったり来たりする「祖霊へ至る道」である。人間に生まれるだけでなく、人間以外の動物に生まれる可能性があることも語られている。

さらには、黄金を盗む者、スラー酒を飲む者、師匠の妻と情交する者、バラモンを殺害する者は、ちっぽけな生きものが生まれて死ぬだけの第三の世界に落ちることになる。[10] このようにして、人が死んだあとは、輪廻転生から解脱して不滅の世界に入る道、輪廻転生を経てこの世へと再生する道、地獄のような世界へと落ちる道の三つがあることになる。やはり注目すべきは、死後の輪廻転生の道筋と、それを脱出して不滅の世界に入る解脱の道筋が語られていることであろう。

ウッダーラカの弟子であるヤージニャヴァルキヤは、『ブリハドアーラニヤカ・ウパニシャッド』で、さらにイメージ豊かな輪廻転生を語っているので見ておきたい。[11] 人間が老いや病気によって衰弱し、まさに息を引き取ろうとしているとき、すべての生気はアートマンの周りに集まる。

ここでいうアートマンは、個人の身体の中に宿っている生命的な息としての自己である。アートマンが意識不明になり、見ることも、語ることも、考えることも、認識することもできなくなったとき、これらの生気は心臓の中に降りていく。そして「彼の心臓の先端が輝き始める。それの輝きによって、この自己［アートマン］は目から、あるいは頭蓋から、あるいは身体の他の部分から外へ出て行く。息が外へ出て行こうとする時に、すべての生気はその息に従って外へ出て行く[12]」。それはちょうど、毛虫が草の葉の先端にまで達したあとで、他の葉の先端へと移り越えていくときのように、アートマンはそれまで住んでいた身体を脱して、他の新しい身体の中へと移り越えていくのである[13]。そして、良いことを行なっていた人間は、良い人間へと生まれ変わり、悪いことを行なっていた人間は、悪い人間へと生まれ変わる[14]。これが、欲望によって突き動かされている人間の輪廻転生である。

これに対して、欲望がない人間、欲望を離れた人間、アートマンを欲する人間は、死に際してもその生気は身体の外へは出て行かない。その人間は不滅の存在であるブラフマンの中へと入っていく。「彼の心臓に宿る、すべての欲望が解消される時に、死すべきものは不死になり、この世においてブラフマンに到達する[15]」。そして「蛇の皮が、蟻塚に死んだまま脱ぎ捨てられて横たわっているように、まさにそのように、この死体は横たわっている。しかし身体のない、不死のこの息が、まさにブラフマンであり、まさに熱である[16]」。すなわち、欲望を離れた人間は、死後に輪廻転生することなく、蛇が皮を脱ぎ捨てるようにして身体を脱し、不死の息となって解脱に至るのである。[17]

この輪廻転生するアートマンは、「息（プラーナ）」である。高崎直道（じきどう）は、アートマンは呼吸するという動詞（ar）に由来し、気息および生命の根源と考えられ、ひいては自己を意味したと述べている。[18]また、ヤージニャヴァルキヤは、「唯一の神は誰なのか？」と問われ、「息である。彼はブラフマンであり、あのものである、と人々は名づける」と答えている。[19]

さらに、同じく『ブリハドアーラニヤカ・ウパニシャッド』にある次の寓話も興味深い。人間を構成する「言語」「視覚」「聴覚」「思考」「精液」「息」たちが集まって、誰が一番偉いのかを争っていた。彼らはブラフマンのもとへ行って尋ねた。するとブラフマンは、お前たちのひとりひとりが順番に入れ替わって人間の身体から外へ出て行ったときに、その人間がもっともダメージを受けるであろうものが、その人間にとってもっとも卓越しているものであると答えた。それを聞いて、まず言語が人間の身体から外へ出て行き、一年後に帰ってきて、ふたたび身体の中に戻った。次いで、視覚、聴覚、思考、精液がひとりひとり順番にその人間の身体から外に出て行き、一年後に帰ってきて、ふたたび身体の中に戻った。最後に息がその人間の身体から外に出て行こうとしたとき、残りの構成要素たちは慌てて、息に出ていかないように懇願した。なぜなら、もし息が出ていったとしたら、その人間全体が死んでしまい、それらの構成要素たちは人間の身体の中で生きていけなくなるからである。このようにして、息がもっとも卓越した構成要素であることが立証されたというのである。[20]

ここで注目すべきは、人間にとって思考よりも息のほうが卓越するという生命観が見られることだ。『チャーンドーギヤ・ウパニシャッド』においても、興味深い寓話が語られている。ナーラダは、サナトクマーラから、お前が学んだものは「名前」にすぎないと指摘される。ナーラダは「名前より偉大なものは存在するのか?」と尋ねる。するとサナトクマーラは「言語は名前よりも偉大である」と答える。ナーラダは「では言語より偉大なものは存在するのか?」と尋ねる。サナトクマーラは「思考は言語よりも偉大である」と答える。ナーラダは「では思考よりも偉大なものは……?」と尋ね、「意図は思考よりも偉大である」との答えを得る。そしてさらに、それらより偉大なものが、順番に、「理解力」「沈思」「認識」「力」「食物」「水」「熱」「虚空」「記憶」「希望」と続き、最後に「息は希望よりも偉大である」として「息」がリストの最上位に置かれ、その「息」を生み出すものがアートマンであるとされるのである。[21]

このリストを見て驚くのは、ヨーロッパ哲学において人間の最大の本質とされてきた「思考」や「認識」が、偉大さのリストのはるか下位に置かれている点である。「息」は「思考」や「認識」をはるかにしのぐ偉大さを持ったものとみなされている。そしてこのリストにおいて、「息」はアートマンにもっとも接近した存在とされている。もちろんこのテキストでは、息はアートマンと完全に同一視されてはいないが、息としてのアートマンという考え方が『ウパニシャッド』を支える重要な柱のひとつであるのは間違いないだろう。

『カウシータキ・ウパニシャッド』では、さらに進んで、インドラに「わたしは息である、英知としての自己［アートマン］である。そのようなものとして、わたしを寿命として、不死なるものとして瞑想せよ！」と語らせている。[22] また『タイッティリーヤ・ウパニシャッド』には次の文章がある。「息をブラフマンとして瞑想する人々――彼らは、まさに寿命を全うする。なぜなら、息は生きものの生命であるからである。それゆえに、それは一、、、切の生命であると言われる」[23]。このように、人間の生命だけではなく、あらゆる生命をその根底において生かしているものは「息」であるという思想が『ウパニシャッド』にはある。

人間の生命の本質が息であるという観念もまた、古代世界に広く見られる。『旧約聖書』には、神が土から人間の形を作り、その鼻からいのちの息を吹き入れて、人間を生けるものにしたというエピソードがある。[24] 坂口ふみは、古代キリスト教で聖霊として語られる「プネウマ」は、古代ギリシアにおいては「生命を与える宇宙的息吹き」を意味しており、新プラトン主義では「この可視の宇宙全体を生み、包み、支配し、支え、生命を与える原理」とされたと述べている。[25] 宇宙全体に息は満ちており、その息によって人間を含む様々なものに生命が与えられるというのである。『ウパニシャッド』や、それに先立つ『リグ・ヴェーダ』に見られる「息としてのアートマン」は、これら地中海世界に広がる気息的生命観の原初的な形を用意するものであったと考えられる。[26] これは、人類がはるか昔から各地で共有していた世界観なのだろう。[27]

この輪廻する息としてのアートマンを、ショーペンハウアーは「生きようとする意志」と同一視したのだと考えられる。ちょうど、人間が死んだときに、息としてのアートマンがその人間の身体から抜け出して他の人間へと生まれ変わるように、ショーペンハウアーの言う「生きようとする意志」もまた、人間が死んだあとで壊れることなく、他の人間へと輪廻転生していくとみなされたのである。[28]

ここまで見てきた『ウパニシャッド』のテキストでは、果てしなく輪廻を繰り返していくプロセスから脱出して、不滅の世界に入る道があることが説かれた。アートマンが何であるのかを正しく認識すれば、ちょうど蛇が皮を脱ぎ捨てるようにして、身体を脱し、解脱に至るとされた。ヤージニャヴァルキヤは、これを樹木のたとえで説明する。樹木が切り倒されたら、その根から新しい樹木がふたたび生えてきて生長する。しかし、「根もろとも、樹木を引き抜くならば、それはふたたび生じないであろう」[29]。ちょうどこれと同じように、人間は死んだあと、新たな人間としてこの世に生まれてくることになっているのだが、いったんその輪廻の根っこを引き抜いてしまえば、もう二度とふたたび人間として生まれてくることはない。

解脱を意味する、この「ふたたび生じない」という表現に注目しよう。これは、死後に輪廻してこの地上にふたたび「生まれてくる」ことが起きないようにしたいという反出生主義を意味したものだと考えられる。たとえば『カタ・ウパニシャッド』には、正しい理解に到達した者は最高天に到達し、「そこから彼は更に生まれない」と書かれている。[30] いったん解脱すればもう二度と生まれなくてよいのである。

古代ギリシアの反出生主義は、「いちばん良いのは生まれてこないこと、次に良いのは来たところに早く戻ること」という詠嘆の形をとって成立したが、古代インドの反出生主義は、「輪廻を離れ、解脱することによって、もう二度とどこへも生まれない」という解脱への実践の形をとって成立したのである。ここに、二つの文明のあいだの明瞭な差異を見ることができる。

では、哲学者たちはなぜ輪廻からの脱出を望んだのだろうか。それは、この世が苦しみや悲しみに満ちているからである。ヤージニャヴァルキヤは、この世に生きる人間たちは欲求に満ち、「飢えと渇き、悲しみ、惑わし、老いと死」で満たされているとした。[31] ナーラダは、この世の生は、死、病い、苦しみ、悲しみに満ちたものであるとした。[32] すなわち、人は死んだあと、この苦しみの世界に何度でも輪廻して生まれてくる。だから、なんとしてでもその運動をくい止め、この連鎖から解放されたいという思いが『ウパニシャッド』にはあったのだ。針貝邦生（はりかいくにお）によれば、『ウパニシャッド』の時代には、「この世では死の苦しみからまぬがれ得ないということが明確に意識されるようになり、そのような苦しみの円環からの解放が切実に願われるようになった」[33]。この世で生きるのは苦しいという認識がベースとなって、古ウパニシャッドに見られる反出生主義が成立したのである。

その一例として、古代の禁欲主義者たちは諸欲求を捨てて乞食として放浪し、「子孫を欲しなかった」と『ブリハドアーラニヤカ・ウパニシャッド』にあり、出産否定が肯定的に描かれている。[34]

ただし、その反出生主義的な考え方が古ウパニシャッドの全体を支配するものではなかったという点に注意を払う必要がある。そこに見られるのはやはり、アートマンを知って解脱したいという熱情である。辻直四郎が「ウパニシャッドの人世観は、必然的に厭世の方向を取らざるを得ないが、この思想は未だその基調をなすに至らず、仏教に見るごとき深刻な無常観は発達しなかった」と書くとおりである。[35]

2　熟睡によって到達する本来の自己

『ウパニシャッド』では、輪廻する息としてのアートマンだけではなく、それとは次元をまったく異にする注目すべきアートマンの哲学が語られている。それは、宇宙の根本原理であるブラフマンと、真実の自己であるアートマンが同一のものであるとする哲学である。[36]

ブラフマンとアートマンの一致を最初にはっきりと説いたのはシャーンディリヤだと言われている。『チャーンドーギヤ・ウパニシャッド』に、シャーンディリヤの次のような言葉が記されている。すなわち、アートマンは心臓の内部にあるのだが、それは米粒よりも、辛子粒よりも、もっと微細である。しかし同時にそのアートマンは大地よりも大きいし、大気よりも大きいし、天よりも大きい。そしてそれはすべての行為、すべての欲望を含んでいる。「これが心臓の内部にある、わたしの自己［アートマン］である。これがブラフマンである。この世を去ったあとで、わたしは、この自己に入るであろう」[37]。アートマンは私の内部にある極小存在であり、また宇宙全体にまで広がる極大存在でもある。そのアートマンこそがブラフマンであるというのである。[38]シャーンディリヤの哲学を独自に発展させ、孤高の地点にまで高めたのが、ヤージニャヴァルキヤである。彼のアートマン概念は、現代哲学の先端とも切り結ぶ刺激的なものだ。

ヤージニャヴァルキヤは、『ブリハドアーラニヤカ・ウパニシャッド』において、真実の自己であるアートマンを様々な方法で表現する。

アートマンとは、「吐き出す息によって息を吐き出すもの」である。では息を吐き出しているところの主体を私が認識できるかというと、そうではない。ヤージニャヴァルキヤは言う。「お前は、見ることを見ているものを見ることは出来ない。……お前は考えることを考えているものを考えることは出来ない。お前は、認識していることを認識しているものを認識することは出来ない。これが、一切の内部にある、お前の自己〔アートマン〕である」[39]。すなわち、私は「考えるということ」を考えることはできる。しかしながら、「考えるということ」を考えるときに、その「考えるということ」を考えているところの〈主体〉に対しては、私はけっして思考の網をかけることができない。その考える〈主体〉は、どこまでも私の思考の触手をすり抜けて、その背後へと逃れ出ていくのである。[40]

別の箇所では、不滅のアートマンは「見られていないが、見ているものである。……それは、考えられていないが、考えているものである。それは、認識されていないが、認識しているものである」と表現される。[41]

ヤージニャヴァルキヤは、この思索をさらに精緻なものにして、次のように言う。「息の中に存在し、息と異なり、それを息は知らず、それの身体が息であり、息を内部にあってコントロールするもの――これが内部にあってコントロールする不死である、お前の自己［アートマン］である[42]」。すなわち、アートマンは私の息の中にあり、その息とは別個の存在である。そして息はアートマンの存在を知らないけれども、アートマンのほうから見た場合には、アートマンの身体に当たるものが息なのであり、（ちょうど人が身体を内部からコントロールするように）アートマンは息をその内部からコントロールする、というのである[43]。

ここまではまだ分かりやすい論理である。ところがヤージニャヴァルキヤは、この論理を「思考」に対しても当てはめるのだ。「思考の中に存在し、思考と異なり、それを思考は知らず、それの身体が思考であり、思考を内部にあってコントロールするもの――これが内部にあってコントロールする、不死である、お前の自己［アートマン］である[44]」。すなわち、アートマンは私の思考の中にあり、その思考とは別個の存在である。そして思考はアートマンの存在を知らないけれども、アートマンのほうから見た場合には、アートマンの身体に当たるものが思考なのであり、（ちょうど人が身体を内部からコントロールするように）アートマンは思考をその内部からコントロールするのである、と。さらに同じ文章が「認識」その他についても繰り返される。

まさにこの箇所、『ブリハドアーラニヤカ・ウパニシャッド』第三章七節こそが、古ウパニシャッドの白眉であると考えられる。その前後を読めば分かるように、アートマンは、私の心臓の内部にあると同時に、私の五感や認識や身体や思考の背後にあり、さらには天地宇宙あらゆる存在の背後にあって、それらすべてを内側からコントロールしている何ものかなのである。現代の私たちならば、そのようなコントロール主体として、何らかの自己意識や理性をもった存在者を想定するだろう。しかしながら、ヤージニャヴァルキヤはそのような考え方を完全に拒否するのである。

ヤージニャヴァルキヤによれば、アートマンは、私の思考をすらその内部からコントロールするものである。すなわちアートマンは、思考とは別個の何ものかであり、思考によってすら束縛されることのない何ものかなのである。同じことは認識についても言える。アートマンは、私の認識をその内部からコントロールするものであり、認識によってすら束縛されることのない何ものかである。アートマンは、思考からも認識からも離れた何ものかなのだから、当然のように、自己意識からも理性からも離れていなくてはならない。

では、ここで言われているアートマンとは、いったい何なのだろうか。それは「魂」のようなものだろうか。しかしながら、ヤージニャヴァルキヤの論法を使えば、魂をすらその内部からコントロールするものがアートマンだということになるはずだ。すなわち、アートマンとは、すべてのものをその内部からコントロールしながら、自分自身はけっしてそれらによって束縛されることのないものである、と言ってよいだろう。ここに至って、アートマンは、輪廻する息とは別次元の概念へと変容している[45]。

ヨーロッパ哲学のなかで、これにもっとも近い構造を持つと思われるのは、前章で述べたカントの超越論的主観性あるいは超越論的統覚である。カントによれば、「私」は超越論的な主観であり、外界の対象を認識することができるが、自分自身はけっしてその認識対象とはなり得ない。その超越論的な主観は、時間にも空間にも制約されない叡智界（ヌーメノン）にいるのであり、私が外界に存在する物体を認識するような仕方では、けっして認識されないのである。ヤージニャヴァルキヤの考えるアートマンは、カントの超越論的統覚の構造を先取りするものとも言える。

しかしながら、アートマンと超越論的統覚のあいだには決定的な差異がある。カントは超越論的統覚を理性の座であると考えたが、ヤージニャヴァルキヤはアートマンを理性の座であるとは考えない。思考について言われたことを理性に当てはめれば、アートマンは理性の内部にあって理性をコントロールするものだということになる。したがって、アートマンは理性の背後に存在しており、けっして理性の座ではない。アートマンは、いわば理性の背後へとすり抜けていく何ものかなのである。理性を人間本性の中核とするアリストテレス以来のヨーロッパ哲学の理性主義の伝統とは相容れない思考形態が、ここにはある。さらに言えば、カントは、「私」は超越論的統覚を認識することはできないが、それを思考することはできるとした。ところがヤージニャヴァルキヤは、「私」はアートマンを認識することもできないし、思考することもできないとしているのだ。

以上をまとめれば、アートマンは、呼吸、身体、認識、感覚、思考、理性などを、その背後で司るものであり、いかなる認識や思考の対象ともならず、つねに認識や思考の背後へとすり抜けていく何ものかだということになる。

しかしそうは言っても、ヤージニャヴァルキヤは『ブリハドアーラニヤカ・ウパニシャッド』で繰り返しアートマンについて語っているわけだから、その語りをとおしてアートマンの本質へと迫っていくことはできると考えていたに違いない。

そのもっともユニークな迫り方のひとつが、熟睡によるアートマンへの接近である。私が熟睡状態になったとき、私はアートマンを捉えることができるとヤージニャヴァルキヤは言う。すなわち、熟睡状態にあって「そこで彼が考えない時に、まことに、彼は考えているけれども、彼は考えないのである。なぜなら、考えているものの能力の喪失は存在しないからである。それは不滅であるからである。しかし、そこには彼が考えることの出来る第二のもの、彼と異なり、彼から分離されているものは存在しない」[46]。これと同じことが、諸感覚や認識について繰り返し言われる。

ヤージニャヴァルキヤの言いたいのは、こういうことだ。私が睡眠に落ちていくときのことを考えてみよう。まず私から感覚対象や認識対象や思考対象が消滅していく。私は夢の世界に遊んでいるが、熟睡状態に落ちたとき、その夢もまた消滅する。こうやって、私の感覚・認識・思考の対象すべてが私から脱落するのである。しかし、さらに詳細に検討してみれば、そこで脱落するのは私の感覚対象、認識対象、思考対象にすぎないのであり、それらの対象がすべて脱落し終わったとしても、その後には、いかなる対象をも持たないところの感覚能力・認識能力・思考能力それ自体が、依然として私の中に残り続ける。それらの能力はけっして眠ることなく、何の対象をも持たないまま覚醒し続けるのである。そしてそれらの能力は熟睡時であっても滅しないのだから、死後においても滅しないのだ[47]。これがアートマンだとヤージニャヴァルキヤは言うのである。

思索を重ねることによって本来の自己に至るというのではなく、熟睡することによって本来の自己に至るというのは、理性主義の哲学になじんだ者にとっては異様な発想として感じられることだろう。私の感覚、私の認識、私の思考というものをつねにその背後から司るところのアートマンがくっきりと立ち現われるのは、私自身が、私の感覚対象、私の認識対象、私の思考対象を次々と脱落させて、熟睡状態になったときだというわけだからである[48]。

アートマンの概念をここまで追い詰めたヤージニャヴァルキヤの思索は、まさに孤高の哲学と呼ぶにふさわしい。ただし、まだ判然としない部分も残る。熟睡状態についての議論では、アートマンの内部には感覚・認識・思考能力それ自体が残っているかのように読める。しかし、感覚・認識・思考の対象をすべて失って、感覚・認識・思考の能力だけが残存するとは具体的にどのような状況なのか、はっきりとはしないのである[49]。

ただ、明確なのは、死によって私から感覚や認識や思考の対象が次々と失われていったとき、それらの脱落によってもけっして崩壊することのないアートマンが、ちょうどすべての着衣をふるい落としたあとの裸体のようにして最後まで残る可能性があるということだ。そのアートマンは、理論上、もはや何ものをも対象とすることなく、何ものによっても制約されず、けっして滅することもないのである。

3 「お前がそれである」

このように考えてみると、ショーペンハウアーがアートマンを「物自体」として捉えたのは、まさに慧眼であったと言えるかもしれない。カントは、超越論的統覚は「物自体」であり、時間や空間の制約を離れた叡智界（ヌーメノン）に座するとした。ショーペンハウアーの見立てどおり、アートマンもまた「物自体」であって叡智界に座すると考えるのは筋が通っている。

ここで想像力を豊かにして、アートマンが「物自体」であり、時間からも空間からも自由であると仮定したら何が言えるのかを、さらに考察してみよう。

まず、アートマンが時間的制約から自由であることから、私が死んだとしても、私をその背後から司るところのアートマンが時間的な意味で消滅することはないという結論が導かれる。『ウパニシャッド』はしばしばこれを、「アートマンは不滅である」と表現する。中村元は次のように説明する。「ウパニシャッドにおける不死性とは、アートマンの自覚であり、決して来世において、この世におけると同様な生存を永遠に継続するという意味ではない[50]」。私も中村に賛成であり、私が死んだあとで、時間的な意味でアートマンが存続するか消滅するかについては、何も言えないというのが正解となる。よって、死んだとしても消滅するとは言えないことになり、これが、「アートマンは不滅である」という表現の意味するところであると私は考える。[51]

では、アートマンが空間的制約から自由であることからは、何が導かれるであろうか。古ウパニシャッドから直接的にその答えを見出すのは難しいので、ここでひとつの推論をしてみよう。アートマンが空間的制約から自由であるとすれば、アートマンの個数を数えることはできないはずである。なぜなら、仮にアートマンが二個あると仮定したとしても、もしその二個の属性がまったく同じであり、かつ空間的に存在する場所によってその二個を区別できないとすれば、一方のアートマンを他方のアートマンから区別する手がかりはまったくないことになるからである。

ここから不思議な結論が導かれる。この世には多数の人間がおり、多数の認識主体があると思われるのだけれども、その多数の認識主体を背後から司っているところのアートマンについては、その個数を数えることができないのである。

これを日常的な言語で表現するのはとても難しい。あなたの認識や思考をその背後で司っているアートマンと、私の認識や思考をその背後で司っているアートマンが、それぞれ独立した実体として二個存在する、というふうにはなっていないのである。かと言って、その二つのアートマンは、実は同じひとつのアートマンであるとするのも不正確である。なぜ不正確かというと、「まず二つのアートマンがあって」と初発で仮定するところがそもそも間違っているからである。

以上の議論は、ライプニッツの「不可識別者同一の原理」と深く関連している。ライプニッツは、二つのものが完全にまったく同じ属性を持っているとしたならば、その二つのものは実は同一であると考えなければならないとした。これに対してカントは、仮に二つのまったく同じものがあったとしても、空間座標でその二つが占める位置は異なっているのだから、その二つはやはり別ものであるはずだと反論した。だが、カントのこの反論は現象世界に存在する物体については当てはまるが、叡智界（ヌーメノン）に存在する超越論的統覚については当てはまらない。

カントは、叡智界に座する「物自体」と、空間における「現象」を区別したうえで、水滴を例にとって次のように論じている（『純粋理性批判』超越的分析論付録）。「私が一滴の水をそのすべての内的規定に関して、物それ自体として知る場合、その水滴の全概念が他の水滴と等しいなら、私はその水滴を他の水滴と異なるものと見なすことはできない。しかし、水滴が空間における現象なら、それは単に知性の中に（概念の下に）ではなく、感性的・外的直観の中に（空間の中に）場所を占める[52]」。

すなわち、もしまったく同じ水滴が二つあったとして、それらを空間における現象として考えるなら、その二つの水滴は違う場所にあるから、二個の異なるものだとしなければならない。ところが、もしその水滴を叡智界に座する物自体として考えるなら、その二つの水滴が存在する場所というものは想定できないから、二つの水滴は二個の異なるものだと考えることはできないとカントは明言している。同様にして、超越論的統覚は、物自体とおなじく叡智界に座するものであるから、それを一個、二個と数えることはできないはずである。これに関してカントは、超越論的統覚を数えるという発想を『純粋理性批判』では行なっていない。近しい議論は他者の存在をどう考えるかという論点であるが、カントは「私の意識」を他人に類推的に当てはめることで他我が示されるとしている。[53] だが彼はこれ以上のことを掘り下げてはおらず、他の超越論統覚とは何かという他我問題は問われないままに終わった。その背景には魂の不可知論がある。[54] したがって、超越論統覚を数えることができないはずだというのは、もし仮にカントの思考を敷衍するならばそうなるであろうという私の推論である。

これをアートマンに当てはめてみれば、私の感覚や認識や思考をその背後から司り、あらゆる属性を持たずに、空間からも自由であるアートマンは、カントの言う叡智界に座するものと言わざるを得ず、やはりアートマンの個数を数えることはできないことになる。ライプニッツとは異なった意味で、アートマンには不可識別者同一の原理が適用できるのである。

アートマンが空間的制約から自由であるという性質を言葉によって言い当てようとして、『ウパニシャッド』の哲学者たちは様々な試みをした。『チャーンドーギヤ・ウパニシャッド』において、ウッダーラカは、真理を乞う息子シュヴェータケートゥに向かって言う。「この微細であるもの――この一切は、これをその本質としている。それが真理である、それが自己［アートマン］である、お前は、そのようである、おお、シュヴェータケートゥよ！」[55]。ウッダーラカの言葉「お前は、そのようである **tat tvam asi**（汝がそれである）」は『ウパニシャッド』の金言（大格言）とされ、後のヴェーダーンタ哲学においても重要視された。だがこの言葉を理解するのはきわめて難しい。現代の研究者たちの解釈を見ておこう。

中村元は、個々人ひとりひとりがそれぞれ絶対者であるという、ある意味近代的な解釈をしている。

その個別的な個人存在が、じつは、「それ」とのみしかいわれないような、絶対のものである。「絶対のもの」は、ことばや名称、概念をもって説明することのできないものであるから、ただ「それ」といって指示する以外にしかたのないものである。だから個々の個人存在は「それ」すなわち絶対者であるというのである。[56]

中村は、人間個人はそれぞれが等しく絶対的であるというカント倫理学的な解釈を行なっている。[57] 現代社会ではもっとも理解されやすい考え方だと言える。高崎直道もまた中村と同じく、「汝がそれである」の「汝」について、「汝とは個人一般をさすものと解してよい」とする。[58]

これに対して湯田豊は、生命論的に解釈する。

生命力、あるいは死ぬことのない生命が生きとし生けるものの核心である。そして、それがお前〔＝シュヴェータケートゥ〕の本来的な本質である――これが、「お前はそれである」というウパニシャッドの命題の真意である。[59]

湯田は、この考え方にもとづいて、『ウパニシャッド』の翻訳においては「お前はそれである」と訳さず、「お前は、そのようである」と訳した。その際に湯田は、ジョエル・P・ブレレトンの解釈を採用している。ブレレトンは論文「Tat Tvam Asi とその文脈」において、従来「それ」と訳されてきた箇所は「そのように」と副詞的に訳すべきであるとし、ウッダーラカはシュヴェータケートゥが何と同一なのかを語ったのではなく、シュヴェータケートゥの存在の仕方がどのようなものであるのかを語ったのだとしている。すなわち、微細な本質によって木は生長し、生きている、だからシュヴェータケートゥよ、お前もそのような存在の仕方をしているのだ、という意味であると指摘する。[60]

アートマンをめぐるこの議論は、本書の主題である反出生主義とも深く関連するので、もうしばらくのあいだ追い詰めてみたい。

森岡は、「お前はそれである」を、アートマンの同一性やその存在の仕方を語ったものではなく、アートマンの存する場所を指示したものとして読んでみたい。この読み方は『チャーンドーギヤ・ウパニシャッド』のこの箇所の解釈としては非通常であり、この箇所から着想を得た森岡自身の思索として捉えてもらってかまわない（以降、人称の考察をするときに、本書の著者を「私」と表記するのはまぎらわしいため、適宜「森岡」を使用する）。ウッダーラカは、真理は何かと問われて、真理とはアートマンであると答え、そして息子に向かって、「他でもないお前自身がアートマンである」と答えた。このときウッダーラカは息子を指差しながら答えたのかもしれない、「お前がアートマンである」と。

だとすれば、ウッダーラカは、「お前」という二人称指示によってアートマンの存する場所を息子に伝えている。アートマンの語義上の意味は「自己」なのであるが、それが存する場所は、指差された先にいるところの「お前」なのである。これを強くとれば、アートマンの存する場所は「お前」の所だけであり、そのほかのどこでもないということになる。すなわちアートマンは「お前」の場所にのみ存するのであり、極論すれば、それを発話するウッダーラカの場所にすら存しないのである。目の前の人を指差しながら、このような発話をすることによってのみ伝えられるアートマンの場所を、ウッダーラカは確定指示している。これこそが「お前がそれである」という言葉でウッダーラカが伝えたかったいちばん大事なことだと森岡は考えたい。この点で、中村元および高崎直道による近代的な解釈を森岡は取らない。なぜなら、アートマンを指す文脈においてウッダーラカが発話した「お前」は、けっしてそれぞれの個人存在や個人一般を指したのではなく、目の前にいるウッダーラカの息子シュヴェータケートゥのみに向かって発話されたからである。等根源的に存在する諸個人という意味は、そこには含まれていない。そしてこの指差しは、シュヴェータケートゥを経由して、いまここでこの文章を読んでいる「お前」にまで届いていると見るべきである。森岡はこれが届いた先を「独在的存在者」と呼んできた。[61] これは、

『歎異抄』における親鸞の、「弥陀の五劫思惟の願をよくよく案ずれば、ひとへに親鸞一人がためなりけり」へと直結するものと見るべきである。

これに関連して、少し後の文献である『カウシータキ・ウパニシャッド』では、次のような考え方が述べられている。すなわち「お前は、あらゆる生きものの自己［アートマン］である。お前であるもの、わたしはそれである[62]」。ここでは、お前であるところのアートマン、それは私であるところのアートマンと等しいと宣言されている。だがこれは、『チャーンドーギヤ・ウパニシャッド』におけるウッダーラカの洞察を逸脱してしまっていると森岡は考える。なぜなら、『カウシータキ・ウパニシャッド』は、あなたのアートマンと私のアートマンという二つの存在を措定した後に、その二つは実は同一であると言っているからである。ここには、息子を目の前にして「お前はそれである」と発話した、その指示のダイナミズムが存在せず、アートマンの本質が見失われている。息子を前にしたこの二人称確定指示こそがアートマンの在処（ありか）を示す奥義であり、ウッダーラカはソール・クリプキの「命名儀式」にも似た次元を切り開いたのだ[63]。この論点は、独我論はどのようにして成立し得るかという現代哲学の問題につながる。森岡は「独在性」についての永井均の議論を批判的に検討するなかで、「独在的存在者」は二人称的な指差しによって確定指示されるという説を提唱した。これは独在性に関する永井の〈私〉説および現実性論を部分的に乗り越えるものであり、森岡が『チャーンドーギヤ・ウパニシャッド』から学んだもののひとつである[64]。

以上のようなアートマンの言語化不可能性について、『ウパニシャッド』の哲学者たちは考え抜いた。そして否定の連続によって真理を言い当てるというユニークな接近の仕方が発明された。『ブリハドアーラニヤカ・ウパニシャッド』において、ヤージニャヴァルキヤは次のように語っている。「吸い込まれる息と吐き出される息を連結する息において。これが、〝そうではない、そうではない〟と言われる自己（ātman）である。それは把握され得ない。なぜならそれは把握され得ないからである[65]」。すなわち、アートマンは直接には把握することができず、つねに「そうではない、そうではない neti neti」という否定の仕方でのみ把握され得るというのである。「こうである」という肯定形によってはアートマンに正しく迫ることはできず、むしろ、「アートマンはこうである」という発言があったときに、それを「そうではない、そうではない」とたえず否定していく運動によってのみ、アートマンに正しく迫ることができるというのだ。この、つねに否定を重ねる運動によってのみ把握可能になるアートマンというテーマは、『ウパニシャッド』にしばしば見られる。

そしてこの「そうではない、そうではない」のアートマンというアイデアは、後の中東・地中海世界に現われたグノーシス主義のテキストと響き合うことになる。大貫隆によれば、グノーシス主義者たちは超絶的な存在である神を表現しようとして、「ほとんど際限もなく言い重ねられる多種多様な否定詞」を用いる。実際に彼らは神を表現するときに、「〜ではない、〜ではない」とひたすら否定を繰り返しながら、その実態に迫ろうとしている[66]。これはさらにキリスト教神秘主義における「否定神学」へとつながっていく。否定神学においても、「神は〜ではない」という否定的な道を通ることによって神に接近できると考えられた。そしてその思想史的先端は、二〇世紀のヴィトゲンシュタインにまで至る。

ヴィトゲンシュタインは、『論理哲学論考』五・六二において、「独我論の言わんとするところはまったく正しい。ただ、それは語られえず、示されているのである」と書いた[67]。一般的には、独我論は間違った哲学説の代表のように言われる。しかしヴィトゲンシュタインは、独我論が意味しようとする内容は「正しい」と断言する。ただしその意味内容を、「独我論とは〜である」という肯定命題の形で正面から語ることはできない。その意味内容は、肯定的に語られるものではなく、別の形でおのずと示されるものなのだというのである。すなわち、独我論について肯定的に語ろうとする試みが挫折してしまうことをとおして、独我論の意味内容が、いわば否定的な通路を通っておのずから立ち現われてくるのである。この「みずからを語らせないが、その語らせなさをとおしてみずからを指し示す」という独我論の意味内容の現出方式に、「そうではない、そうではない」のアートマンの否定神学的な接近方法の現代的再現を見てとることができると森岡は考える[68]。

以上の形而上学的なアートマンの議論は、反出生主義とも深く関わるものだ。すなわち、誕生否定の哲学は「生まれてこないほうが良かった」と主張するのであるが、そのときに、生まれてこないほうが良かったのは具体的にいったい「誰」なのか、という問いが伏在しているからである。これまで見てきたように、この問いに答えて、すべての人間たちは生まれてこないほうが良かったとする誕生否定があった。あるいは、こんな私は生まれてこないほうが良かったとする誕生否定もあった。さらには、第2章で述べた『新約聖書』の「マルコの福音書」で、イエスがユダを名指しして言った言葉、「しかし禍だ、〈人の子〉を引き渡すその人は。その人にとっては、生まれて来なかった方がましだったろうに」のように、他人に向けられた誕生否定もあった。この場面において、イエスがユダを名指ししたときに発話した「その人」とはいったい誰のことなのか、という問いすら立ち上がる。

森岡は誕生否定を反転させて、誕生肯定の哲学を切り開こうとしているが、そのときにもやはり「生まれてきて本当によかった」のはいったい「誰」なのかという問いが立ちはだかる。これに対して森岡は、アートマンの形而上学によって二人称的に指し示されるような「お前」、すなわち「独在的存在者」こそが「生まれてきて本当によかった」の主体でなくてはならないと主張するのである。いまここで、この本の、この文章の、この箇所を読んでいる「お前」こそが、「生まれてきて本当によかった」の主体でなくてはならないのである。それ以外の何者も、その主体になることはできない。ましてや、どの人でもあり得るような一個人としての等根源的主体など、ここではまったく意味をなさない。ウッダーラカは二五〇〇年の時を超えて、この一つのことを、まさにここへと伝え運んで来ているのである。そしてこれは、そもそも誕生したのはいったい誰なのかという「誕生主体」の問いへと結びついていく。森岡は『ウパニシャッド』におけるウッダーラカとヤージニャヴァルキヤの思索から、以上のようなメッセージを受け取る。古代インド的な反出生主義の扉から入っていった世界には、深い意味での「人称的世界の哲学」が潜んでいたのである。

さて、以上で見たような『ウパニシャッド』的な生命哲学を前提としながら、それを内発的に解体して生まれたのが、ゴータマ・ブッダの哲学であった。私たちは、「生まれてこないほうが良かった」とする誕生否定の考え方に対するひとつの応答を原始仏教から取り出すことができる。それを確かめるために、次章でブッダの哲学を考察していくことにしたい。

1――古ウパニシャッドの成立年代は、詳しくは分かっていない。『岩波 仏教辞典 第二版』（岩波書店、二〇〇二年）の「ウパニシャッド」の項によれば、紀元前六世紀から紀元前三世紀頃の成立とされる。針貝邦生は、古ウパニシャッドの成立を紀元前七世紀から紀元前六世紀ごろとしている（『ヴェーダからウパニシャッドへ』清水書院、二〇〇〇年、一六八～一六九頁）。成立年代については、現在も研究が続けられている。古ウパニシャッドの前身であるブラーフマナ文献は紀元前九世紀ごろに成立したとされる。ブッダの生年に関しては紀元前四六三年など諸説ある。

2――日本語の解説書では「哲人」などの言葉がよく使われる。私は彼らを哲学者と呼ぶことにする。これは通常の用語法ではないが、彼らを哲学者と呼ぶことによって、私は哲学者の概念を拡張したいのである。これは「哲学者」とはそもそも誰なのかという根本問題を提出することになる。私は後の著作においてこれを探求する予定である。

3――『ウパニシャッド』の日本語訳テキストとしては以下のものを使用する。湯田豊『ウパニシャッド――翻訳および解訳』（大東出版社、二〇〇〇年）は、もっとも新しい現代語訳であり、主要なテキストが全訳されている。ただしシャンカラによる注釈に依拠した従来の解釈を大胆に変更している箇所がある。中村元『ウパニシャッドの思想（中村元選集　第9巻）』（春秋社、一九九〇年）は、シャンカラを参照しつつ論理的に解釈されたものである。また、宮元啓一『インド最古の二大哲人』（春秋社、二〇一一年）、岩本裕編集『原典訳 ウパニシャッド』（ちくま学芸文庫、二〇一三年）、辻直四郎『ウパニシャッド』（講談社学術文庫、一九九〇年（原著一九四二年））に収められた日本語訳も参照した。

4——辻直四郎は、古ウパニシャッドは後人の手によって編纂されたものだから、「各書を一個人の作品として批判することは許されぬ。相互の借用、後人の布衍（ママ）・挿入・改竄等をも充分に考慮に入れねばならぬ」としている（『ウパニシャッド』一二八頁）。さらには「厳正を期するならば、特定のウパニシャッドの第何篇第何章の思想と限定せずして、単に漠然とウパニシャッドの哲学を論ずることは許されぬ」とまで言う（辻直四郎「ヴェーダとウパニシャッド」『辻直四郎著作集　第一巻』法藏館、一九八一年（原著一九五三年）、一二五頁）。

5——ブッダ以降の原始仏教と、その後の『ウパニシャッド』は、互いに影響を与えつつ展開するので、仏教が『ウパニシャッド』を一方的に乗り超えたと考えるのは誤りである。

6——以下、私は『ウパニシャッド』の詳細を見ていくが、ショーペンハウアーは今日知られている『ウパニシャッド』原典を読めたわけではないことに注意しておく必要がある。すでに第3章で述べたように、彼はペルシア語訳され、さらにラテン語訳された『ウプネカット』を読んだにすぎなかった。彼が当時、実際にどのようなテキストを読んでいたのかを研究した橋本智津子の『ニヒリズムと無——ショーペンハウアー／ニーチェとインド思想の間文化的解明』（京都大学学術出版会、二〇〇四年）はこの点で参考になる。

7——プラトン『国家（下）』藤沢令夫訳、岩波文庫、一九七九年、第一〇巻。

8——ブラーフマナとは、祭式の説明をした文献のことである（辻直四郎「ヴェーダとウパニシャッド」一四頁。針貝邦生『ヴェーダからウパニシャッドへ』一二〇〜一二一頁）。

9——辻直四郎『ウパニシャッド』九二頁。針貝邦生『ヴェーダからウパニシャッドへ』一四三〜一四六頁。

10——以上、『チャーンドーギヤ・ウパニシャッド』5:8, 5:9, 5:10（湯田豊訳『ウパニシャッド』一一七〇〜一一七二頁）。以下、断わりがないかぎり湯田訳から引用する。中村元によれば、この第三の世界は、後の時代に発達する「地獄の道」に通じるものである（中村元『ウパニシャッドの思想』七〇〇頁）。後のヴェーダーンタ学派のシャンカラは、輪廻は幻影であり、ほんとうは存在しないとしている。「輪廻は、識別智をもたないために起こる無明そのものであるべきである。不変のアートマン［が存在する］ために、輪廻はつねにアートマンに存在しているかのように見えるのである」（シャンカラ『ウパデーシャ・サーハスリー――真実の自己の探求』前田専学訳、岩波文庫、一九八八年、韻文編第一八章四五詩節、一三七頁）。

11――ヤージニャヴァルキヤはウッダーラカの弟子であったと考えられている（辻直四郎「ヴェーダ論叢」『辻直四郎著作集　第一巻』所収、三四六頁）。辻直四郎は、『ブリハドアーラニヤカ・ウパニシャッド』におけるヤージニャヴァルキヤは実在の人物であったと推定している。

12――4:4:2、一一六～一一七頁。［　］内は森岡が補った。

13――4:4:3、一一七頁。

14――業（カルマン）の思想である。業思想はヤージニャヴァルキヤによって新思想として説かれた。高崎直道によれば、当時はバラモンに生まれれば死後も良いところに生まれるという考えがあった。これに対して、その人の生まれではなく、その人が何をしたかによって死後の生の善し悪しが決まるとしたのは画期的なことであった（『インド思想論　高崎直道著作集　第一巻』春秋社、二〇一〇年、一八頁）。

15――4:4:7、一一八～一一九頁。

16――4:4:7、一一九頁。

17――4:4:7、一一九頁。

18――「アートマン（ātman）は元来、呼吸する（at）という動詞に由来し、気息を意味する語の一つとして用いられ、また生命の根元と考えて、生気、魂の意味をもち、さらに、それによって生きているところの総体としての身体、また、他と区別される「自己」を意味した」（高崎直道『インド思想論』六八頁）。針貝邦生は、「ウパニシャッドはしばしば呼吸を生命と等値し、さらに自己の本質（アートマン）と同一視している」と述べる（『ヴェーダからウパニシャッドへ』一九五～一九六頁）。呼吸には「プラーナ」、「アパーナ」、「ウダーナ」、「ヴヤーナ」、「サマーナ」の五種があるとされた（針貝、同書、一九六頁）。

19――3:9:9、八五頁。アートマンがブラフマンかどうかについては、別の検討が必要である。

20――6:1、一四五～一四八頁。

21――7:1-7:26、三〇一～三一九頁。

22――3:2、四〇九頁。〔 〕内は森岡が補った。
23――2:3、三五四頁。傍点訳書。
24――「神ヤハウェは大地の塵をもって人を形造り、その鼻にいのちの息を吹き入れた。そこで人は生きるものとなった」。月本昭男訳『創世記』（旧約聖書翻訳委員会訳『旧約聖書Ⅰ』岩波書店、二〇〇四年、二章七節、五頁）。
25――坂口ふみ『〈個〉の誕生――キリスト教教理をつくった人びと』岩波書店、一九九六年、一〇〇頁。
26――坂口は、『ウパニシャッド』がプロチヌス（プロティノス）に影響を与えたとする議論があることを紹介しているが、論じるにはあまりにも資料が少ないとしている（前掲書、六四頁）。『リグ・ヴェーダ』については、針貝邦生『ヴェーダからウパニシャッドへ』七三頁、参照。
27――本シリーズ第2巻以降で、これらの「息の存在論」についても考察する予定である。
28――ただし、もちろん違いはあるのであって、輪廻する息として語られるときのアートマンは魂のような実体とみなされているが、ショーペンハウアーの「生きようとする意志」は「物自体」であり、魂のような実体ではない。
29――『ブリハドアーラニヤカ・ウパニシャッド』4:9:28、九四～九五頁。
30――『カタ・ウパニシャッド』3:8、四五六頁。後の仏教の涅槃の概念に直接つながる記述である。
31――『ブリハドアーラニヤカ・ウパニシャッド』3:5:1、六九～七〇頁。
32――『チャーンドーギヤ・ウパニシャッド』7:1:3、三〇一頁、三一九頁。
33――針貝邦生『ヴェーダからウパニシャッドへ』二二二～二二三頁。
34――『ブリハドアーラニヤカ・ウパニシャッド』4:4:22、一二二頁。
35――辻直四郎『ウパニシャッド』一〇六頁。のちのヴェーダーンタ哲学では様子が違ってくる（兵頭高夫『ショーペンハウアー論』九五頁参照）。
36――「梵我一如」と呼ばれることが多いが、古ウパニシャッドにはその言葉は出てこない。後世にそのような呼称が発明されたのである。後註の湯田豊の説明も参照。
37――『チャーンドーギヤ・ウパニシャッド』3:14:4、一三三頁。〔 〕内は森岡が補った。
38――中村元は、シャーンディリヤについて次のように説明している。「かれは〈ブラフマンとアートマンの同一〉をはっきりと明言した最初の人である。万有の最高原理がわれわれの存在の奥底に存するアートマンである、ということを強調し、万有と自己との一体であるゆえんを説いたところに、かれの哲学思想の特色が認められる」(『ウパニシャッドの思想』二四七〜二四八頁)。

39――『ブリハドアーラニヤカ・ウパニシャッド』3:4:2、六八〜六九頁。〔 〕内は森岡が補った。

40――この「すり抜けて」云々は、森岡による解釈である。

41――3:8:11、八一頁。

42――3:7:16、七六頁。〔 〕内は森岡が補った。

43――中村元は「内部にあって支配する者」と訳している(中村元『ウパニシャッドの思想』三五三頁)。「内制者」とも訳される(辻直四郎「ヴェーダとウパニシャッド」一四六頁など)。ここを読めば明らかなように、この箇所でヤージニャヴァルキヤは「アートマン」と「息」を別のものとして捉えている。前項で説かれた輪廻する息としてのアートマンと、ここで語られるアートマンは別の面に光が当てられている。後述する。

44――『ブリハドアーラニヤカ・ウパニシャッド』3:7:20、七七頁。〔 〕内は森岡が補った。

45――中村元によれば、ヤージニャヴァルキヤはこの二つの概念を両立するものと捉えており、その二つのあいだにある矛盾に無自覚であった(中村元『ウパニシャッドの思想』四六三頁)。

46――『ブリハドアーラニヤカ・ウパニシャッド』4:3:28、一一三頁。

47――高崎直道は次のように説明している。すなわち睡眠から「再び目が醒めれば活動も再開されるから、睡眠中といえども、認識主体は存在するはずだという考えが、認識主体そのものは不滅であり、断絶しないという結論に達した」(『インド思想論』一七六〜一七七頁)。

48――これは実際に熟睡してよく眠ればアートマンを知って解脱できる、と言っているのではない。

49――この点に関して、後の『ウパニシャッド』においては、熟睡状態よりもさらに高位にある第四位の境地を設定し、それをアートマンとするテキストがある。そのような解釈でこの矛盾を解消しようと試みたのかもしれない。たとえば『マイトリ・ウパニシャッド』7:11、六一四頁、『マーンドゥーキヤ・ウパニシャッド』12、六二一頁、など。辻直四郎は、熟睡は死後を待たずして解脱できる体験であるが、しかし目覚めるとそこから離れてしまうとし、「ゆえに熟睡位といえども、ただちに無条件の絶対境と一致させることはできない」から、熟睡より上の第四位が置かれたとしている(「ヴェーダとウパニシャッド」一五一頁)。

50——中村元『ウパニシャッドの思想』七八七頁。

51——ショーペンハウアーもこのように考えていたに違いない。

52——B328、石川文康訳『純粋理性批判（上）』筑摩書房、二〇一四年、三五六頁。

53——B405、『純粋理性批判（下）』四七頁。「そのような対象はこの私の意識を他の物へ転用した結果にほかならない。そのようにしてのみ、他の物は考える存在者として示される」。B713、下・三五六頁も参照。カントの他者論は、『実践理性批判』および『道徳形而上学への基礎づけ』における倫理学的次元で本格的に展開されることになる。

54——カントは、実体としての魂について不可知論を取った。「われわれはどのような仕方によっても魂の状態——それは魂の遊離した現実存在の可能性一般にかかわる——について何かを認識することはできないのである」（B420、『純粋理性批判（下）』一〇八頁）。

55——6:8:7、二九三頁。〔　〕内は森岡が補った。

56——中村元『ウパニシャッドの思想』二八一頁。

57——これはカントの認識論における超越論的統覚の議論とは区別される。

58——高崎直道『インド思想論』六九頁。

59——湯田豊『ショーペンハウアーとインド哲学』晃洋書房、一九九六年、三二一～三三三頁。湯田はさらに、ヴェーダーンタ学派のシャンカラによる「アートマンはブラフマンである」（梵我一如）との教科書的な解釈をも退ける。「シャンカラは、大宇宙の原理としてのブラフマンを小宇宙の原理としての自己〔アートマン〕と同一視するという学説を編み出し、自己のこの学説をウパニシャッドによって権威づけようとした。そして彼は「お前はそれである」というウッダーラカの言葉を自分の都合のよいように利用したのである」（同書、三三三頁。その後の九二～九五頁も参照）。湯田はさらにショーペンハウアーもまた「お前はそれである」を誤解していたとする。ちなみに高崎直道は、『ウパニシャッド』におけるアートマン概念とブラフマン概念の関係性の変容を指摘する。「アートマンの探究を課題としたウパニシャッドはその主体性の故に、梵我一如といいながらも、ブラフマンよりもアートマンに優位を求めていたのであるが、今や主体性が主観性に進んだ結果、逆に客体性の要求から、客体原理ブラフマンがアートマンよりも重要視されることになり、アートマンはブラフマンの一面として、その中に包摂されることになった」（『インド思想論』一八二頁）。これは当初のヤージニャヴァルキヤの意図とは異なった方向であるという。

60――Joel P. Brereton, "'Tat Tvam Asi' in Context", *Zeitschrift der Deutschen Morgenländischen Gesellschaft*, Vol. 136, No. 1 (1986), pp. 98–109. ブレレトンが「木」と呼んでいるのは、湯田訳では「萌え出た芽の葉鞘」（6:8:3、二九二頁）のことである。針貝邦生は「汝はそれである」と言われるときの「自己（アートマン）」を次のようにまとめている。「真の自己は個別的な自我ではなく、むしろあらゆる他者とともに共通にもっている普遍我というべきものである。……私、あなた、彼、彼女というような区別は真の意味では存在しない。すべての生類は〈一なる存在〉から生まれ、死ぬとそれへと還ってゆくのである」（『ヴェーダからウパニシャッドへ』二〇八〜二〇九頁）。この解釈はシャンカラ的であるが、「汝」の意味が掘り下げられていないように感じられる。

61――註64を参照。

62――1:6、三九一頁。同様の表現は2:11にも見られる（四〇二頁）。〔 〕内は森岡が補った。

63――命名儀式とは、固有名を最初に直示あるいは記述によって指示する動作。この動作は一度きりであり、そのあとに指示の連鎖の運動が開始される。ソール・A・クリプキ『名指しと必然性』八木沢敬・野家啓一訳、産業図書、一九八五年、一一五頁（Saul Kripke, *Naming and Necessity*, Blackwell Publishing, 1972, 1981, p.96）。

64――この論点に関しては、森岡正博「独在今在此在的存在者――生命の哲学の構築に向けて（9）」（『現代生命哲学研究』第六号、二〇一七年、一〇一〜一五六頁）、および入不二基義・森岡正博『運命論を哲学する』（明石書店、二〇一九年）を参照のこと。なお、この論点は現在さらに考察中であり、「ペネトレイター」の新展開として、今後刊行される著書『誕生肯定の哲学』の中で全面構築する。

65――3:9:26、九三頁。

66――大貫隆訳・著『グノーシスの神話』五九〜六一頁。

67――野矢茂樹訳『論理哲学論考』五・六二、一一五頁。傍点訳書。"nur lässt es sich nicht sagen, sondern es zeigt sich"（ただ、独我論はみずからを語らせず、みずからを指し示すのである）。この直後の五・六二一で「世界と生はひとつである」と述べられており、ヴィトゲンシュタインが生命の哲学者であることがよく分かる。

68――通常、ヴィトゲンシュタインの言う「語られ得ないもの」は倫理であり宗教であるとされる。私はそれに加えて、独我論の意味内容もまた語られ得ないものの代表的なものとしてヴィトゲンシュタインはとらえていた、と考える。五・六二はこのように読むべきである。本パラグラフの議論には永井均による先行研究がある。永井均『〈魂〉に対する態度』（勁草書房、一九九一年）など参照。

第5章
ブッダは誕生をどう考えたのか

1　一切皆苦

古代インドでもっとも反出生主義に近い考え方を説いたのは原始仏教である。原始仏教は、人間が経験する一切は苦しみであると考えた。当時のインド世界では輪廻が信じられていたから、死後に輪廻して生まれていく世界でもまた苦しみを経験し続けなければならないことになる。出家者たちは、死んだあと二度とどこへも生まれないことを願って修行をした。二度と生まれないことを願うのであるから、これは「反出生主義」の思想である。この考え方は『ウパニシャッド』にも見られたが、原始仏教はそれをさらに独自の方向へと発展させた。『ウパニシャッド』の哲学者たちは、アートマンを知ることによって不滅の世界に入ると考えた。そこでは、もう死ぬことも生まれることもない。原始仏教は、これとは別のアプローチを取った。「何かがアートマンであることはない」[1]と知り、執着を消し去れば、修行者は死によって世界から完全に消え去る。その後にどこかへと生まれることはない。

原始仏教における反出生主義を具体的に調べるために、まずは原始仏典に表われたブッダの哲学を概観しておきたい。

ブッダの名前はパーリ語でゴータマ・シッダッタと呼ばれる。「ブッダ」とは覚者を意味する。慣例に従って、彼のことをゴータマ・ブッダあるいは単にブッダと呼ぶことにする。ブッダは実在の人物であると研究者たちは考えている。時代としては、古ウパニシャッドと同時代か、それより少し後だとされる。ブッダが直接に書き記した言葉は、一切残されていない。ブッダの死後に、弟子たちがブッダの教えとされるものを語り継ぎ、文字化した。[2]テキストの多くはパーリ語で残されている。それらは原始仏典と呼ばれる。原始仏典は、長い時間をかけて、少しずつ形成された。もっとも古い層として韻文の形を取るテキスト群がある。その後に、地層を積み重ねるようにして、様々なテキスト群が作られていった。

この章で私が「ブッダの哲学」と呼ぶものは、正確に言えば、現存する原始仏典でブッダおよびその同時代の弟子たちが語ったとされるテキストに現われた哲学のことを意味する。

ブッダの死後、教団は上座部と大衆部(だいしゅぶ)に分裂し、上座部の仏教はスリランカを経て、東南アジアに広がった。これを南方仏教(南伝仏教)と呼ぶ。[3]南方仏教には、ブッダの時代の原始仏教の考え方がよく保存されている。ブッダの死後三〇〇年ほど経って、インドで新たな仏教運動が起きる。これを大乗仏教と呼ぶ。彼らが創作した新たな仏典は大乗仏典と呼ばれ、その後、シルクロードを経て中国に伝わり、漢語に翻訳されて日本に伝わった。[4]日本の私たちが「お経」と呼ぶもののほとんどは、この大乗仏典である。[5]

この章で私が扱うのは、原始仏典における生命の哲学である。なぜ原始仏典かというと、ブッダが生存時に説いた教えにもっとも近いものが、原始仏典の古層の部分に残されていると考えられるからである。[6]原始仏典は長い期間にわたって形成されたものであり、古層の部分にはブッダおよびその同時代の弟子たちの生々しい言葉があふれている。これと比較して、後に成立したと考えられる新しい部分では、ブッダの教えがより整理整頓されて説かれると同時に、文学的な脚色も目立つようになる。原始仏典の各テキストの成立時期については研究が進められている。[7]さいわい、古層の部分の重要なテキストは、中村元が岩波文庫で翻訳しているので、読者の手に取りやすさを考えて、この章では岩波文庫版の古層のテキストを中心に検討することにしたい。古層の原始仏典とは、『スッタニパータ』、『ダンマパダ』、『テーラガーター』、『テーリーガーター』、『サンユッタ・ニカーヤ』(の一部)などである。[8]その後にまとめられた『ディーガ・ニカーヤ』に属する『大パリニッバーナ経』、『マハー・サティパッターナ経』などにも適宜言及する。[9]

古層の原始仏典に現われたブッダの考え方を要約すると次のようになる。まず、この世で生きることは苦しみである。この世で死ぬと、輪廻によって別の世界に生まれる。そこでの生もまた苦しみである。そしてふたたび輪廻する。このようにして、私たちは永遠に苦しみから逃れられない。

この苦しみから逃れるためには、この人間界で、自分自身の執着、欲望、愛欲を断滅し、もう二度と輪廻によって別の世界に生まれなくてもよいという境地に達する必要がある。この安らぎの境地を涅槃と言う。涅槃の境地に至るためには、所有物を手放して出家し、他人への愛を捨て、「原因があって生じるあらゆるものごとはすべて変化し消え去っていく」「いかなるものごとも私ではない」という真理を正しく洞察し、瞑想によって心を整えて、執着や欲望にとらわれない正しい生活をしなくてはならない。涅槃の境地に至る道は遠いが、日々の修行を積み重ねれば、この世で涅槃の境地に至ることは可能である（解脱）[10]。一般に、生存中に涅槃の境地に至ることを有余涅槃と呼び、その境地のまま死を迎えることを無余涅槃と呼ぶ[11]。

ブッダによれば、生きることは苦しみである。しかしその苦しみを消滅させる方法は存在する。原始仏典の最古層である『スッタニパータ』において、それは「二種の観察」と呼ばれる。すなわち、「これが苦しみでありその原因はこれである」と観察するのが第一の観察法であり、「これが苦しみの消滅でありそれを達成するための方法はこれである」と観察するのが第二の観察法である[12]。

この考え方は、「四つの尊い真理（四諦）」としてまとめられていった[13]。後の時期の『マハー・サティパッターナ経』（大念処経）では、この考えがさらにシステマティックに整理されて述べられている。以下ではその原型になった古層の原始仏典に注目して、「二種の観察」の内実を確かめていきたい。

まずは、「これが苦しみでありその原因はこれである」という第一の観察法である。ここで言う「苦しみ」とは、欲望がかなえられないときに陥る状態のことである[14]。『スッタニパータ』は、それらの苦しみをいくつかの次元で描写する。

まず、人間にとって直接的に感受される「老い」と「死」の苦しみが印象的に語られる。老いについては、「ああ短いかな、人の生命よ。百歳に達せずして死す。たといそれよりも長く生きたとしても、また老衰のために死ぬ[15]」と詠嘆される。死については次のように語られる。「若い人も壮年の人も、愚者も賢者も、すべて死に屈服してしまう。すべての者は必ず死に至る」。「見よ。見守っている親族がとめどなく悲嘆にくれているのに、人は屠所に引かれる牛のように、一人ずつ、連れ去られる[16]」。『サンユッタ・ニカーヤ』には、「虚空をも打つ広大な岩山が、四方から圧しつぶしつつ、迫ってくるように」、老いと死はすべての人間を圧しつぶすという表現が見られる[17]。いくら楽しい人生であったとしても、結局は老いて、死んでいくしかないというペシミスティックな考え方が表現されている。老いることは苦しい、死ぬことも苦しいというのが、原始仏典の人生観のベースラインを形成するのである[18]。

老いや死と同列に語ることはできないけれども、人間の身体が汚物のようなものとして捉えられることもある。たとえば『テーラガーター』にある次の文章にそれがよく表われている。これは人間の身体を描写したものである。

水の淀んで腐っている泥沼のように、いろいろの種類の汚れに満ち、排泄物を生ずる大きな器、大きな腫物、大きな傷あとのある身体は、膿血に満ち、糞杭につかり、（汚）水が滲み出て、つねに臭い水を流出する。……

この身体を、糞にまみれた蛇のように避ける人は、生存の根元（である妄執）を吐き捨てて、汚れなき者となり、安全な安らぎに到達するであろう[19]。

涅槃の境地に至るためには、人間の身体を「糞にまみれた蛇」のように避けなくてはならないというのである。

「老い」や「病気」のような、肉体の崩落がもたらす痛みやみじめさの感覚だけが苦しみなのではない。原始仏典ではもっと根本的な捉え方をしており、何か原因があって生じるものごとを経験するのはすべて苦しみであるとする。すなわち、原因があってこの世に生起するあらゆるものは、時とともにその在り方を変えていき、同一にとどまるものはなにひとつない。人間は、何か良いことがあるとそれに執着するのだが、その良いこともまたかならず消え去るのであり、そこに苦しみが生まれる。[20] 人間が経験するところの、はかなく移ろいゆく世界全体の在り方そのものが、苦しみなのである。[21]

人間に対する「愛情」ですら、苦しみの原因となる。ブッダは、他人に対して愛情を持つことを避けよと教える。この点は、現代人にとってもっとも受け入れがたいものであろう。しかしこれこそが、ブッダの教えをもっともラディカルに示す言葉である。『ダンマパダ』には次の文章がある。

愛する人と会うな。愛しない人とも会うな。愛する人に会わないのは苦しい。また愛しない人に会うのも苦しい。

それ故に愛する人をつくるな。愛する人を失うのはわざわいである。愛する人も憎む人もいない人々には、わずらいの絆が存在しない。[22]

『ウダーナヴァルガ』にも次のように書かれている。

愛するものがいかなるかたちでも決して存在しない人々は、憂いを離れていて、楽しい。それ故に、憂いの無い境地を求めるならば、命あるものどもの世に、愛するものをつくるな。[23]

愛する人間を作るな、愛するものを作るなという教えは強烈である。しかし冷静に考えてみれば分かるように、たとえ愛するパートナーができたとしても、その愛はいつ壊れるか分からない。もし壊れなかったとしても、私とそのパートナーは、いずれかならず死別あるいは離別するのである。その別れの苦しみは、愛情が深ければ深いほど大きいであろう。いくらお互いに愛し合っていたとしても、二人が同時に瞬殺されないかぎり、どちらかが先に死んでいくのであり、そのときの深い悲しみは耐えがたいものである。これらのことを考えると、「苦しみを回避するためには、そもそも愛する対象を作るな」というのは、きわめて理にかなった考え方だと言える。ここで言われている「愛情」は、人と人のあいだに生じる「愛着pema」のことを指す。[24]愛する人間を作らないためには、家族を捨てて出家するのがもっとも良い方法である。この世で涅槃の境地に至るために出家が前提される理由のひとつはここにある。それは愛情を捨て、犀（さい）の角のように独り進む道でもある。[25] そして「切に世を厭い嫌う者」となることが求められる。[26]

苦しみが生まれる根本原因は、「我」という観念にある。世間の人々は「我」という永遠不変の実体があると錯覚している、とブッダは言う。「永遠不変の自我であるわけではないのに、何ものかをそのように思い込んでいる。神々や世間の人々を見てみなさい。かれらは、形があったり、名づけることができたりするものに執着し、『これこそが真実である』と思い込んでいる」[27]。何かが永遠不変の自我や実体であるというふうに錯覚するところから、ものごとへの執着が生まれ、それが原因となって苦しみが生じるというのである。

すなわち、すべてのものは、物質・感覚・識別・意思・認識という五つの要素（五蘊（ごうん））[28]に依存して生起し、それらの要素がなくなるとすぐに消え去る。それらは、時間を通じて持続する実体のようなものではない。このことは、ほかならぬ「私」についても当てはまる。ワールポラ・ラーフラの言葉を借りれば、「私たちが一般に存在、個人あるいは「私」と見なしているものは、たえず移ろい変化する肉体的、精神的エネルギーの結合にしか」すぎない。[29] しかしそのことを理解せず、それらがあたかも持続して存在する実体としての「私」であるかのように錯覚するところから、執着が起こり、苦しみが生じるというのである。[30] 人間に対する愛情が苦しみとなる究極の理由もまた、愛したり愛されたりする人間が実体としての我であるという錯覚に私たちが陥っている点にあると言えるだろう。

このような苦しみにまみれたまま肉体の死を迎えた人間は、死後に別の世界へと輪廻していく。そしてその新しく生まれた世界においてもふたたび苦しみの生を続けなくてはならない。その世界で死んだあとは、さらに別の世界に生まれることとなり、こうやって苦しみの生が延々と続いていくのである。輪廻は、見果てぬ悪夢のような死生観を生み出す。

古代インド世界では、輪廻の考え方が一般民衆に広く受け入れられていた。『ウパニシャッド』にもそれが描かれていた。原始仏教においては、「地獄」「畜生」「餓鬼」「人」「天」の五つの世界を巡る輪廻が考えられている。[31]ブッダ自身がほんとうに輪廻を信じていたかどうかは分からない。だが原始仏典を読むかぎり、ブッダや弟子たちは輪廻の存在を当然のこととして教えを説いている。『サンユッタ・ニカーヤ』で、ブッダは、この世で物惜しみをして、吝嗇（りんしょく）な人々は、死後に「地獄、畜生の胎内、ヤマ（閻魔）の世界に生まれる」と説いている。[32]弟子たちも具体的な輪廻を語ることがあり、たとえばイシダーシー尼は、自分は過去に死んでから、地獄で煮られ、猿になり、山羊になり、牛になり、人間になって涅槃の境地に至ったと述懐している。[33]このイシダーシー尼の場合、自分の過去生を記憶しているのだが、その記憶の自己同一性を保持しているものは何かについては反省されていない。素直に読めば、自己同一性を保持した主体が過去生を記憶していると言っているように見える。右記のブッダの言葉も、この世の生と死後の生のあいだに自己同一性があるのかどうかについてはあいまいである。

これに関して、輪廻するのは五つの要素（五蘊）であり、けっして「我」という主体が輪廻するのではないとするのが、原始仏教の標準的な見解である。すなわち、自己の経験をじっくり観察してみれば、持続する実体としての「我」はどこにも存在しない。そこにあるのは、潜勢力によって駆動されながらひたすら生滅を繰り返して前進していく五蘊のみである。そしてこの五蘊の前進は、私の身体の機能が死によって停止したあとも止まることがなく、死後に別の世界へと突き進んで輪廻していくのである。[34]森章司も、原始仏教においては「「無我」であるが故に輪廻するとされている」と指摘し、[35]原始仏教は「五蘊としての生存が生前にも続いてきたし、死後にも続くと考えるのである」としている。[36]人間が死ぬとき、五蘊はその死を超えて次の世界に輪廻していくが、「我」のような実体が死を超えて輪廻するわけではない。五蘊の輪廻によって、輪廻するものの自己同一性が保たれているかどうかについては、自己同一性の概念をどう理解するかに依存する。五蘊の自己同一性一般については、古代ギリシア哲学の影響を受けて書かれた『ミリンダ王の問い』において鮮やかに議論されており、比較哲学的にも注目される。[37]そしてそもそも何が輪廻するのかについては、その後の仏教において論争点のひとつとなった。

2　涅槃寂静

次に、「これが苦しみの消滅でありそれを達成するための方法はこれである」という第二の観察法について見ていきたい。

そもそも苦しみが生起するのは、その原因があるからだ。ということは、その原因を根本的に取り除いてやれば、苦しみも消え去るはずである。そうすれば、果てしなく続く輪廻の苦しみからも解放されるだろう。死んだあと、もうどこへも生まれなくてよくなるだろう。苦しみはもうこれで最後になるだろう。『スッタニパータ』はこれを、「[苦しみの]素因が残りなく離れ消滅するならば、苦しみの生ずることがない」と表現する。[38]

その原因を取り除くためには、移ろいゆくすべてのものごとへの執着を断滅し、人間に対する愛着や愛欲を断滅し、持続して存在する「私」があるという錯覚を完全に消し去ることが必要である。それを可能にする方法は「八正道（はっしょうどう）」と呼ばれ、原始仏教の実践の根幹をなす。それは、正しい見解、正しい思惟、正しい言葉、正しい行ない、正しい生活、正しい努力、正しい思念、正しい精神統一、の八つである。[39]

まず大前提として、あたかも持続して存在する「私」があるかのような錯覚を消し去ることが必要である。日常生活では、どうしても、「私」という自己同一性を持った実体があるように感じてしまうのだけれども、それは間違っているということを、理屈で理解し、心の底から納得しなければならない。「永遠不変の自我であるわけではないのに、何ものかをそのように思い込んでいる」[40]という状態から脱出しなければならないのである。『ウパニシャッド』では、私はアートマンを知ることによって不滅の世界に入るのであった。しかしブッダは、何かがそのようなアートマンであると思うのは錯覚であると考えるのである。「アートマン」はサンスクリット語であり、パーリ語では「アッタン attan」がそれに対応する。日本語では「我」と訳される。このアッタンに否定の接頭辞 an を付けてできた anattan を「非我」あるいは「無我」と言う。瞑想をして自分自身を観察してみれば、そこにあるのはたえず変化する五つの構成要素だけであり、それが不滅の「我」(アッタン)であるわけではない。「我」であることが否定されるから「非我」と言う[41]。「非我」の把握ができれば、「われには『われが、かつて存在した』という思いもないし、またわれには『われが未来に存在するであろう』という思いもない」という境地に至る[42]。

この考え方は、後に、「そもそも我という実体はない」という「無我」の思想へとつながっていった。ただし前章で見たように、アートマンには、実体的に輪廻するアートマンと、否定神学的にしか迫れない「非─我」的なアートマンの二種類の把握があったのであり、後者についてはブッダの言う「非我」としての anattan とどのように異なるかは難しいところである[43](これに関連して、前章でアートマンを独在的存在者として捉える考え方を述べた。ブッダの非我説でそれがどう考えられるかであるが、もし独在的存在者が実体的に捉えられるとしたら、それはブッダ的には錯覚として退けられることになるだろうし、原始仏教の文脈を離れたとしても錯覚と考えるのは正しいと思われる)。

それでは、正しい生活の仕方とはどのようなものだろうか。涅槃をめざす修行者たちは、家族と所有物を捨てて、出家生活をする。みずからは生産労働を行なわず、食料は支援者たちからいただき、ひたすら瞑想を行なう。『スッタニパータ』に、正しい生活についてのブッダの言葉がある。曰く、見ることを貪ってはならない、味に耽溺してはならない、世間のものごとに固執してはならない、生存を貪り求めてはならない、食料や衣服を貯蔵してはならない、などである。[44]

もちろんブッダは、修行者が、見たり、味わったり、生きようとしたり、食料や衣服を得ることそれ自体を禁じているわけではない。そうではなくて、五感を貪ったり、どこまでも生き続けようとしたり、入手したものを貯蔵して溜めたりすることを禁じているのである。私たちが快を感じたり、生きようとしたりするのは当たり前であり、それを禁じるのは苦行である。ブッダは苦行を勧めてはいない。ブッダが強調しているのは、快に溺れたり、生き続けるためならばなんでもしようとするような心の持ち方なのである。食料や衣服をもらうことはそれでいいのだが、後に使うために貯蔵しようと思い始めるときに、貪欲の心が出現するわけであり、ブッダはそれを戒めている。

ブッダは引き続いて、修行者の心の持ち方を具体的に説く。その内容は、修行者は誹謗をしてはならない、村の人々と親しくしてはならない、利益のために人々に話しかけてはならない、高慢であってはならない、傲慢であってはならない、虚言をしてはならない、自分が他人よりも優れていると思ってはならない、などである。[45]ブッダは、傲慢でエゴイスティックで敵対的になりがちな自己をコントロールせよと説いているのだ。

ブッダは、なかでも争いごとと報復をきびしく戒めている。『ダンマパダ』および『ウダーナヴァルガ』には報復禁止の言葉がある。「実にこの世においては、怨みに報いるに怨みを以てしたならば、ついに怨みの息むことがない。怨みをすててこそ息む。これは永遠の真理である[46]」。これは、報復の連鎖を止めよという原始仏典の金言である。「弱いものでも強いものでも（あらゆる生きものに）慈しみを以って接せよ[47]」と言われるように、慈悲の心をベースとした内面的な人格性の涵養が求められる。

これらに加えて、修行者たちは日々の瞑想を欠かさず行なわなくてはならない。瞑想修行の仕方については、『マハー・サティパッターナ経』にまとめられている。現代人に人気のあるヴィパッサナー瞑想は、原始仏教の瞑想法から発展したものである。

以上のような八正道を実践することによって、私たちはこの人間世界で大いなる安らぎの境地に至ることが可能となる。そして実際に多くの修行者たちが涅槃の境地に至った[48]。この涅槃の様子がどのように描かれているのかを見てみよう。

涅槃はパーリ語で「ニッバーナ nibbāna」と呼ばれ、すべての煩悩や束縛から解放された安らぎを意味する。いったん涅槃の境地に至れば、私はもう二度と別の世界へと生まれていかなくてもよくなる。私の生は、この世で死んだら終わりになるのである[49]。「もう二度と生まれなくてよい」という大いなる安らぎ、これが涅槃の中身であると考えられる。『スッタニパータ』では次のように描写されている。

「生まれることは尽きた。清らかな行いはすでに完成した。なすべきことをなしおえた。もはや再びこのような生存を受けることはない」とさとった。[50]

『テーラガーター』では次のように描写されている。

わたしのすべての欲望は断ち切られた。迷いの生存はすべて砕かれた。生れを繰り返す迷いの生存は滅びてしまった。今や迷いの生存を再び繰り返すことはない。[51]

涅槃の境地においては、死の恐怖はない。修行者たちは、ただ自分の寿命が尽きることに満足している。[52]しかしながら、死の恐怖がないからとはいえ、積極的に死を願うこともない。この点は大事なので、ふたたび『テーラガーター』から引用しておきたい。サンキャチャ長老の言葉である。

われは死を喜ばず。われは生を喜ばず。傭われた人が賃金をもらうのを待つように、わたしは死の時が来るのを待つ。

われは死を喜ばず。われは生を喜ばず。よく気をつけて、心がけながら、死の時が来るのを待つ。[53]

生に執着するわけでもなく、かといって死に執着するわけでもなく、ただ淡々と死が訪れるのを待つというのである。涅槃の境地とは、もっと生き続けていたいと思わないとともに、もう死んでしまいたいとも思わないような境地なのだ。生きることへの欲望や執着を断滅するとは、このようなことである。ここにブッダの哲学のひとつの到達点があると私は考える。

それでは、涅槃の境地に至ったときの内面的な状況は、どのようなものなのだろうか。女性の仏弟子たちの告白である『テーリーガーター』で、サンガー尼は「わたしは心静まり、安らぎに帰しています」と言う。[54] またシースーパチャーラー尼は「感官をよく慎み、飽きることの無い、味わいのある静けさの境地に到達するであろう」と言う。[55] 彼らの描写するような、心が安らぎ、静まる状態を「涅槃寂静（じゃくじょう）」とも呼ぶ。

涅槃が、静けさに満ちた大いなる安らぎの境地であると理解されていたことは間違いない。中村元によれば、涅槃とは「あたかも燃える火を風が吹き消した場合のように」燃えさかる煩悩を吹き消した状態のことを意味した。[56] しかしながら、快楽や所有物への執着を断滅し、愛するものを手放し、家族や子と別れ、愛欲を捨て、怒りの心を捨てたのちに得られる涅槃の安らぎと静けさというのは、無理に感情を抑えたような心の状態、いわば心理学で言う抑鬱状態に近いものではないかという疑問が湧いてくるかもしれない。

ところが原始仏典を読むと、それとはまったく異なった情景が繰り返し描かれる。すなわち、大いなる安らぎである涅槃の状態に満ちあふれているのは、「楽しい」という気持ちである。修行者たちは涅槃の状態にあることを楽しみ、そこで経験するものを楽しんでいる。この「楽」はパーリ語で sukha であり、感覚刺激が心地よいという意味と、涅槃の状態の楽しさという意味がある。後者の意味での楽しさは、「平安 santi」「平安の楽しみ nibbuti」などの言葉でも表現される[57]。

修行の道筋、そしてその到達である涅槃の状態が楽しいということは、原始仏典の至るところで語られる。『ダンマパダ』の第一五章、『ウダーナヴァルガ』の第三〇章は、この「楽しみ」についての描写にまるごと割かれている。

なかでも、もっとも魅力的な描写は、ブッダの最後の旅を描いた『大パリニッバーナ経』に見られる。これは原始仏典の『ディーガ・ニカーヤ』に収められたもので、八〇歳になったブッダが最後の旅を行ない、ついに死に至るまでの様子を描いている。テキストには後代の手が入っているが、ここに描かれたブッダの言葉には、仏弟子たちがブッダの涅槃をどう捉えていたかが如実に表われていると見てよいだろう。

ブッダがヴェーサーリーを訪れたとき、弟子アーナンダに次のように言う。

アーナンダよ、ヴェーサーリーは楽しい。ウデーナ霊樹の地は楽しい。ゴータマカ霊樹の地は楽しい。七つのマンゴーの霊樹の地は楽しい。バフプッタの霊樹の地は楽しい。サーランダダ霊樹の地は楽しい。チャーパーラ霊樹の地は楽しい[58]。

ブッダは、同様の言葉をその後にも繰り返している[59]。この時点でブッダは死の三か月前であり、自分の死期を知っている。涅槃の境地に至り、八〇歳となって体力の衰えたブッダが、死の直前にこれほど「楽しい」と繰り返し語っているのは驚くべきことだ。ブッダは、自分が存在している地の光景を楽しいと言い、その地に自生する植物や建築物を楽しいと言い、それらに囲まれて過ごすことを楽しいと言っている。「犀の角のようにただ独り歩め[60]」と説いていたブッダの終着点がこのような愉楽の全肯定の境地として描写されたことに、私は深い感動を覚える。

この箇所での「楽しい」は ramaṇiya である。中村元によれば、原義は「愛すべき」であり、漢訳では「大楽」「甚可愛楽」とされた。水野弘元『パーリ語辞典』では、rāmaṇeyyaka の語として「楽しい、愉快な、美景」との意味が当てられている。涅槃とは、静けさに満ちた、大いなる安らぎである。そして涅槃から見えてくる世界は愛すべきものであり、楽しい。世界に対するこのような全肯定の境地が、涅槃の中心的な意味だと考えられるのである。

八正道を完成し、涅槃の境地に至った修行者は、みずからをどこまでも果てしなく生かし続けようとする執着のエネルギーを断滅することに成功する。その後は、肉体が自然と滅びていくプロセスに寄り添うのみである。そして修行者が肉体の死を迎えたとき、修行者の五蘊はもうどの世界へも生まれていかず、またこの世界にも残らない。修行者（すなわち修行者であった五蘊）は、あらゆる世界から蒸発するように消え去ってしまうのである。これが大いなる安らぎとしての涅槃の終着点であろう。[61]

3 生まれてこないほうが良かったのか？

ブッダの哲学を、反出生主義の視点から眺めてみよう。人間がこの世で経験するすべては苦しみである。たとえこの世で死を迎えたとしても、人間はその後に別の世界へと生まれ、そこでふたたび苦しみを経験する。それを避けるために、修行者たちは、輪廻の原因である執着や愛欲を断滅し、もうどこへも生まれなくてよいという状態に至ることを目指す。こうしてブッダの哲学もまた、「輪廻を離れ、解脱することによって、もう二度とどこへも生まれない」という形をとるインド的な反出生主義として結実するのである。ブッダの反出生主義は『ウパニシャッド』と同系列のものであるが、ブッダのほうが、生きることの苦しみを強調する度合いが大きい。ショーペンハウアーの「いっさいの生は苦しみである」は、ブッダの世界観と呼応している。

さらにブッダは、涅槃の境地に至るためには出家の修行が必要であるとした。出家とは、所有物を捨て、家族を捨てて、修行者たちと共同生活を営みながら解脱を目指すことである。ブッダ自身、妻と子を捨てて出家の生活に入った。出家者には厳しい戒律が課され、異性と触れ合うことはできないし、ましてや子どもを作ることも禁じられた。現在でも、南方仏教ではこの戒律が守られている。この点で、原始仏教の出家は「出産否定」であると言える。この「出産否定」の戒律は、出家をして解脱を目指す人たちにのみ課されたものであり、けっしてすべての人たちに課されたものではない。日常生活を営みながら出家者たちをサポートする在家の人々は、結婚することも子どもを作ることも許された。原始仏教は、この点においても『ウパニシャッド』とは異なっている。『ウパニシャッド』の哲学者たちは、アートマンを知ることを目指したが、たとえばウッダーラカは血のつながった子どもにアートマンの神髄を伝えようとしたわけであり、出産否定の考え方があったとは思われない（ただしヤージニャヴァルキヤは途中から出家しており、必ずしも一概には語れない）。

　独自の出家のシステムを開発して実際に弟子たちと実践したことが、ブッダの大きな特徴である。[62]ショーペンハウアーやベネターらは、反出生主義を提唱しながらも、その目的を実現するための実践の構築にまでは至らなかった。それに比して、ブッダは「もう二度と生まれない」ことを目的とする出家修行の集団的な実践システムを構築し、今日の南方仏教にまで受け継がれている。それは、それぞれの修行者たちが各自で涅槃の境地に至ろうとする犀の角のような営みを、互いに助け合い、はげまし合う仕組みであった。この点において、ブッダの古代インド的な反出生主義がもっとも徹底したシステムであると言える。

　古代ギリシア的な、「いちばん良いのは生まれてこないこと、次に良いのは来たところに早く戻ること」という反出生主義は、原始仏典の古層においては見られない。これに関連して検討しておかなければならないのは、生老病死の「四苦」をどう考えるかである。生まれてくること、老いること、病気になること、死ぬことは四苦と呼ばれ、人間の経験する苦しみの典型とされてきた。この中で、「生まれてくること」を苦しみであるとするのは、「生まれてこないほうが良かった」という「誕生否定」に非常に近いように思われる。しかしこの点に関しては注意が必要である。中村元によれば、古層の原始仏典では「老・病・死の苦しみ」と言われることがほとんどであり、「生まれてくることの苦しみ」はそこに入っていない。たしかに、『テーラガーター』では、「死と病と老の三者は、あたかも火むらのごとくに迫って来る」と表現されるにとどまっている。[63]そしてその後の時代になって、「生まれてくることの苦しみ」が付け加わり、生老病死の四苦と呼ばれるようになった(仏教で言われる「生」は、生きることではなく、生まれることである)。[64]中村は、「生の苦しみを加えて四苦とし、さらに八苦とするのは、後代の教義学的反省が加わってからあとのことである」と指摘している。[65]

ただし、「生まれることの苦しみ」に言及したテキストが古層にないわけではない。たとえば『スッタニパータ』では、「執著に縁って生存が起る。生存せる者は苦しみを受ける。生まれた者は死ぬ。これが苦しみの起る原因である」とあり、生まれることと苦しみが結び付けられている。[66]『サンユッタ・ニカーヤ』では、チャーラー尼が悪魔に問われて、「私は生を喜ばない」なぜなら「生まれたならば、愛欲を享楽するからです」と答える。そして、「生まれた者には死がある。生まれたならば、苦しみを見る。捕縛、殺害、責苦がある。それ故に生を喜ぶな」と語る。[67]同じく『サンユッタ・ニカーヤ』で、ブッダは「〈迷いの世界のうちに〉生まれる〉という性質をもっている人々は、〈生まれること〉から解脱するのである」と説き、生老病死の四つについてそれぞれ同じ発言をする。[68] これらの箇所の成立年代の問題はあるが、古い時代から「生まれること」を苦しみとする観念があったと見ることもできるように思われる。

後代の代表的な原始仏典である『マハー・サティパッターナ経』（大念処経）には、ずばり「生まれてこないほうが良い」という意味の言葉が出てくるので見ておきたい。

また修行僧たちよ、求めても得られない苦しみとは、いったいなにか。
修行僧たちよ、生まれるという性質をもつ生きものにとって、このような欲求がおこる。
『ああ、わたしたちに、生れるという性質がなければよいのに。わたしたちに、生れるということがやって来なければよいのに』と。しかしこのことは望んでも起こりえない。これもまた、求めても得られないという苦しみである。[69]

この文章のあとで、老・病・死についてまったく同じ内容が繰り返される。引用文にある「ああ、わたしたちに、生れるという性質がなければよいのに。わたしたちに、生れるということがやって来なければよいのに」をどう解釈するかであるが、「生れるという性質」について語っているのだから、これは死後にどこかの世界に生まれることの否定と、どこかの世界からこの世界に生まれてくることの否定の両方を含んでいると考えられる。このうち後者は、古代ギリシア的な「誕生否定」そのものである。原始仏典においても「生まれてこないほうが良い」という考え方が考察の対象となっていたことが分かる。だが興味深いことに、この経典において、それは「生まれてこないほうが良かった」という詠嘆の形式としては結実しない。

私はすでに生まれてきているのだから、いまさら「生まれてこないほうが良かった」と願ったとしても、それはけっして起こり得ない。したがって、「生まれてこない」のを求めるのは、けっして起こり得ないことを求めるに等しいわけであり、そこには「求めても得られないという苦しみ」が生じてしまうと認識されるのである。このようにして、「生まれてこない」ことへの欲求は、私たちが生きるなかでプラグマティックに解決していくべき苦しみのひとつとして取り込まれる。ここにブッダの教えの大きな特徴を見ることができる。

すなわち、私はすでに生まれてきているのだから、いくら「生まれてこないこと」を望んだとしてもそれが得られるわけではない。それを得ようとすると苦しみに襲われるばかりである。だから、それを求めるのはやめにして、これからの人生のなかで、苦しみがなぜ起きるのかという原因の解明と、その原因を消滅させる道の解明を行なっていくほうがよいではないか、というような発想をするのである。

ブッダの思索は、「宇宙の中で人間は本来どうあるべきだったか」という実現不可能で形而上学的な問いに向かって進むのではなく、「すでに生まれてきてしまっている人間がこの世でどう生きればいいのか」という実現可能でプラグマティックな問いに向かって進むのである。ブッダは、宇宙に果てはあるのかとか、涅槃の境地に至った人間が死後どうなるかなどの形而上学的な問いに答えるのを拒んだ。その理由もまた、ブッダのこのようなプラグマティズムにあると言えるだろう。

以上の考察をもとにして、「誕生否定」の思想が、ブッダの哲学から見たときにどのようなものとして位置づけられるのかを、もう一度考えてみたい。

ブッダが目指すのは、死後にどこかの世界へとふたたび生まれるのを完全に断滅することである。この人間世界で涅槃の境地に至ることができれば、その人間はもうどの世界へも生まれることはない。この点において、ブッダの考え方はインド的な「誕生否定」の思想であると言うことができる。しかしながら、それにとどまるわけではない。輪廻を巡る者たちが涅槃の境地に至ることができるのは、ブッダが解脱を完成したこの人間世界においてである。餓鬼などの世界においては、涅槃の境地に至ることはできない。[70] ということはすなわち、果てしなく続く輪廻のなかで、この人間世界に生まれてきたときに涅槃の境地に至る可能性が開けるわけだから、人間世界に生まれてくるのは素晴らしいことだと言えるはずである。したがって論理的に考えれば、この人間世界へと生まれてきたことは、涅槃の境地に至る可能性が開けたという意味で、「よかった」ことになる。すなわち、人間世界へと生まれてきたことによって「もう二度と生まれることがない」涅槃の状態に達する可能性が開けるのだから、「この人間世界に生まれてきて本当によかった」となるはずである。これは「生まれてきたこと」の肯定、すなわち「誕生肯定」の思想である。[71]

したがって、ブッダの考え方は「誕生否定」であると同時に「誕生肯定」でもあるのだ。もちろんブッダ自身がこのように言ったわけではない。ブッダの哲学を反出生主義の視点から考察してみれば、そのように解釈せざるを得ないという話である。ブッダの哲学は、生まれないことを目指しつつも、それを目指せる世界に生まれたことを肯定できるというこの立ち位置を取ったことで、ブッダの哲学はきわめて特異なものとなったと言えるだろう。

ただし、ブッダの哲学のこのような解釈は、あくまでも今日の哲学的文脈からなされたものであり、けっしてブッダ自身が望んだものではないことに再度注意を払っておく必要がある。ブッダ自身に即して考えれば、生まれてきたことが良かったのか、良くなかったのかという問いは、さほど大きな意味を持たないはずである。それが良かろうが、良くなかろうが、修行者たちが行なうべき営みに違いはまったく生まれないのであるから、その問いに固執することは避けるべきだということになるであろう。したがって、「生まれてこないほうが良かったのか？」という問いはブッダにとっては大きな意味を持たない、というのが結論であると考えられる。[72]

以上が、ブッダの哲学について私が考察したことである。ここから、ブッダの哲学に触発されて私が考えたことを述べていきたい。実は、ブッダの哲学が「誕生否定」と「誕生肯定」の両立を導くという発見は、私にとって大きなものであった。その二つを二律背反として捉えない視点は、重要な地平を開くと考えられる。

ここでふたたび本書の当初の問いに戻ってみる。私は生まれてこないほうが良かったのだろうか、それとも生まれてきて良かったのだろうか。反出生主義の議論においては、この二つは二律背反の位置に置かれる。一方が正しければ、もう一方は間違いなのである。そして現代の分析哲学では、「生まれてきた場合」と「生まれてこなかった場合」を比較して、どちらのほうがより善いのかを考察する、というスタイルが取られるのである。しかしながら、この問いには、まったく別の答え方がある。

まず、生まれてこなかった場合を考えてみる。ベネターらが主張するように、生まれてこなかったとしたら、私は苦しみをいっさい経験することがなかった。ベネターはここから「生まれてこないほうが良かった」と結論するわけだが、そこから導くことのできる結論が実はもうひとつある。それは、もし生まれてこなかったとしたら、苦しみを経験することがまったくないのだから、「生まれてこなかったとしてもそれでよかった」という結論である。「生まれてこなかった」という反事実的な状況を、それでよかったと肯定するのである。視点を、善悪の比較から、肯定否定へと移すのである。

そのうえで、次に、生まれてきた場合を考えてみる。私はすでに生まれてきているのであり、これまで快も経験してきたし、苦しみも経験してきた。そして私は自分の人生において、「生まれてきて本当によかった」と心の底から思えるように生きていきたいと考えている。人生が終わるまでのあいだに、そのように思えるときがくる可能性はあるはずだ。私はこの達成を「誕生肯定」と呼んでいる。

ところで、もし私が人生において「誕生肯定」を達成できたとしよう。そのときに何が起きるのかというと、「生まれてこなかった」という反事実的な状況に注目すれば「生まれてこない」という状況が「それでよかった」として肯定されるわけであり、「生まれてきた」という現実的な状況に注目すれば「生まれてくる」という状況が「それでよかった」として肯定されるのである。すなわち、私が誕生しなかったと反事実的に仮定したとしてもそれが肯定され、私が現実に誕生したことについてもそれが肯定されるという結論になるのだ。これは、誕生に関して、それが起きなかったとしても、起きたとしても、両方が肯定されることを意味しており、まさに「誕生」についての完全肯定である。

そしてその完全肯定に至ることができるかどうかは、ひとえに、私が生まれてきたことをみずからの人生において実際に肯定できるかどうかだけにかかっているのである。もしそれが達成できれば、あとは論理的な必然性によって、誕生についての完全肯定が成立する。

これまで、ベネター的な「生まれてこないほうが良かった」を、私は「誕生否定birth negation」と呼んできた。しかしそれをより正確に言い直すと「非誕生・優良nonbirth superiority」となる。なぜなら、ベネターは第一義的には誕生と非誕生の「善悪の比較」をしているのであり、その帰結として誕生を否定するからである。[73] これに対して、反事実的な状況の肯定である「生まれてこなかったとしてもそれでよかった」は、「誕生しない」ことの肯定、すなわち「非誕生・肯定nonbirth affirmation」と呼ぶことができる。「生まれてこない」ことの良さへのアプローチは、「生まれてこないほうが良かった」という「非誕生・優良」の形式だけではなく、「生まれてこなかったとしてもそれでよかった」という「非誕生・肯定」の形式で行なうこともまた可能であるという点に私は注意をうながしたい。「非誕生・肯定」はnonbirth affirmationであり、「誕生否定」すなわちbirth negationとはまったく異なる。「非誕生・肯定」は、かならずしも「誕生否定」を導かない。であるから、「生まれてこない」ことの良さを「非誕生・肯定」と解釈することによって、「生まれてこない」ことと「生まれてくる」ことの両方の同時肯定という新しい地平が開かれるのである。ベネターの論点は、私たちは「生まれてこない」ことの良さから目をそむけるという欺瞞に陥っているとするものであったが、「生まれてこない」ことの良さを「非誕生・肯定nonbirth affirmation」と捉え、「生まれてくる」ことの良さを「誕生肯定birth affirmation」と捉えることによって、私たちは非誕生の良さから目をそむけることなしに、「生まれてこない」ことも「生まれてくる」ことも、ともに肯定できるようになるのである。[74]これがベネター的な誕生否定の哲学への私からの返答のひとつである。そのうえで、ベネターの「生まれてこないほうが良かった」の論理的証明は、やはり間違っていると私は考える。それについては、本書の第7章で考察する。その際に、右の考察は若干修正され、改善される。

以上のような発想の転換によって、「誕生否定」と「誕生肯定」の問題に新しい光を射し込ませることができる。

ところで、私たちはブッダの哲学をそのままの形で受け入れることができるだろうか。ブッダは当時のインド人たちが信じていた輪廻思想を前提として、みずからの哲学を語った。だが私は死後の輪廻を信じることはできないし、私と同じようにそれを信じることのできない現代人は多いはずだ。死後を無とするこの考え方は「断見」と呼ばれ、ブッダはそれを明瞭に否定している。もしブッダの哲学から輪廻思想を取り去れば、ブッダの哲学は揺らぐように思われる。なぜなら、もし輪廻が存在しないのならば、どんな人間であれ、死んだらそれで終わりであり、もうどこへも生まれることはない。生まれることがないのならば、もう二度と苦しむこともないわけであり、すべての人間は生まれながらにして死後の涅槃が確定していることになるからである。

では、輪廻を否定したらブッダの哲学はまったく意味をなさなくなるのかといえば、必ずしもそうではないと私は考える。これは原始仏典の古層に見られるブッダの考え方ではない[75]。たとえば、すでに述べたように、『テーラガーター』には次の言葉があった。

われは死を喜ばず。われは生を喜ばず。傭われた人が賃金をもらうのを待つように、わたしは死の時が来るのを待つ。
われは死を喜ばず。われは生を喜ばず。よく気をつけて、心がけながら、死の時が来るのを待つ[76]。

これは仏弟子による涅槃の境地の描写である。修行者は、涅槃を達成したのち、死にたいとは思っていないし、これ以上生き続けたいとも思っていない。たんたんと生きながら、死のときが来るのを待っている。このとき、古代インド人たちが考えていたように輪廻が存在したとしよう。すると、この修行者は執着を断滅しているから、死後にどこか別の世界に生まれることはない。ではそもそも最初から輪廻は存在しないとしたらどうだろうか。そのときもやはりこの修行者が死後にどこか別の世界に生まれることはない。この修行者は死にたいとも思わず、これ以上生き続けたいとも思わず、肉体の死が訪れたときにこの世界から完全に蒸発していくのみである。すなわち、輪廻があったとしても、なかったとしても、この修行者の心境には何の変化も訪れないはずである。この修行者の到達した境地は、輪廻のあるなしによってまったく左右されない。これこそが、輪廻の存在を信じることのできない現代人が、ブッダの哲学から学ぶことのできる洞察であると私は考える。[77]

これは、さらに次のように言い換えることもできるだろう。すなわち、まだ肉体の死が迫っていないときに、「私は生き続けていてもいいし、生き続けることがいま終わってもいい」と心の底から思えること、そして肉体の死が迫ってきたときに、「これで私の生は終わるのだが、私はもうこれ以上生き続けなくてもよい」と心の底から思えることである。後者には、もっと生き続けたいという欲望が消え失せている場合と、生きることをもうこれ以上しなくてよいと安堵している場合がある。

これこそが、輪廻を前提とせずに、大いなる安らぎのような境地に至った状況だと考えられる。これはもはや原始仏教とは言えないが、輪廻を信じることのできない現代人の救済のあり方に大きな示唆をもたらすものである可能性がある。死に向かうときの誕生肯定のあり方のひとつとして、これを捉えることができるのではないか。

4　原始仏教と自殺

本章を終える前に、ふたたび原始仏典に戻って、そこで自殺がどのように描かれているのかを見ておくことにする。『テーラガーター』には、自殺未遂をする修行者の話がある。サッパダーサ長老は二五年間の修行にもかかわらず涅槃を得ることができず、ある日、剃刀を手に取る。「そこで、わたしは剃刀を手に執って、坐席に就いた。自分の脈管を断つために、剃刀を抜いた。そのとき、わたしに、正しい道理にかなった思いが起った。患いであるという念いが現れた。世を厭う気持ちが定まった。次いで、わたしの心が解脱した」[78]。かくして、長老は自殺寸前において涅槃の境地に至ったのである。ここでは、自殺の行為は解脱の契機として捉えられている。『テーリーガーター』にも、涅槃を得られず首を吊ろうとしたそのときに解脱したシーハー尼の言葉がある。[79]

原始仏典においては、ゴーディガ、ヴァッカリ、チャンナの三名の修行者の自殺が描かれる。ここでは『サンユッタ・ニカーヤ』にあるゴーディガのケースを見ておきたい。修行者ゴーディガは、すでに六回も解脱を行なっており、そろそろ自殺してみたらどうだろうと考える。それを知った悪魔がブッダに、ゴーディガが自殺しようとしていると教える。それを聞いたブッダは言う。「思慮ある人々は、実にこのようにするのである。生命を［延ばすことを］期待していない。妄執を、根こそぎにえぐり出して、ゴーディガは安らぎに帰したのである」[80]。悪魔は死んだゴーディガの意識（識別力）を探したが、どこにも見つからなかった。ブッダは言う。「再び迷いの生存にもどることなく、妄執を、根こそぎにえぐり出して、ゴーディガは完全に消え失せた」[81]。このように、ブッダは、涅槃の境地に至った者の自殺を少なくとも非難はしていない。

もう少し詳しく検討してみると、まずゴーディガは自分が涅槃の境地に達した（有余涅槃）と信じており、そのうえで自殺をした。なぜ自殺を試みたのかは分からない。それを聞いたブッダは、ゴーディガは死とともに涅槃に達して世界から消え失せた（無余涅槃）と宣言した。はっきりしないのは、ゴーディガの有余涅槃の自己判断が正しいとブッダが考えていたかどうかである。ブッダが宣言したのは、自殺をしたあと、それが無余涅槃だったということのみである。自殺をする前のゴーディガが、ほんとうに有余涅槃だったのかという疑問は残る。解脱と自殺の関係については難しい点があり、これについては、ヴァッカリやチャンナのケースをも含めて、専門的な議論が続いている[82]。いずれにせよ、仏教では自殺は殺生であるから禁じられているとされるが、ゴーディガのケースを見るかぎり、涅槃を得た修行者に関しては必ずしもそうではないと考えたほうがよい。

また、チャンナのケースでは、涅槃の境地に至ったとされるチャンナが重病の痛みに耐えかねて自殺しようとする。そもそも原始仏典では、涅槃を得ていたとしても身体の痛みは感じるとされているから、チャンナが痛みに耐えかねても不思議はない。このようなタイプの自殺をブッダが肯定していたかどうかは不明確であると名和隆乾は述べている。[83] 現代の終末期医療につながる難問である。

さらには、ブッダ自身の死を自殺という視点から眺めることもできる。『大パリニッバーナ経』で、八〇歳になったブッダは、悪魔から「今こそ尊師がお亡くなりになるべき時です」と言われ、それに対して「いまから三か月過ぎて後に修行完成者は亡くなるであろう」と答える。そしてみずから「寿命の素因」を捨てる。これは「殻のような自己の成り立つもとを破壊した」と表現されている。[84] このあと、ブッダは言葉のとおりに、寿命が尽きて亡くなるのである。このエピソードを素直に読むかぎり、ブッダは外的な原因で死んだのではなく、また自然の寿命が来て死んだのでもなく、みずからの意志で寿命の素因を捨てた結果として死んだことになる。もちろんブッダはこの直前に病気にかかっていたし、寿命の訪れも自覚していた。しかしそれらに加えて、決定的な引き金になったのは、みずからの寿命の素因の破壊行為である。これに近いのは、現代の終末期医療における、本人の希望にもとづいた緩やかな治療停止の行為、あるいはジャイナ教に見られるような（そしてショーペンハウアーが書いているような）餓死による生の終焉である。だが正確に見れば、ブッダのケースはこのどちらとも異なる。この議論は、そもそも「自殺」とはどのような行為なのかという哲学的問題へと帰着することになるであろう。

そもそも修行者の自殺は、『テーラガーター』の涅槃の境地の描写である「われは死を喜ばず。われは生を喜ばず」と合致するのだろうか。肉体に耐えがたい痛みがある場合の自殺はやむを得ないとも思われるが、ゴーディガのケースをどう理解すればいいかは難しい。涅槃を得た者の自殺は、推奨されるわけではないけれども、自殺をしたからといって非難されたり、それは涅槃ではないと否定されたりするわけでもないということかと思われる。

ここで古代インドの旅をいったん終え、次章ではふたたびヨーロッパ哲学に戻り、生の哲学者ニーチェの考え方を見ていくことにする。ニーチェはショーペンハウアーの哲学を受け継ぎながらも、その反出生主義を一八〇度転換して「生の肯定」の哲学を打ち立てた。私たちは彼の哲学からいったい何を学ぶことができるのだろうか。

1——「執着」は、引用文献中では「執著」と書かれることもある。本章ではこの二つをとくに区別しなかった。

2——似たような状況はキリスト教の『聖書』にも見られる。福音書でイエスが語ったとされる言葉が、ほんとうにイエス自身が直接語ったものかどうかは、学術的には確定できない。

3——上座部仏教、パーリ仏教とも呼ぶ。「小乗仏教」の呼称は、大乗仏教からの蔑称である。

4——インドより北のほうに伝わった仏教を、北方仏教、北伝仏教と呼ぶことがある。その中には大乗仏教だけではなく、上座部仏教も含まれている。

5――日本の仏教は、原始仏教とはかなり異なっている。たとえば、原始仏教では、死んだ祖先は魂となってお盆に帰ってきたりはしない。これは祖先崇拝である中国の儒教が東アジアの大乗仏教に持ち込んだ思想であり、それが日本に伝わったものである。

6――この見解に反対する論者もいる。たとえば魚川祐司は、古層と新しい層を分割すること自体に疑問を呈し、それらを含めた原始仏典の思想を全体として考察すべきだとする(『仏教思想のゼロポイント――「悟り」とは何か』新潮社、二〇一五年、一五~一七頁)。たしかにそれも理解できるが、やはり私は『テーラガーター』などに見られる未整理の生々しい言葉と、その後に整理された言葉とを区別したいと思うのである。

7――平川彰は論文「原始仏教の定義の問題」にて、古層とはどの部分を指すのかについて、宇井伯寿、和辻哲郎、前田恵学らの説を比較検討している(『平川彰著作集　第2巻　原始仏教とアビダルマ仏教』春秋社、一九九一年、八三~一〇六頁)。ブッダの存命時および直弟子の活動期の教えを古層とするのがひとつの考え方であるように思われる。しかしそれらのテキストが成立したのは、ブッダの死後からかなり経ってからであるという難しさがある。

8――岩波文庫で出版されているのは以下である。『スッタニパータ』(ブッダのことば)。この第四章・第五章は原始仏典の最古層に属すると考えられている。『ダンマパダ』(真理のことば)。これも古層である。『テーラガーター』(仏弟子の告白)、『テーリーガーター』(尼僧の告白)。この二書はブッダの男女の弟子たちの言葉である。『サンユッタ・ニカーヤ』(岩波文庫にはその一部が『神々との対話』、『悪魔との対話』として収められている)。これにも古層が含まれていると中村は言う。『大パリニッバーナ経』(ブッダ最後の旅)、『ウダーナヴァルガ』(感興のことば)。これらは古層とは言えないが重要書である。引用については、韻文に番号がある場合はその番号を示す。番号がない文章や、番号で確定できない場合は、岩波文庫版の頁数を示す。他の訳書についてはその都度表記する。

9――大乗仏教の生命の哲学については、本シリーズの後続巻で扱う予定である。

10――涅槃の境地に至ることを解脱と呼ぶ。

11――生存中に涅槃に至ったとしても、まだ肉体は生きており、肉体の束縛からは逃れられないので有余涅槃と呼ぶ。その境地で死ぬと肉体の束縛からも逃れることになるので無余涅槃と呼ぶ。ただし、有余涅槃と無余涅槃の区別は、原始仏教の古層ではなされていなかった(中村元「解脱の思想」(仏教思想研究会編『仏教思想　8　解脱』平楽寺

書店、一九八二年、一〜八〇頁）、三九頁）。

12——中村訳、一五六頁。荒牧ほか訳、一八二頁。括弧内は森岡による要約。

13——（1）すべては苦しみで満ちているという真理、（2）苦しみが生じる原因があるという真理、（3）苦しみの原因をすべて消滅させれば苦しみもまた消滅して大いなる安らぎ（涅槃）に至るという真理、（4）苦しみを消滅させるための具体的な方法があるという真理、の四つである（『スッタニパータ』七二六番など）。『ダンマパダ』では、その四つの真理とは、「（1）苦しみと、（2）苦しみの成り立ちと、（3）苦しみの超克と、（4）苦しみの終滅におもむく八つの尊い道」（一九〇、一九一番）とされている。

14——『スッタニパータ』七六七番。

15——八〇四番。

16——五七四〜五八七番。

17——『サンユッタ・ニカーヤ』（『神々との対話』）二一六頁。

18——後のアビダルマ仏教では、人間が経験する心身の具体的な苦しみを多数列挙するようになる（藤田宏達「苦の伝統的解釈―アビダルマ仏教を中心として―」（仏教思想研究会編『仏教思想　5　苦』平楽寺書店、一九八〇年、二〇一〜二四〇頁）、二三五頁）。

19——『テーラガーター』五六七〜五七六番。なお『テーリーガーター』四六六〜四七一番にも同様の記載がある。後に成立した『マハー・サティパッターナ経』ではこれがさらに整理される。

20——『スッタニパータ』は次のように書く。「人々は「わがものである」と執著した物のために悲しむ。（自己の）所有しているものは常住ではないからである」（八〇五番）。

21——「およそ感受されたものはすべて、「これは苦しみである」と知って［後略］」（『スッタニパータ』七三八〜七三九番）。中村元は、「「苦しみ」とは、汚れに染まり、迷い悩んでいるところのわれわれの存在そのもののことである」とまとめている（「苦の問題」（仏教思想研究会編『仏教思想　5　苦』一〜九三頁）、六二頁。傍点原著）。

22——『ダンマパダ』二一〇〜二一三番。

23——『ウダーナヴァルガ』第五章、一〜四番。

24——荒牧ほか訳では、「つきまとう愛情」と訳されている。これは、「渇愛 taṇhā」や「愛欲 kāma」とは異なる。

25——『スッタニパータ』にも同様の記載がある。「交わりをしたならば愛情が生ずる。愛情にしたがってこの苦しみが起る。愛情から禍いの生ずることを観察して、犀の角のようにただ独り歩め。……子や妻に対する愛著は、たしかに枝の広く茂った竹が互いに相絡むようなものである。筍が他のものにまつわりつくことのないように、犀の角のようにただ独り歩め」(三五〜三八番)。

26——『スッタニパータ』三四〇番。その行き着く先は「現世を望まず、来世をも望まず、欲求がなくて、とらわれの無い人」である(『ダンマパダ』四一〇番)。

27——荒牧ほか訳『スッタニパータ』七五六番。この箇所は「二種の観察」の項に収められているので、この種の執着から「苦しみ」が生まれると主張されているのである。

28——色・受・想・行・識の五つ。意識と対象を分ける西洋近代哲学に慣れていると、この五蘊の考え方は分かりにくい。五蘊では、物質・感覚・知性などが雑然と並んでいるように見えるからである。

29——ワールポラ・ラーフラ『ブッダが説いたこと』今枝由郎訳、岩波文庫、二〇一六年、原著一九五九年、六三頁。「五蘊無我」とも呼ばれる。

30——ワールポラ・ラーフラは、苦しみ(ドゥッカ)には、(1)普通の意味での苦しみ、(2)ものごとの移ろいによる苦しみ、(3)条件付けられた生起としての苦しみ、の三つがあると整理している。第一の「普通の意味での苦しみ」とは、肉体的な痛みがあるとか、愛する人と別れるつらさなどのことである。第二の「ものごとの移ろいによる苦しみ」とは、幸せな状態が永続せず、消え去ってしまうときに生じる苦しみである。第三の「条件付けられた生起としての苦しみ」は執着の五蘊すなわち縁起の苦しみであり、もっとも本質的な苦しみである(ワールポラ・ラーフラ『ブッダが説いたこと』六二〜六三頁)。

31——大乗仏教では「阿修羅」が加わって六つとなる。

32——『神々との対話』七六頁。もちろんこれを民衆向けの対機説法と考えることもできる。

33——『テーリーガーター』四三四〜四四七番。

34——ワールポラ・ラーフラ『ブッダが説いたこと』八八〜八九頁。ラーフラはこの潜勢力のことを「肉体的、心的エネルギー」と呼び、「全宇宙を動かす途方もない力」であるとしている(八七〜八八頁)。行あるいは業である。

35——森章司「死後はあるか:「無記」「十二縁起」「無我」の再考」(『東洋学論叢』三〇号、二〇〇五年、一八〇〜

一五八頁（逆順））、一六三頁。

36——同論文、一六〇頁。

37——中村元・早島鏡正訳『ミリンダ王の問い1〜3——インドとギリシアの対決』平凡社、一九六三年。

38——七二七番。〔 〕内は森岡が補った。

39——『岩波 仏教辞典』による訳語。

40——荒牧ほか訳『スッタニパータ』七六五番。中村訳では「非我なるものを我と思いなし」。このほかにも、『スッタニパータ』九一六番に、「〈われは考えて、有る〉という〈迷わせる不当な思惟〉の根本をすべて制止せよ」（中村訳）という言葉がある。荒牧ほか訳では「『わたくしは存在する』というようなすべての自我意識を、真知によって思惟して止滅させてしまうがよい」となっている。前谷彰ほか訳では「根本に還って思いをなし、『私は考えているのだ』というような思いを砕き……」となっている（前谷彰 訳・解説『ブッダのおしえ 真訳・スッタニパータ』講談社、二〇一六年）。デカルトの「我思う故に我あり」の否定と考えられる内容が表明されているのである。

41——平川彰は、「ウパニシャッドのアートマンを、仏陀が肯定していたか否定していたかということも阿含経からは決定できない」としている（「無我と主体——自我の縁起的理解、原始仏教を中心として」（『平川彰著作集 第2巻』二〇三〜二三七頁）、二二四頁）。

42——『テーラガーター』七一五番。「（この生涯の）先にも後にも不死は無い」とも言われる（一〇〇四番）。

43——前章で紹介したように、ヤージニャヴァルキヤは、アートマンが何であるかは「そうではない、そうではない」という否定の仕方でのみ把握されると考えた。これは、ブッダが言うところの「いかなるものであれ、それはアッタン（我）ではない」とする考え方、すなわち「非我」の考え方とほとんど同じである。ここを見るかぎり、ブッダはヤージニャヴァルキヤの直系子孫であり、この二者の思索に大きな違いはないと思えてくる。ブッダはヤージニャヴァルキヤから「我」についての否定神学的アプローチを受け継いで「非我」説とし、原始仏教の根底としたと言うこともできるのではないか。ちなみに古代インドでは、ウッダーラカ—ヤージニャヴァルキヤ—ブッダという系譜が想像される。古代ギリシアにおけるソクラテス—プラトン—アリストテレスを彷彿とさせる。

44——『スッタニパータ』九二二〜九二四番。

45――『スッタニパータ』九二六～九三二番。

46――『ダンマパダ』五番。『ウダーナヴァルガ』では、このあと「怨みは怨みによっては決して静まらないであろう。怨みの状態は、怨みの無いことによって静まるであろう。怨みにつれて次々と現われることは、ためにならぬということが認められる。それ故にことわりを知る人は、怨みをつくらない」と続く（第一四章、一二番）。

47――『スッタニパータ』九六七番。同書の次の言葉も参照せよ。「慈しみと平静とあわれみと解脱と喜びとを時に応じて修め、世間すべてに背くことなく、犀の角のようにただ独り歩め」（七三番）。

48――加藤純章は、最初期の仏教では修行者は極めて短期間で涅槃の境地に至ることができ、ブッダも弟子も解脱の内容は同じであるとされたと述べている（「阿羅漢への道――説一切有部の解脱」（『仏教思想 8 解脱』一四九～一九二頁）、一六六頁）。ただし、涅槃の境地に至った修行者たちは「阿羅漢」と呼ばれ、最高位のブッダとは地位が区別された。

49――後の『マハー・サティパッターナ経』では、この世で涅槃に至る「阿羅漢」と、死後に神々の世界に生まれてこの世には戻ってこずに涅槃に至る「不還」が区別される。「現世における、最高の智慧（阿羅漢の智慧）か、あるいは生存の根元が残っているならば、この世に還ってくることのないもの（不還）が期待されるのである」。これはさらに四向四果（しこうしか）としてまとめられた。

50――『スッタニパータ』一〇〇頁。

51――『テーラガーター』二五四番。では「涅槃に至った者」が死後にどうなるかであるが、ブッダはその問いについては一切答えなかった（『スッタニパータ』においては一〇七五、一〇七六番）。

52――『テーラガーター』七〇八番、七一一番。

53――『テーラガーター』六〇六番、六〇七番。同様の表現はジャイナ教にも見られる。中村元によれば、ジャイナ教の解脱とは、「生をも望まず、死をも欲せず」「現世をも来世をも願うことなし」という境地」である（「解脱の思想」（『仏教思想 8 解脱』一～八〇頁）、三三頁）。中村は、ジャイナ教から仏教への影響を見ている（同書、六〇頁）。

54――『テーラガーター』一八番。

55――一九六番。

56――中村元「苦の問題」（『仏教思想　5　苦』一～九三頁）、六七頁。雲井昭善は「心が平安、寂静となることが本来的に解脱した状態である」とする（「原始仏教における解脱」（『仏教思想　8　解脱』八一～一一六頁）、九三頁）。

57――『スッタニパータ』二二八番、三三二番など。荒牧ほか訳では、「絶対の喜び」「絶対の静寂」などと訳されている。

58――第三章、二番。

59――「アーナンダよ。〈王舎城〉は楽しい。〈鷲の峰〉という山は楽しい。ゴータマというバニヤンの樹は楽しい。チョーラ崖は楽しい。ヴェーバーラ山腹にある〈七葉窟〉は楽しい。仙人山の山腹にある黒岩（窟）は楽しい。寒林にある〈蛇頭岩〉の洞窟は楽しい。タポーダ園は楽しい。竹林にあるカランダカ栗鼠園は楽しい。〈医師〉ジーヴァカのマンゴー樹園は楽しい。マッダクッチにある鹿園は楽しい」（第三章、四三番）。

60――『スッタニパータ』三五番など。

61――「蒸発」というのは森岡の言葉であり、原始仏典には見られない。『サンユッタ・ニカーヤ』には、ブッダの臨終のときの内的体験が書かれている。ブッダは臨終においてみずから瞑想に入り、初禅から段階を上げていき、最高段階まで達したあと、ふたたび段階を下げて初禅に戻り、ふたたび段階を上げて第四禅に至ってから涅槃の境地に入ったとされる（『悪魔との対話』二二一～二二二頁）。同様の描写は『大パリニッバーナ経』にも見られる（『ブッダ最後の旅』一五九～一六〇頁）。

62――出家の行為は、ブッダ以前から存在した。

63――四五〇番。

64――「生とは「生きる」ではなく「生まれる」である。生まれるとは母胎から出産することではなく、母胎に妊娠する初刹那（結生）を指す」（水野弘元『仏教要語の基礎知識』春秋社、一九七二年、一九七頁）。また、十二支縁起においては「生」から「老死」という苦しみが起きるとされる。

65――中村元『釈尊の生涯』平凡社ライブラリー、二〇〇三年、五〇頁。傍点は原著。

66――『スッタニパータ』七四二番。

67――『悪魔との対話』七四～七五頁。

68――『神々との対話』一九二頁。

69――『マハー・サティパッターナ経』一八番。

70――『マハー・サティパッターナ経』で説かれる「不還」を考慮すれば、人間世界での修行を経て輪廻していく「天」でも涅槃の境地に至ることができると言える。しかしブッダが法を説いた人間世界はやはり特別の世界だろう。

71――中村元は、人間として生まれることは「ありがたい」「感謝すべき」ことだと仏教では強調されていると述べており、興味深い（「仏教における人間論」（三枝充悳編集『講座 仏教思想　第四巻 人間学 心理学』理想社、一九七五年、一九〜六三頁）、一二三頁）。また、原始仏教の古層に限らなければ、ブッダの前生譚である「ジャータカ」との関係を考えてみることもできる。前生でしかじかの善い行為を行なった結果、実際に涅槃の境地に至れるこの人間世界に生まれてくることができてよかった、というふうにである。

72――佐々木閑も同様に考えており、「「生まれてこないほうが良かったのか」。ベネター氏の著作のタイトルにもかかわるこの問いは、仏教とは無縁の問いである」としている（佐々木閑「釈迦の死生観」（『現代思想』二〇一九年一一月号、一五四〜一六二頁）、一六一頁）。

73――すなわち、ベネターは「非誕生・優良」と「誕生・劣等 birth inferiority」から「誕生否定」を導くのである。

74――ならば、「生まれてこない」ことと「生まれてくる」ことのどちらが「より善い」のか、とベネター的立場からは問われるであろう。それに対して私は、その二つの善さの比較は不可能であると答える。その理由は第7章で議論する。

75――ただし、この点は難しい問題をはらんでいる。というのも、我々は生まれたときからすでに悟っているとか、涅槃の境地から振り返ってみれば実は輪廻はなかったことが分かるとかの思索は仏教の枠内で成立し得るからである。また死後の存在についてはブッダも対機説法で説いており、ブッダの真意を測るのは難しい。

76――『テーラガーター』六〇六番、六〇七番。

77――森章司は、現代日本の仏教学者には輪廻は仏教の教えではないとする者が多いと指摘し、そのリストを挙げている（「死後・輪廻はあるか」一八〇頁）。そのもっとも新しい例を挙げるならば、二〇一九年の佐々木閑であろう。彼は「私は仏教信者であって、釈迦の教えを人生の指針として生きているが、それでも輪廻や業は信じていない」と書いている（「釈迦の死生観」一六〇頁）。私は仏教を信じてはいないが、この系列につながるのかもしれない。

78——『テーラガーター』四〇五～四一〇番。

79——『テーリーガーター』八〇～八一番。

80——『悪魔との対話』五一頁。

81——同書、五二頁。

82——たとえば名和隆乾はチャンナのケースにおいて、チャンナがほんとうに涅槃の境地に達していたのか、ブッダはチャンナの自殺をどう判断したのかなどについて詳細な研究をしている（「チャンナの自殺」『待兼山論叢・哲学篇』大阪大学大学院文学研究科、四五号、二〇一一年、六七～八二頁）。内山みどり「仏教における自殺の意味——Delhey論文に対する一考察」（『インド哲学仏教学研究』東京大学大学院人文社会系研究科インド哲学仏教学研究室、二五号、二〇一七年、四五～五六頁）も参照のこと。

83——「チャンナの自殺」七六～七七頁。

84——『ブッダ最後の旅』、七一～七二頁。中村は「寿命の素因āyu-saṃkhāra」を「過去の業の余力」としている（同書、二四〇頁）。

第6章

ニーチェ——生まれてきた運命を愛せるか

1　生を肯定する哲学者

これまで、ヨーロッパと古代インドの誕生否定の哲学を見てきた。ヨーロッパにおいては、ショーペンハウアーが「われわれは存在しないほうがよかった」という考え方を展開した。古代インドにおいては、原始仏教が、生きることは苦しみであるから、もう二度とどの世界にも生まれないようにしようという思想と実践を構築した。

本章では、ふたたびヨーロッパに戻り、生を否定する考え方に対して大いなる異議を唱えたフリードリヒ・ニーチェの哲学を見ていくことにする。ニーチェの考え方には、「生まれてこないほうが良かった」という思想を解体するヒントが埋め込まれている。かならずしもクリアーな形では示されていないが、とくに晩年の思索である「永遠回帰」「運命愛」「生成の無垢」[1]などに注目する必要がある。

ニーチェは古代ギリシアの文献学からスタートし、若くして大学の職を辞してから圧倒的なスピードで思索を進め、膨大な遺稿を残したまま正気を失ってこの世を去った。ニーチェは、ショーペンハウアーの誕生否定の哲学から大きな影響を受けたのち、それを反転させて、生きることを大いに肯定しようとする哲学を打ち出した。ニーチェは仏教からも影響を受けている。最初は仏教を否定的に捉えていたが、後に肯定的な評価を与えるようになった。[2]

ニーチェは、当時のヨーロッパにおいてキリスト教の持つ欺瞞がもはや覆い隠せないほど露わになってきたと考える。彼はこの事態を指して「神は死んだ」と言った。それまでのヨーロッパの人々の生に意味を与えてきたものはキリスト教の価値観であった。しかしそれが失われてしまえば、あとに残るのはニヒリズムだけである。ニヒリズムとは、世界の存在には目的がないし、生きることには意味がないとする思想である。この世界と人生に意味を与えてきたキリスト教が失墜したあと、私たちはいったい何を頼りに生きていけばいいのか。これがニーチェの発した問いである。[3]「キリスト教なき時代における生きる意味」、さらには「宗教なき時代における生きる意味」にまで広がっていくような問いをニーチェは問うたのだ。[4] ニーチェは今日の「人生の意味の哲学」の先駆者であると言える。[5]

ニヒリズムから脱出するためには、キリスト教の価値観に代わる新しい思想がなくてはならない。晩年のニーチェはそれを探り当てようと苦闘した。そしてニーチェが最終的に到達したのは、「この世で生きることをまるごと肯定する」という生の全肯定の思想である。あの世に救いを求めるのではなく、いま生きている人生に向かってイエスと言うのである。その思想は、刊行本だけではなく、未整理のままに終わった彼の遺稿の断片群にも見ることができる。ただし遺稿の扱いは研究者たちのあいだでも議論が分かれる。というのも、遺稿の中には、ニーチェが著作のためのメモとして書いた断章があるとともに、書いてはみたものの考えが変わって破棄するつもりだった断章もまた含まれている可能性があるからだ。さらには、遺稿の断章群の多くが妹エリーザベトによって恣意的に編集され、著書『権力への意志』として刊行された。しかし今日では、ニーチェ自身には『権力への意志』という書物を刊行するつもりがなかったことが明らかにされている。[6] 本章では、ニーチェが生前に刊行したテキストも、その後に遺稿として残されたテキストも、執筆年代などの取扱いに注意しながら、基本的に同等の重要性を持ったものとして使用することにする。[7] これまで本書では「生まれてこないほうが良かった」という誕生否定の哲学を考察してきた。ニーチェの哲学は、生まれてきたこと、生きていること、ものごとが生成していくことを「それでよし！」と肯定するものである。本書のタイトルである「生まれてこないほうが良かったのか？」という問いに、彼がどのように答えようとするのかをじっくりと見ていきたい。本章で私が行なうのは、ニーチェの切り開いた生の肯定の哲学の中心部分にあると思われるものを、誕生否定と誕生肯定という視点から浮かび上がらせ、「生まれてきたこと」についての哲学的考察へとつなげていくことである。先行研究を参照しながら、さらには将来の「生命の哲学」の広がりを視野に入れつつ、普遍的な論点を取り出していきたい。

2　永遠回帰

ニーチェは、神なき時代において人生に意味を与えるものとして、「同じものの永遠回帰 die ewige Wiederkunft des Gleichen」の考え方を構想した。単に「永遠回帰」とも呼ばれる。それは、

『愉しい学問』、『ツァラトゥストラ』、『権力への意志』に収められている。それらの書物における永遠回帰の語られ方は一様ではない。[8] だが、その中心的なメッセージは一貫している。

まず『愉しい学問』の三四一番で、永遠回帰は次のように描写される。長くなるが、彼の発想が凝縮されているので引用したい。

ある夜、魔神が君の孤独な一人住まいにこっそり忍び込み、こう告げる。

「おまえが現に今生き、またこれまで生きてきたこの生を、おまえはもう一度、ひいては無数回にわたって、生きなければならないだろう。そこには新しいものなど一つもなく、あらゆる苦痛が、あらゆる快楽が、あらゆる思想と溜め息が、おまえの生の名状しがたいほどちっぽけなものや大いなるものすべてが、おまえに回帰してくるにちがいない。しかもすべてそっくり同じ順番で。――この蜘蛛も、木々の間から射し込んでくるこの月光も同様に。また、この瞬間も、私自身も同様に。存在という名の永遠の砂時計は、繰り返し繰り返しひっくり返される――それとともに、一抹の塵埃（じんあい）にすぎぬおまえもだ」。……およそ何事につけ、「汝はこれをもう一度、ひいては無数回にわたって欲するか」という問いが、最重量級の重みで君の行為にのしかかってくることだろう。[9]

引用部の前半では、もし私が自分の人生の全体を、その細部に至るまでまったく同じ順番で無限に繰り返して経験しなければならないようになっているとしたら、どうだろうかと魔神が問う。そして引用部の最後では、もし人生が実際にそのようになっているのだとしたら、私が何かを行為するたびごとに、「私はそれを無限に繰り返して行為することになるが、私はそれを本当に欲するのか」という問いに最重量級の重みで直面してしまうことになるだろうと指摘する。

実は、私の人生を含みこんだこの宇宙全体が、時の流れの果てに、ぐるっと回って、いまとまったく同じ状態へと戻ってくるのだとニーチェは考えようとしていた。宇宙全体は、いわば始点と終点がつながった円環のような時間を巡っているのであり、いまここで起きていることは、まったく同じ内容で、これから何度も繰り返し起き続けるというのである。

この考え方は、遺稿『生成の無垢』（下）の八章で集中的に述べられている。それをまとめてみると、まず宇宙に存在するすべての力の総量は一定であり、有限である。そしてそれらの力の組合せのパターンもまた、果てしなく多いであろうが、有限である。これに対して、時間は無限である。時間の流れに終わりはない。ということは、時間が流れていくうちに、果てしなく遠い未来において、宇宙に存在し得る状態のパターンは使い果たされ、過去に存在したのとまったく同じ状態が宇宙にふたたび出現せざるを得ないことになる。このようにして、いまの宇宙とまったく同じ状態が、将来ふたたび宇宙に訪れるのは確実なのであり、その回帰は永遠に繰り返されるのである。

これは過去に向かっても同じである。いまと同じ宇宙の状態は、過去にも存在した。ニーチェは言う。「このことから結果するのは、この目下の状態が二回目も、三回目もすでに現存した、ということ、――同様に、それは二回目、三回目と現存するであろうということ、――前方へ向かっても、後方へ向かっても、無数回現存するということ、である」[10]。いまの宇宙の状態は、未来に向かってもこれから無数回存在するし、過去を振り返ってもすでに無数回存在したというのである。これは宇宙の中にたまたま同じ状態が何度も巡ってくるというのではなく、宇宙それ自体が一巡りして以前の宇宙へと接続するということである。

論理的に言って宇宙は永遠回帰せざるを得ないというこの主張を、カール・レーヴィットは「宇宙論的等式」と呼んでいる[11]。それは宇宙の事実に関する主張だからである。

ニーチェは宇宙の創造説を否定する。宇宙は過去のどこかで創造されたものではない。宇宙は無限の昔からずっと存在しており、将来にわたってずっと存在し続けるものである。遺稿『権力への意志』では、「世界は生成し、世界は経過しはするが、しかし世界は、けっして生成しはじめたこともなければ、けっして経過しおわったこともない」と表現されている[12]。すなわち、世界の内部ではいろいろな生成があるが、世界それ自体がどこかから生成してきたわけではないのである。ここから導かれるのは、永遠回帰する宇宙では、私の人生はまったく同じ内容で永遠に繰り返されるということであり、この世への私の誕生もまた永遠に繰り返されるということである。この世への私の誕生は、過去に向かっても永遠に繰り返され、未来に向かっても永遠に繰り返される。もちろん私の視点に則してみれば、私は自分の誕生を一度しか経験できないのだが、宇宙の視点に則してみれば、私はこの宇宙に何度も誕生することが宿命づけられているのである。永遠回帰の宇宙論的等式においては、私の誕生からその一回性が剝ぎ取られる。この論点には後ほどふたたび触れることにする。

以上の宇宙論的等式には注意すべき点がある。この等式の説明は遺稿にしか出てこないのである。バーナード・レジンスターはこの点を重く見て、宇宙が実際に永遠回帰するという宇宙論的等式の考え方をニーチェは意図的に公刊著作の中には入れなかったのだろうと示唆している。[13]というのも、科学的に得体のしれない説明をあえて使わなくても、ニーチェのもっとも主張したいことは十分に伝わるからである。すなわち、たとえ宇宙が実際に永遠回帰していることが「証明」できなかったとしても、仮にいまここで経験しているすべてが永遠回帰して何度でも繰り返し戻ってくると「想定」してみるだけで、ニーチェの言いたいことは言えてしまうからである。もちろんレジンスターのこの意見は説得的であるが、これはニーチェが宇宙論的等式を放棄したことをただちに意味するものではないだろう。ニーチェの他の記述を見るかぎり、宇宙の永遠回帰は、たしかに証明するのは難しいかもしれないが、実際にある程度の確度をもって想定してみることは十分に可能なものとして彼に受け止められていたように私には思える。単なる知的な仮定だけだとしたら、彼の永遠回帰の思想への情熱が理解不可能になるからである。[14]

ところで、もし宇宙がほんとうに永遠回帰しているとしたら、いまこの瞬間はまったく同じ内容でもって何度でもこの宇宙に戻ってくることになる。だとすると、私はこの瞬間が何度戻ってきたとしてもそれでよいと思えるような生き方をしなければならないことになる。レーヴィットはこれを、「人は各瞬間をくりかえしくりかえし意欲し返すことができるように生きなければならない」とまとめ、「人間学的等式」という呼び名を与えた。[15]『権力への意志』にある次の文章は、ニーチェが永遠回帰の人間学的等式を「肯定」という視点から説明した美しいテキストである。「永遠回帰」という言葉の代わりに「永遠」が使われているが、意味は同じである。

> もし私たちがたった一つの瞬間に対してだけでも然りと断言するなら、私たちはこのことで、私たち自身に対してのみならず、すべての生存に対して然りと断言したのである。なぜなら、それだけで孤立しているものは、私たち自身のうちにも事物のうちにも、何ひとつとしてないからである。だから、私たちの魂がたった一回だけでも、絃のごとくに、幸福のあまりふるえて響きをたてるなら、このただ一つの生起を条件づけるためには、全永遠が必要であったのであり――また全永遠は、私たちが然りと断言するこのたった一つの瞬間において、認可され、救済され、是認され、肯定されていたのである。[16]

私の生は孤立していない。それはすべてのものごとと、空間的にも、時間的にもつながりあっている。まず空間的に見てみれば、もし私がいまこの瞬間に対して「イエス」と言うことができるならば、それは私の存在に対してのみならず、私以外のすべての存在に対してもまた「イエス」と言ったことになる。次に時間的に見てみれば、もし私がいまこの瞬間、幸福に打ち震えたならば、この瞬間へと流れ込んでそれを準備したすべての過去の出来事、そしてこの瞬間から引き続いて起きるであろうすべての未来の出来事に対して、「イエス」と言ったことになる。このようにして、私がいまこの瞬間に対して「イエス」と言うことによって、過去・現在・未来にわたるすべてのものごとが全体として肯定され、救済されることになるというのである。

すなわち、宇宙が永遠回帰しているのだとしたら、宇宙を全体として肯定するためには、目の前のこの瞬間のふるえるような幸福を本気で肯定し、それが何度繰り返し起きたとしてもかまわないと偽りなく思うだけでよいというのである。ここには、宇宙の永遠回帰が私の生に意味を与えるというだけでなく、私がこの瞬間の生を肯定することによって宇宙の永遠回帰そのものが肯定され救済されるという往還構造が出現している。ここにあるのは、宇宙と私が互いに承認を与え合うことによって双方に救済がもたらされるという世界観である（『ウパニシャッド』におけるアートマンとブラフマンの関係が想像される）[17]。

この永遠回帰の思想は、『ツァラトゥストラ』第四部の「酔歌」で、さらに結晶化された形で表現されている。

そなたたちはかつて何らかの快楽に対して然り（しか）と言ったことがあるか？　おお、わたしの友人たちよ、そう言ったとすれば、そなたたちは一切の苦痛に対しても然りと言ったことになる。一切の諸事物は、鎖で、糸で、愛で、つなぎ合わされているのだ、――[18]

そして一切の苦痛に対してイエスと言うことは、「一切が帰って来ることを欲した」ことになり、「そういう世界をそなたたちが愛した」ことになると言う。

――そなたたら、永遠的な者たちよ、そういう世界を永遠に、常に愛するがよい。そして、苦痛に対しても、そなたたちは語るがよい、過ぎ去れ、しかし帰って来い！と。というのは、一切の快楽は――永遠を欲するからだ！[19]

もし私がたったひとつでも快楽を肯定したとしたら、それはすべての苦痛を肯定したことになる。なぜなら、すべてのものは鎖で、糸で、愛で、つなぎ合わされているからである。[20]私は世界から快楽だけを抽出してそれを肯定することはできない、というのがニーチェの基本的な考え方である。世界から取り出された快楽には、かならずその快楽を準備したところの苦痛が地下茎のようにつながっていて、快楽を引き上げればそこにつながる苦痛までをも一緒に引き上げてしまうからである。これは、人間の快楽と苦痛を別々に取り出してきてそれらの価値を比較考量できるとするベネター的な思考とはまったく異なるものである。

そしてニーチェは言う。もし私が素晴らしい瞬間を経験することができて、「ああこの瞬間が何度でも戻ってくればいいのに」と思ったとしたら、[21]私はその瞬間につながっていてその瞬間を準備したすべての出来事に対して、それらが何度でも戻ってくればいいのにと願ったことになるのであり、それらすべての出来事を愛したことになるのだ、と。もちろん、それらの出来事のなかには、様々な苦痛もまた含まれているはずであるが、私はそれらの苦痛に対しても、何度でも戻ってくればいいと願ったことになるというのである。永遠回帰の思想において、生を肯定するとは、生を構成する素晴らしい瞬間だけを肯定することではなく、生を構成するすべての忌まわしい苦しみの時間をもまた肯定することなのである。新名隆志は、これを、「快の内にありながらすべての苦を欲するような状態になっていなければ、その個人はいまだ快をその本来のあり方で享受していない」のだと解釈している。[22]しかしそれは人間に可能なことだろうか。

ニーチェは『ツァラトゥストラ』の、先ほどの引用より手前の箇所で、ツァラトゥストラにその問題を語らせている。ツァラトゥストラは、宇宙が永遠回帰することによって、人間たちもまた永遠回帰することを知る。そして、自分が軽蔑し、飽き飽きしているところのあの「卑小な人間」たちもまた永遠に回帰してくることに気づき、吐き気をもよおす。「最小の者もまた永遠に回帰するということ！　――これが一切の現存在に対するわたしの嫌気であったのだ！　――ああ、吐きけ！　吐きけ！　吐きけ！[23]」。

しかしツァラトゥストラは、この吐き気を克服する。なぜなら、永遠回帰を肯定するとは、苦しみを否定して快楽だけを肯定することではなく、苦しみをも快楽をも含み込んだその全体を力強く肯定することだと彼は気づいたからである。[24] ニーチェは架空の存在ツァラトゥストラにこの吐き気を克服させ、私たちもまた苦しみを含んだ宇宙全体の永遠回帰を引き受けられることを示そうとした。

この永遠回帰の肯定の思想は、ショーペンハウアーやベネターに見られるような、たとえいくら快楽があったとしても、ほんの一滴の苦しみが生じるだけで、生まれてきた価値はすべて失われるとする考え方と正面から対立するものである。なぜなら、ニーチェは『ツァラトゥストラ』でまさに正反対の主張をしており、私の人生にたとえどれほどたくさんの苦しみがあったとしても、「私の生はこれでよい」と心から思える瞬間が一回あるだけで、それらの苦しみを含んだ人生が全体として肯定されると主張するからである。ここに、誕生否定の哲学の問いに対するニーチェからの解答のひとつがあると考えられる。[25]

「一切が帰って来ることを欲した」ことになるという文章の中の、「欲する」という言葉にも注意を払っておこう。すなわち、永遠回帰の思想とは、いまここで行なう行為がこれから何度でも繰り返されるのを「欲する」ような生き方をすることであり、それはさらに、いまここを準備してきた過去のすべての苦痛に対しても、それらがこれから何度でも繰り返されるのを「欲する」ことなのである。単に「肯定する」だけではダメで、それを「欲する」ところまで行かなければならないというのが永遠回帰の根本にある思想である。そして、それは世界を「愛すること」につなげられる。永遠回帰の思想とは、快楽と苦痛を含みこんだ宇宙の成り行きの全体を「肯定する」ことであり、それらすべてが何度でも戻ってくることを「欲する」ことであり、そのようにして巡ってくる世界を「愛する」ことである。しかし世界を愛するとはどういうことだろうか。

3　運命愛

「運命愛 amor fati」は、「永遠回帰」とともに、ニーチェ思想の終着点である。しかしながら、ニーチェはその内容について多くを語っていないので、詳細をクリアーに解明するのは難しい。運命愛を一言で言えば、人生がこのようであるというその必然性を愛することである。たとえその人生の内容がどんなに悲惨なものを含んでいたとしても、その必然性を全体として愛するのである。ニーチェ自身の言葉を見てみよう。

まず『愉しい学問』から二箇所を引用する。

私がますます学びたいのは、何ごとにつけ必然的なものを、美しいものとして見てとることである。――かくして私は、何ごとも美しくする人たちの一人となる。運命愛［amor fati］、それがこれからは、私の愛であれ。[26]

天気が良くても悪くても、友人を喪っても、病気になっても、誹謗されても、手紙の返信がやって来なくても、足をねんざしても、店の中が目に入っても、反論を受けても、本を開いても、夢を見ても、欺かれても、万事そうである。つまり、どれもただちに、または直後にたちまち、「欠けてはならなかった」ものとして立証されるのであり、――一切が、ほかならぬわれわれにとって深い意味と効用に満ちているのだ。[27]

この二つの断章は続けて掲載されており、後者に「運命愛」の言葉は含まれてはいないものの、内容的にはそれを指していると考えられる。

最初の断章では、「必然的なものを、美しいものとして見てとること」が「運命愛」と呼ばれている。すなわち、たとえ人生にどんなことが起きようとも、それは必然的にそうなったのであり、他ではあり得なかったという意味での必然性を、美しいものとして見ていくこと、それが「運命愛」だというのである。これに関連して、ニーチェは『この人を見よ』で、「必然的なことには私は傷つかない。運命愛こそ私の内奥の本性なのだ」と書いている。[28]

二番目の断章では、たとえ私の人生にどんなことが起きたとしても、それらひとつひとつは、私の人生にとってけっして「欠けてはならない」ものであり、それらは深い意味と効用を持っているのだとされる。すばらしいことも、苦しいことも、そのすべては人生のかけがえのないピースであり、そのひとつひとつが意味を持っているというのである。そして必然性を美しいと思い、それを愛するとは、人生のすべてのピースをどれひとつとして欠けてはならないものと見なしていく態度のことであるとニーチェは考えている。[29]

運命愛の定式は、『この人を見よ』の次の断章にもっともクリアーに表現されている。

> 人間の偉大さを言い表わすための私の定式は運命愛（アモール・ファティ）である。すなわち、何事によらず現にそれがあるのとは違ったふうなあり方であってほしいなどとは決して思わないこと、前に向かっても、後ろに向かっても、永劫にわたって絶対に。必然的なものを耐え忍ぶだけではなく、いわんやそれを隠すのではなく——理想主義というものはすべて必然的なものを偽り隠す嘘だ——、そうではなくて、必然的なものを**愛する**こと……[30]

すなわち「運命愛」とは、世界に起きることや、人生に起きることが「現にそれがあるのとは違ったふうなあり方であってほしいなどとは決して思わない」ことである。[31] たとえ「ああであったらよかったな」と夢想することはあったとしても、実際に自分の現実を指差して、「私の人生はこうでなければよかったのに」と心の底から本気で思ったりしないことをニーチェは「運命愛」と呼んでいると私は考えたい。それは過去に向かっても、未来に向かっても当てはまる。過去に向かうほうは、説明する必要はないだろう。未来に向かうほうは、たとえ私の人生にどんなことが起きようとも、私はこれから起きるであろうすべての出来事を全体として「それでよかった」と受け止めて肯定していくと決意できることを指すのだろう。この態度は、自分の現実を指差して、「こんな人生になるのなら私は生まれてこなければよかった」と詠嘆する誕生否定の思想とはまったく相容れないものである。

ニーチェはこのような肯定を「愛」と呼ぶ。その理由は、〈たとえ肯定する対象が、どんなに汚らわしいものであれ、どんなに欠陥に満ちたものであれ、どんなに受け容れがたいものであれ、私はその対象を無条件に肯定し受け容れ続けていく〉という決意が、その肯定の行為の中核部分にあるからだと私は考える。それはちょうど、どんな障害をもった子どもが生まれようともその子どもを慈しみ育てていこうと決意する親の行為が、本来的な意味で「愛」と名付けられるのと同様である。運命愛とは、単に運命という必然性を肯定するというにとどまらず、その必然性の内容がどのようなものであったとしても、それを肯定し受け容れ続けていく決意を内包した概念なのである。ニーチェが「愛」という言葉を使ったのは、このような次元を視野に入れていたからであろう。

以上をまとめれば、苦しいこともつらいこともふくめて人生のすべてのピースはかけがえがなく、そのひとつひとつが必然的な意味を持っているのだから、たとえどんな苦しいことが起きようとも、自分のかけがえのない人生を否定して「私の人生はこうでなければよかったのに」などと心の底から本気で思ったりしないようにこれから生きていきたいと決意するのが、運命を愛することである（運命愛）と言える。運命愛とは、人生の出来事をなすすべもなくただ引き受けていくだけの受け身の態度のことではない。

ところでニーチェにおいて、運命愛と永遠回帰はどのようにつながっており、またその違いはどこにあるのだろうか。それを知るために、まず『権力への意志』の次の断章を見てみたい。

> 私の生きぬくがごときそうした実験哲学……、それは永遠の円環運動を欲する、――すなわち、まったく同一の事物を、結合のまったく同一の論理と非論理を。哲学者の達しうる最高の状態、すなわち、生存へとディオニュソス的に立ち向かうということ――、このことにあたえた私の定式が運命愛である。
>
> そのために必要なのは、これまで否定されてきた生存の側面を、必然的としてのみならず、望ましいとしてとらえるということ……（後略[32]）。

この断章でまず驚くべきは、ニーチェが自身の哲学を、自分が生きぬく「実験哲学 Experimental-Philosophie」と呼んでいる点である。現代哲学で用いられている「実験哲学 experimental philosophy」（哲学と心理学の境界領域で成立する哲学）とはまったく異なった意味でニーチェはこの言葉を用いている。すなわちニーチェは、自分の人生をひとつの「実験」として捉え、その実験としての人生を実際に生きぬくことを「哲学」とみなしているのである。ニーチェは『愉しい学問』においても、「人生は――義務でも宿命でも詐欺でもなく――認識者の一実験であってよいのだというあの思想」と書いている。[33] ニーチェにとって「哲学」とは、アカデミックな知の冒険というよりも、自分の人生とはいったい何なのか、その人生をどう生きていけばいいのかを、実際に生きながら実験的に探究していく知の営みであったのだ。その探究のなかで「運命愛」の概念が見出された。このような「哲学」の捉え方は、ソクラテスの「吟味された人生」の流れにあると言える。[34] ヤスパースは、この箇所にニーチェの実存主義哲学者としてのきらめきを見る。ヤスパースはこれを「自分が思惟しつつ為しかつ自分がそれであるところのものを目指す究極的反省」と呼び、ニーチェにおいて「思惟と生が一つである」とした。[35] ただしヤスパースはニーチェの言う「実験哲学」の深い部分には踏み込めていない。というのも、「実験哲学」には、〈徹底的に個別的で具体的な自分自身の人生の内容それ自体〉を組上に載せて哲学し、そこで見出された洞察を実際の自分の一度かぎりの人生で実験して確かめるという含みがあると思われるからである。[36] 『ツァラトゥストラ』にある「すべての書かれたもののうちで、わたしは、人が自分の血でもって書いているものだけを、愛する。血でもって書け」という文章は、それを意味するであろう。[37] この文章は、血のにじむような姿勢で書け、自分の痛みでもって書けというふうに普通は解釈されると思われるが、私はそれ以上のことをニーチェは言おうとしていると考える。ここでニーチェが言いたいのは、自分の実人生を材料としてそれに対して実験を行ない、血を流しつつ思索して生きるような哲学の営みのことである。これはまさに実験科学に匹敵する新しい知の方法論だ。そしてこれは、私が行なってきた「生命学[38]」の試みとも軌を一にする。生命学は自己告白的方法論をとるが、ニーチェもまた、偉大な哲学とは「創始者の自己告白」であり、「一種の手記なのだ」と書いている。[39] 近代の実験科学が見落としたのは、科学者自身の人生に対して実験を行なうことの重要性であり、その実験を支えるものとして自己告白の哲学的通路があるという気づきである。ニーチェのこの未開花の方法論をヤスパースは十全には捕捉できていない。[40]

ところで、さきほど引用した断章の内容を読んでみれば、「永遠の円環運動を欲する」という「永遠回帰」の思想と、生の否定的な側面を「必然的としてのみならず、望ましいとしてとらえる」という「運命愛」の思想が、一直線につながったものとして語られていることが分かる。この箇所において、ニーチェは永遠回帰と運命愛をさほど区別してはいない。

平木幸二郎は、「運命愛」をニーチェの行き着いた究極の立場であるとしたうえで、次のように述べる。すなわち「永遠回帰」思想とは、この世界が何であるかを明らかにするための思想であるが、ここでもうひとつ考えなくてはならないことがある。それは「永遠回帰」を把握する我々主体のあり方である。「世界のこの把握は、これを把握する主体の側のあり方と切り離すことはできない。このあり方とは、永遠回帰の世界を生きたいとするあり方であり、ニーチェはこれを「運命愛」と名づけたのである。それゆえ、永遠回帰思想と運命愛の思想は本来全く同一のものである」。[41] このように、「永遠回帰」を生きたいと思う主体の側のあり方を指すものとして「運命愛」が語られていると平木は主張する。

4 在るところのものに成ることを欲する

永遠回帰と運命愛は、その根源を共有しながらも、その射程において異なった思想であると私は考える。この論点をさらに掘り下げるために、ニーチェの次の断章を見てみることにしたい。『愉しい学問』において、ニーチェは、他人を道徳的に論評する人間たちから距離を取ろうと言ったのち、次のように書く。

だがわれわれは、われわれが在るところのものに成ることを欲する。——新しい者、一回かぎりの者、比類なき者、自己自身の立法者、自己自身の創造者に、だ。[42]

この「だがわれわれは、われわれが在るところのものに成ることを欲する Wir aber wollen die werden, die wir sind」という表現に、私はニーチェのひとつの到達点を見る。この文章において、「在るところのもの（必然性、存在）」と「成ること（生成）」と「欲する（意志）」が直線的に結合されている。ここには「永遠回帰」「運命愛」「生成」「力への意志」など、ニーチェの根本概念が凝縮されている。この文章はいったい何を意味しているのだろうか。

普通に考えれば、「在る」を「在らない」に置き換えて、「われわれが在らないところのものに成ることを欲する」という文章にしたほうが分かりやすいはずだ。たとえば大学受験をしている高校生ならば、自分がまだ在らないところのもの、すなわち「大学生」に成ることを欲するであろう。これならば分かりやすい。ところがニーチェの文章は、そうなっていない。

カントならば、「われわれが在るべきところのものに成ることを欲する」と言うだろう。「在るべきところのもの」とは、自律した道徳的主体のことである。われわれはまだそういう「在るべき」人間にはなっていないから、そこを目指してがんばろうというわけである。ところがニーチェの文章には、この「べき」が欠けている。それどころか、ニーチェはこの引用部分の直前で、道徳的な「べき」について論評する人々を批判しているのである。

実は、『この人を見よ』の副題でもこれとほぼ同じ文章である「人はいかにして、在るところのものに成るのか」が使われており、ニーチェがこの表現を好んでいたことが分かる。[43] 渡邉二郎は、この言葉が古代ギリシアの詩人ピンダロスの詩句「汝があるところのものとなれ」に由来すると指摘し、「ニーチェの根本問題は、この自己自身への生成にあったと見てよい」としている。[44] しかし「自己自身への生成」とはいったい何であるのかを渡辺は考察していない。「われわれが在るところのものに成ることを欲する」には三つの解釈が可能であると私は考えている。

第一は、「われわれが在るところのもの」という部分を、「自分のいちばん大切な本質」と解釈する方式である。すなわち、自分のいちばん大切な本質を自分の人生で実現できるようになることを欲する、というふうに解釈するのである。あるいは、人生において、自分のいちばん大切な本質を見失わないように心がけて、たえずそこに立ち戻るようにする、と解釈するのである。

実はニーチェ自身がこのような解釈を与えている箇所がある。たとえば『生成の無垢』には次の文章がある。「お前がそれである当のものに、たえず成れ――お前自身の教師や形成者に！お前はいかなる著作家でもない、お前はお前自身のためにのみ書くのだ！」[45]。ここでいう教師や形成者とは、自分を導いて育て上げてくれる存在、自分が本来あるべき存在、自分のいちばん大切な本質を具現化した存在のことであろう[46]。

第二は、「永遠回帰」に重点を置いてこの箇所を読み解く解釈である。すなわちニーチェは、果てしない時の流れの後に、現在とまったく同じ状態がふたたびこの宇宙に回帰してくると考えていた。そしてそれを肯定し、欲することの重要性を語った。この考え方にもとづいて解釈すれば、「われわれが在るところのもの」とは現在のわれわれの状態であり、現在の世界の状態である。そしてそれに「成る」とは、果てしない時の流れの後に宇宙がふたたび現在へと回帰して、現在の状態に「成る」ことである。すなわち「われわれが在るところのものに成ることを欲する」とは、現在「在るところのもの」に、「永遠回帰」を経てわれわれがふたたび「成る」ことを、私がいまここで「欲する」という意味なのである。湯浅弘は論文「ニーチェ哲学と過去の問題」において、『この人を見よ』の副題を「人はいかにして今あるところのものになるか」と翻訳し、その意味を考察している。湯浅はまず、これを「本来あるところのもの」（われわれの第一の解釈）と解釈するのは「成熟したニーチェの思想には馴染まない」として却下する。[47] そのうえで湯浅は、「今あるところのもの」は時間の経過にともなって次の「今あるところのもの」へと「成り」続けていくのであり、過去の作用のどれひとつとして欠けてはならないその肯定的な乗り越えの連鎖が永遠回帰の意味であると示唆している。[48] 湯浅の考察はクリアーではないが、当該の文章を永遠回帰に結び付ける議論のひとつとして紹介しておきたい。

第三は、「運命愛」に重点を置いてこの箇所を読み解く解釈である。それを考えるために、まず、「に成る」を「である」に置き換えて、「在るところのもの〈である〉ことを欲する」という文章にしてみよう。これならば理解しやすい。すなわち、現に私がこのようであるとか、現に世界がこのようであるという状態こそが、私の欲するところのものであるという意味であり、この状態がこのままの形で続いていってほしいという意味である。これは、自分自身や世界に向かって「これでよい」と肯定することであり、「自己肯定」や「現状肯定」を表現したものである。[49]

では、「在るところのものである」と「在るところのものに成る」はどのように違うのであろうか。その鍵は「成る」にある。この文章で言われている「成る」とは、自分自身を現状とは異なったものへと変容させていくことである。「成る」というのは「生命」の根源的な姿である。「生命」とは、現状の自己の在り方を内発的に変容させて新しいフェーズへとたえず進んでいこうとするダイナミックな運動である。われわれもまた「生命」であり、このような自己変容をその本質としている。

ニーチェもまた、「成る」ことを「生命」の本質とみなした。どこに向かって「成る」のかは分からないけれども、とにかくどこかに向かって「成る」ことが「生命」の根源的な姿だと考えた。ニーチェは、「成る」ことすなわち「生成」の特徴は、それが具体的な目標や達成すべき価値を持っていないところにあるとし[50]、これを「生成の無垢 die Unschuld des Werdens」と呼んだ。それは無垢であるがゆえに善悪を超越した彼岸にある。世界が「成りゆく」ことは、もはや善いとも悪いとも言えない。それらの価値判断を超えて、世界はただひたすら「成りゆく」のみである。ヤスパースは、生成の無垢とは「〈善い〉と〈悪い〉あるいは〈良い〉と〈劣悪〉に分裂したあらゆる道徳を超克」するものであるとしている[51]。「無垢 Unschuld」とは、文字通り罪 Schuld がないことであり、汚れがないこと、純潔であり、処女であり、童貞であることである。生成とはそのようなことであり、ほんの一滴も罪のようなものによって汚されていないことである[52]。無垢な幼児が生きた昆虫を踏み潰したとしても、それはけっして汚された行為ではなく、ただの戯れとして善くも悪くもない[53]。生成とは、その幼児の戯れのようなものである。ヘラクレイトスは、生成する永遠の世界を「遊戯する小児」と捉えており、ニーチェはそこから学んだ[54]。ニーチェは言う、「生成の無垢こそ私たちに最大の気力と最大の自由とをあたえてくれる！[55]」。生成の無垢の考え方では、人は誰一人として自分の行為の責任を負わされることはなくなるとニーチェは述べる[56]。「無垢」については第7章で改めて考察するとして、ここでは「生成」のほうに着目して、もう少し話を進めていきたい。

この「生成」の考え方は、「運命愛」の思想と正面から衝突する。なぜなら、生成の力に突き動かされて、世界がいまの状態から他の状態へと「成って」いくことは、世界が「いまこのようである」という運命、世界が「いまこのようである」という必然性を否定して、それとは別の新しい状態へと変わっていこうとすることだからであり、それは世界の現状を否定することにほかならないからである。そしてこの否定の運動は、新しい状態に移行したあとにもまた繰り返されるのだから、これは絶えざる否定の連鎖となる。[57] これはニーチェの言う「運命愛」の思想、すなわち世界が「いまこのようである」という運命と必然性をありのままに肯定し、それを愛することとは根本的に相容れない。

すなわち、一方においては、どこに向かって「成る」のかは分からないけれども、とにかくどこかに向かって「成って」いこうとする「生命」の根源的な現状否定の運動があり、他方においては、私や世界はいまこのようであるという必然性をありのままに肯定し愛していきたいという「運命愛」の決意がある。この二つは二律背反であり、両立させることは不可能であるように見える。だがニーチェにとって、この二つはともになくてはならないものであった。

この二つを両立させる切り札としてニーチェが設定したのが、「在るところのものに成ることを欲する」という思想であったと私は考えたい。すなわちこれは、生命の根源である「生成」と、この世を生きるときの最終的な境地である「運命愛」が、互いに矛盾をはらみながらも両立することを私は欲する、という思想なのである。すなわち、「在るところのもの」に「成る」のだから、「成る」の契機としては現状否定があるものの、その運動の結果として現在と別の状態は生じないわけであるから、いま「在るところのもの」の否定は起きない。すなわち、成ることを欲したとしても、それは在るところのものへの愛である運命愛を否定することにはならない。もちろん当該の文章で直接に意志されているのは「成ること」であり、けっして「在ること」ではない。したがって何かを意志するという文脈で見れば、「在るところのもの」への愛である運命愛は否定されないままで、「存在」よりも「生成」のほうが上に置かれるという一見アクロバティックな結論が可能になっているのである。これが、「在るところのものに成ることを欲する」という文章から見えてくるひとつの風景である。[58]

ところで運命愛とは、「このようである」という必然性を愛することであった。だが、「在る」と「成る」についてのこれまでの議論を経てみると、運命愛にはもうひとつの様相、すなわち「このようになる」という必然性を愛する側面があるように思えてくる。言い換えれば、運命愛には「このようである」という「存在」の必然性への愛という様相と、「このようになる」という「生成」の必然性への愛という様相の二側面がある。前者は「このようである」という現状の必然性を肯定する愛であり、後者は「このようである」という現状を否定してそれが変容することを意志する愛である。先行研究を振り返ってみれば、この点に関してレーヴィットは、もっぱら「存在の肯定に対する永遠の肯定」という方向で運命愛を語っており、生成の側面にはさほど重点を置かない。[59] これに対してヤスパースは、運命愛に存在と生成の両面を見ており、「運命愛とは必然性そのものを肯定することなのであり、この必然性は、自己の世界と共なる単独者の運命における生成と存在との統一で」あると述べる。[60] そして生成の側面については、「運命愛において、外見上相容れないものが重なり合う。すなわち、まだ存在していないものを現実化する緊迫した能動性と、生起するものを愛をもって受け入れること、の二つである」としている。[61]

ここから分かるのは、運命愛には「このようである」という必然性を愛する様相と、「このようになる」という必然性を愛する様相の二つがあること、そしてこの二様相のあいだに鋭い緊張が存在しているということである。その緊張とは何かといえば、前者は現状の必然性を肯定する愛であるにもかかわらず、後者は現状を否定して変容しようとすることへの愛であるという緊張である。これを、当該の文章を使って言い換えれば、「在るところのものであることを愛する」ということと、「在るところのものになることを愛する」ということのあいだの緊張である。そして、以上の議論を総合すれば、愛の文脈でいえば「存在」と「生成」はともに同等に愛され、意志の文脈でいえば「存在」よりも「生成」が上に置かれることになるだろう。そのうえで、意志のほうから見れば、存在への愛は否定されないし、愛のほうから見ても生成への意志は否定されないという関係になっている。この二つはまさに矛盾をはらみながらも見事に両立しているのである。

もちろんニーチェ自身はこのような説明をしていない。しかし当該の文章の背景に、右記のような緊張関係があると想定すれば、なぜ彼がこういう表現をせざるを得なかったのかについて一筋の光が当たると思うのである。「成りたい」けれども、それによって「あるがまま」を否定することがあってはならないという難問を解決する切り札として、「在るところのものに成る」という表現が出てきたのだと私は考えたい。

以上、「在るところのものに成ることを欲する」について三通りの考察を行なった。すなわち（1）私は自分のいちばん大切な本質を実現しようと欲する、（2）私は永遠回帰によってすべてがふたたび回帰してくることを欲する、（3）私は生成と運命愛が互いに矛盾しながらも両立することを欲する、の三つである。これらの解釈は、この文章のはらむ豊かな可能性に、それぞれ異なった角度から照明を当てたものである。

ところで、「生成 Werden」と「存在 Sein」の問題は、第7章でベネターの「存在と非存在の善悪の比較」テーゼを批判するときに大事な論点となるので、もうしばらくここで考察を続けたい。一般に「生成」とは、世界に何かが生まれ、そして消え去り、そのあとにまた別の何かが生まれるという果てしのない移り変わりのことである。それはまた、世界にあるものが、みずからの姿を時間とともに変容させていくことをも意味する。さらには、それまでに無かったものが世界へと存在し始めることをも意味し、これは誕生の概念に近い。これに対して「存在」とは、このように果てしなく移り変わっていく世界のあり方からはけっして影響を受けずに、不変のままずっと残り続けることを本質とするものと考えられてきた。たとえばプラトンは『ティマイオス』で次のように語っている。「常にあるもの、生成しないものとは何か。そして、常に生成し、決しであるということがないものとは何かということだ」[62]。ニーチェも「存在するものは、生成しない。生成するものは、存在しない」と述べて、プラトンを継承している[63]。このように「存在」とは常に「ある」ものであり、「生成」とは常に移り変わるから「ある」とは言えないもの、というのがこの二つの概念の基本的な理解であった。ハイデガーは、「存在」と「生成」の区別が西洋思想の全歴史を支配してきたと述べたうえで、「存在」は固定化や永遠化を本質とするのに対し、「生成」は「他のように成り、したがってまた破壊すること」であるとした[64]。ソクラテス以前のギリシア哲学者であれば、パルメニデスが「存在」を代表し、ヘラクレイトスが「生成」を代表する[65]。

ハイデガーは、ニーチェが「存在」と「生成」をどのように考えたかについて以下のような考察を行なっている。すなわち、ニーチェはヘラクレイトス側に立ち、「存在」よりも「生成」に高い価値を与えた[66]。固定化してどこまでもあり続けようとする「存在」よりも、たえず移り変わり、破壊しつつ生み出していく「生成」のほうがより根本的だとしたのである。

ところがニーチェの思索は、みずからを裏切るようにして、さらに遠いところにまで行ってしまう。『権力への意志』でニーチェは、「生成に存在の性格を刻印すること」が権力への最高の意志であり、「すべてのものが回帰するということは、生成の世界の存在の世界への極限的近接である」と書く[67]。この文章は、「存在」のほうが高い位置にあるように読める。ハイデガーはこの記述に着目し、「存在」よりも「生成」の価値が高いというスタート地点から出発したニーチェが、そのゴールにおいて「生成」を「存在」の支配下に置くことになったと解釈するのである。なぜそのような逆転が起きたのかといえば、つねに移り変わり、固定化を拒絶する「生成」が、「存在」をみずからの領土内に閉じ込めようとして「存在」を固定化するという罠にはまってしまい、その固定化によって、「生成」は固定化の権化である「存在」の領内に逆に取り込まれてしまったからだとハイデガーは考えている。[68] これは「生成者を存在者へと改鋳する」とも表現される。[69]

ハイデガーによれば、「存在者とは何であるか」という問いを探求するのがヨーロッパの形而上学であり、それはプラトンのイデア論から始まる。ニーチェは、一見すれば、「生成」の優位を強調することでこの形而上学の全歴史を乗り越えようとした哲学者のように思われるが、実のところ、「生成」を「存在」の支配下に置いたことによって、ヨーロッパの形而上学の歴史の反逆者ではなく完成者となったのだ、というのがハイデガーの見立てである。内藤可夫(よしお)もハイデガーの考察を擁護して、ニーチェの試みは「形而上学の否定という形で語られる一つの形而上学である」としている。[70] もちろんハイデガー自身は、ニーチェすら取り込まれてしまったところのヨーロッパの形而上学の枠を華麗に抜け出そうと狙っていた。

以上のようなハイデガーのニーチェ解釈は魅惑的であるが、その考察が妥当であるかどうかは、はっきりとしない。全体がハイデガー自身の哲学観となっている可能性がある。私自身は、すでに述べたように、「在るところのものに成ることを欲する」という文章に表われた、「存在」へと

「成ろう」とする「生成」への意志およびその両者への愛がニーチェの到達点であると考えたい。そこでは「生成」が「存在」よりも根本的である。ハイデガーが引用した断章と、「在るところのものに成ることを欲する」という文章は、ともに一八八〇年代初頭に書かれたものである。『ツァラトゥストラ』第一部も同じ時期に書かれている。ハイデガーの依拠する断章は遺稿『権力への意志』のものであり、私が注目する断章は刊行本『愉しい学問』のものであるから、ニーチェ自身の最終確認がなされているのは後者である。これを加味すると、やはり「在るところのものに成ることを欲する」のほうが、その時期のニーチェの暫定的結論であったと言えるのではないか。したがって、「生成」と「存在」の関係については、あくまで「生成」が根本的であり、その上で「存在」との緊張関係が見られるのだと私は考えたい。[71]

では、そもそも一般的に、どうして「存在」と「生成」の問題が生じるのだろうか。その理由は、もし世界にものごとが「ある」というふうにだけ考えてしまうと、それらのものごとはそれ自体として「ある」という形しか取れなくなり、それらが別のものごとへと変化していくという事象を捉えることができない。「ある」が固定化や永続性で特徴づけられるとは、このことを意味している。他方で、もし世界でものごとが「成る」というふうにだけ考えてしまうと、それらのものごとはつねに「成り続ける」という形しか取れなくなり、そもそも世界には何ものも「あるのではない」ことになる。なぜなら、砂原陽一の言うように、「生成」は「「ある」」と述語づけうる自己同一性、固定性の性格を本来的に有しない」からである。[72] すると、いま目の前に生成するすべてのものごとはそもそも在るのか無いのか分からない、という結論が帰結してしまう。ブッダの考え方はこの後者に近いもので、すべてのものごとには固定的実体はないのだから、それらは在るとも無いとも言えないということになる。だがこの悟達は、おそらく私たちの日常の認識とは折り合えない。

この世界に立ち現われるものごとに「存在」と「生成」の両面があるとするのは、受け入れやすい考え方である。だがその二つがどのように関わっているのかを解明するのは難しい。これは世界の「生命の哲学」がこれまで格闘し続けてきた問題である。本書のシリーズの第二巻以降で、この論点について考察することを予定している。この論点はニーチェの枠を超えて、一般的に「何かが在る」ことの肯定とはいったい何か、「何かに成る」ことの肯定とはいったい何かという問いへとつながっていく。何かが在ることを肯定する思想を採用した場合、その何かの中身が悪いことであったときに、それでもなおその何かの存在を肯定できるかという難問が出てくる。これに対しては、何かが存在することそれ自体は肯定できるが、その何かの中身が悪であることについては肯定できないので、その悪が解消されるように中身を変えていけばよいとする立場があり得る。もうひとつの考え方としては、たとえ中身が悪であったとしても、その悪が存在することによってはじめて実現される善というものがあり、その善が実現されたあとでは当初の悪もまた善を構成する一部として肯定的に統合されるという立場があり得る。これはまさに、永遠回帰の中に位置づけられることで個々の悪が大いなる肯定のかけがえのないパーツへと生まれ変わっていくというニーチェの構想そのものである。これはまた、なぜ善なる神は世界に悪を生み出したのかという弁神論の問いに対する答えでもある。一般に、肯定の哲学は弁神論的課題を内包せざるを得ない。

同様の問いは「何かに成ること」の肯定についても生じるのであって、たとえば人生や世界が悪い状態になっていくことも肯定されるのかという難問が出てくる。何かが善い状態から悪い状態になることもまた「それでよい」として大いに肯定されるのが、生成の肯定の哲学なのだろうか。これらの問いはさらに、「私が何かである」ことの肯定と、「私がその何かになる」ことの肯定がどのようにつながるのかという問いを生み出す。これはニーチェの哲学が内包している本質的な論点であり、誕生否定の思想を考えるうえで避けては通れないものである。私たちはその論点のひとつのバリエーションを第7章で考察していくのだが、その前に、残されたいくつかの重要な課題を簡単に見ておくことにしたい。

5　ニーチェと誕生肯定

ニーチェの哲学は、生の肯定の哲学と言われる。この世界で生きることに大いなる「イエス」を与えるという意味では、まさにその通りである。では、ニーチェは誕生否定についてはどのように考えていたのだろうか。これは難しい問題である。というのも、ニーチェは、「私が生まれてくる」という意味での「誕生」については、重点的な議論を行なっていないからである。しかしながら、永遠回帰や運命愛の文脈においては、私がこの世界で「生きる」ことが力強く肯定されており、その延長線上で考えれば、私がこの世界に「生まれてきた」ことに対してもニーチェは肯定的であったと想定してよいように思われる。

とはいえ、ニーチェが誕生否定にまったく言及しなかったわけではない。そもそもニーチェは二〇歳のときに「メガラのテオグニスについて」という論文を書いている。テオグニスは、本書第2章で紹介したように、「いちばん良いのは生まれてこないこと、次に良いのは来たところに早く戻ること」と詠嘆した古代ギリシアの詩人である。[73] その誕生否定のテーマを、ニーチェは『悲劇の誕生』において取り上げた。ニーチェは、ギリシアの芸術にある「アポロン的なもの」と「ディオニュソス的なもの」を区別し、明晰で節度があり均整の取れているアポロン的なものの奥底に、「全自然をくまなく歓喜で満たす力強い、春の訪れ[74]」であり「あらゆる家族生活とその神聖な制度を蹂躙[75]」する極端な性的放縦であり「甘美な官能のうちに陶然と夢見る[76]」ようなディオニュソス的なものが隠されていると主張した。

そしてこの甘美なディオニュソス的世界は、また同時に、呪われた憂鬱な世界でもあった。ミダス王がディオニュソスの従者シレノスに、「人間にとって最善最上のことは何か」と問いただしたとき、シレノスは次のように言ったとニーチェは記している。「汝にとって最善のことは、とても叶うまじきこと、すなわち生まれなかったこと、存在せぬこと、無たることだ。しかし汝にとって次善のことは、——まもなく死ぬことだ[77]」。

ここにあるのは、テオグニスらが好んで取り上げた、古代ギリシアの誕生否定の思想だ。ニーチェはこのような形で誕生否定のモチーフに言及したのだが、それは誕生否定を却下するためであった。たとえば『権力への意志』においてニーチェは、「存在よりも非存在の方がましではなかろうかという問いは、それ自身すでに、一つの病気、一つの衰退を表示するもの、一つの特異体質である」と述べ、古代ギリシア的な誕生否定を正面から退けている[78]（ただしニーチェが、自殺をおおむね肯定的に考えている点には注意を払う必要がある[79]）。

ニヒリズムもこの文脈で捉えることができる。レジンスターは、シレノスの「存在しないほうがよいという見解」に対してニーチェが付けた新しい術語が、ニヒリズムであったとしている[80]。ニーチェは、「生まれてこないほうが良かった」という古代ギリシアの誕生否定をニヒリズムとして受け止め、それを克服しようとする道を探そうとしたのである。

ニーチェが誕生否定を却下している文章をもうひとつあげておこう。ニーチェは、「生起するgeschehen」もので非難に値するものは何ひとつないと言う。「なぜなら、生起しなかったらよかったのにとねがうことは許されないからである。というのは、いずれのものもすべてのものと結合されているので、何かを排除したいとねがうことは、すべてのものを排除することにほかならないからである[81]」。否定されるべき生起はひとつもなく、すべての生起は肯定され得ると主張するのである。この「生起」には「私の誕生」も含まれるであろう。この点は、本章第2節の末尾で取り上げた、いまこの瞬間を肯定するだけですべての苦しみもまた肯定されることになるというニーチェの見解と響き合うものである。

以上が、誕生否定に対するニーチェの立ち位置である。

このようなニーチェの哲学を、「誕生肯定の哲学」として捉えることは可能である。誕生肯定とは、「私は生まれてきて本当によかった」と心の底から思えることだ。誕生肯定には、「反－反出生主義解釈」と「可能世界解釈」の二種類があると私は考えてきた。詳細については第7章および他の論文に譲るとして、[82]ここでは後者の「可能世界解釈」を簡単に見ておきたい。

「私は生まれてきて本当によかった」とはどういう意味か。そのひとつの答えが誕生肯定の可能世界解釈である。それは、たとえば私が仮にいまよりも二倍の財産を持ち、二倍の寿命を持つような可能世界があると想定したとしても、私はそちらの可能世界のほうに生まれてくればよかったと本気で心の底からは望んだりしないということを意味する。たとえそのような餌を目の前に示されたとしても、私はいまの境遇のままでよい、この人生を生きていくだけでよいと本気で心の底から望むとしたら、私は現状のような中身を持った世界に「生まれてきて本当によかった」と心の底から思っているのであり、それが誕生肯定のひとつの形となるのである。これを別の角度から考えることもできる。すなわち、私がいまかかえている深刻な問題、たとえば手足に障害があるとか、パートナーがいないとかの問題が、ある可能世界では解決されていると仮定しよう。そのとき、たとえそのような可能世界を想定したとしても、そちらの可能世界のほうに生まれてくればよかったと本気で心の底からは望んだりしないというのが、誕生肯定のひとつの形なのである。[83] このように、誕生肯定とは、単に生きていて楽しいことやうれしいことがあったから「生まれてきて本当によかった」と思えるというのとは、まったく異なった次元で成立する概念である。「誕生肯定の哲学」とは、このような地点から、生と死についての哲学をすべて作り直してみようとする試みである。

この誕生肯定の可能世界解釈は、ニーチェの運命愛の定式と瓜二つである。『この人を見よ』でニーチェは次のように書いていた。「何事によらず現にそれがあるのとは違ったふうなあり方であってほしいなどとは決して思わないこと、前に向かっても、後ろに向かっても、永劫にわたって絶対に」。これは、たとえどのような可能世界が想定されたとしても、この現実世界がその可能世界の中身で置き換わってほしいとはけっして思わないということである。これを誕生肯定の可能世界解釈の目から見てみれば、たとえどのような可能世界が想定されたとしても、私は自分が「現に生まれてきた」この現実世界がその可能世界の中身で置き換わってほしいとはけっして思わないということである。ニーチェ自身の言葉に即して言い直すならば、「何事によらず現にそれがあるのとは違ったふうなあり方であるような人生へと生まれてきたかったなどとは決して思わないこと」である。すなわち、誕生肯定の可能世界解釈とは、ニーチェが運命愛について語った文章の中の、「存在」に関する部分を「誕生」に置き換えたものなのである。ニーチェは運命愛を「誕生」の文脈では語っていないものの、可能世界の概念をあいだに挟むことで、運命愛は誕生肯定と直線的につながるようになる。仮にニーチェが運命愛について、「何事によらず現にそれがあるのとは違ったふうなあり方であるような人生へと生まれてきたかったなどとは決して思わないこと」と語っていたとしても、ニーチェの哲学の全体像と大きな矛盾は生じない。この意味で、ニーチェを実質的な誕生肯定の哲学者であると呼んでも差し支えないと私は考える。ニーチェは生を肯定し、生成を肯定し、その帰結において誕生をもまた肯定する方向を示した。ニーチェはショーペンハウアーの誕生否定の哲学から大きな影響を受けながらも、まさにその正反対の帰結へと至ったのである。

しかしそれでもなお、ニーチェが誕生肯定について直接的に語っていないという点は再度認識しておく必要がある。直接的に語らなかった理由のひとつは、反出生主義で捉えられるような誕生の概念が、永遠回帰の思想とうまく折り合わないからである。すなわち、私がこの世界に生まれてくることは一度かぎりのかけがえのない出来事であるのだが、永遠回帰の思想ではその一度かぎりのかけがえのない私の誕生という出来事が、過去に向かっても、未来に向かっても、何度でも永遠に繰り返されることになるからである。ここでは、一度かぎりのものが永遠に繰り返されるということが矛盾なく成立するわけである。こうして、永遠回帰の世界においては、私の誕生の一回性とかけがえのなさが、必然的に、果てしなく薄められていく。私の誕生は、永遠回帰の世界で延々と繰り返されるであろう無数の生成消滅の、たかだかひとつの生成の地位にまで押し下げられる。すでに起きた一度かぎりの私の誕生、そしてこれから起きるであろう一度かぎりの私の死、その唯一絶対的な事象の本質は何なのかという問題を、永遠回帰の枠組みの中で設定するのは難しい[84]。ピエール・クロソウスキーも同様の指摘をしており、永遠回帰とは「出来事からその「一度限り決定的に」という性格を奪うための策略である」と述べている[85]。しかしながら、逆に、一度かぎりのものが永遠に繰り返されたとしても、その一回性はまったく失われないどころか、逆に輝きはじめるという点こそが永遠回帰の核心的な意義であるとする立場もあり得る。むしろこのほうが、きわめてニーチェ的である。この立場から見れば、永遠回帰の本質とは、その無限の回帰がものごとに一回性とかけがえのなさを与える機能を持つ点にあると言える。一回性は永遠の回帰によってこそ研ぎ澄まされていくという世界観がここから導かれる可能性がある。ニーチェはそれを神なしに行なうのである。この先に未踏の哲学領野が広がっていることを予感させる。

誕生が表立って議論されない点は運命愛においても同様であり、そこでは、私が誕生してきたことそれ自体は問われることのない所与として扱われる。なぜなら私の誕生は、否定されることのあり得ない必然性そのものだからであり、具体的な運命的事象がその上で舞い踊るところの運命の基盤そのものだからである。運命愛についてのニーチェの思索の不思議は、誕生それ自体については考察することなく、誕生肯定の可能世界解釈と同じ内容を提唱できているところにある。

永遠回帰と運命愛について、さらに考えてみよう。

すでに述べたように、宇宙が永遠回帰するという想定下では、この瞬間の世界のあり方が何度も回帰してくるだけではなく、この瞬間を準備したところの過去の世界のあり方もまた何度も回帰してくることになる。

ニーチェは、この瞬間が何度回帰してきたとしてもそれに向かって「イエス」と言えるように、この瞬間を生きよと説いた。すると、この瞬間を準備することとなった過去の出来事が同じ順序で何度でもこの宇宙に回帰してくることに対しても「イエス」と言えなければならないことになる。すると、過去に起きたもう二度と経験したくないようなネガティブな出来事や、目をそむけたくなる悲惨な出来事に対してもまた、「それらよ何度でもこの宇宙に戻ってこい」と言わなければならなくなるのである。たとえば本書の出版を可能にした現在の日本の繁栄、そしてその繁栄を準備したところの高度経済成長、そしてその高度経済成長を準備したところの戦後の焼け野が原、そしてその焼け野が原を生み出した東京大空襲や広島長崎への原爆投下における無残な大量死、そしてそれを準備したところの日本軍の中国侵略と大量殺戮、それらすべてに対して私は「何度でもこの宇宙に戻ってこい」とその全体を肯定し、その全体を欲しなければならないことになるのだ。[86]

すなわち、永遠回帰の思想とは、過去におきた悲惨や悪や苦しみや加害に対して、それとまったく同じ出来事が将来ふたたび何度でも起きよと欲することである。[87] 私はこのような思想を受け入れることができない。たとえ過去に起きた悲惨な出来事を、いまの時点から振り返ってみて肯定することはあり得るとしても、その出来事がふたたび将来に繰り返されるなどということは承認しがたい。ましてや、それがふたたび将来に繰り返されるのを「欲する」など許しがたいことである。しかしながら、永遠回帰の思想においては、過去に起きた悲惨な出来事が、そっくりそのまま将来に繰り返されることを私は「欲する」という解答しかあり得ない。もしそれを欲しないとすれば、それは永遠回帰の思想ではない。

もし私が永遠回帰の思想を受け入れることができるとすれば、それは永遠回帰の思想が次のように薄められたときのみである。すなわち、「もし仮にいまこの瞬間が何度宇宙に戻ってきたとしてもそれでよいと思えるように私は生きなければならない」という思想にまで薄められたときである。そうなれば、私はいまこの瞬間を心から肯定できるような生き方を目指すとともに、いまこの瞬間を準備した過去の悲惨な出来事についても、それをいまから振り返って肯定することはあり得るとしても、それが将来ふたたび同じ内容で繰り返されることについては完全に拒否するという態度を貫くことができるようになる。たとえば過去の東京大空襲や原爆投下については、それらが私の誕生と現在の私たちの社会を準備したわけだから、いまから振り返ってそれらが起きたことを肯定できる可能性はあるが、しかし未来に東京大空襲や原爆投下がふたたび起きることについては、それはけっして許してはならないと確信を持って言うことができるはずだ[88]。だがこれは、もはやまったく永遠回帰の思想ではないだろう。

むしろ、これはニーチェのもう一つの重要概念である「運命愛」と似てくる。運命愛とは、ものごとがこのようである必然性およびこのようになった必然性を愛することであった。それは過去に関してはすでに起きたことを、現在に関してはいま起きつつあることを受け容れて愛するという意味であるが、未来に関しては愛の対象がはっきりとしない。もし私が何か具体的な内容を持った未来、たとえば戦争の起きない平和な未来を欲するとしたら、それは運命愛の態度とは言えないのだろうか。直観的に言えば、未来に関しては主体的に歴史を創造していくことが許されるが、現在と過去に関しては、起きつつあることと起きてしまったことを受け容れ愛するというのが運命愛の態度である、というふうになりそうである。だが普通に考えれば、未来を主体的に創造していくことは「運命への愛」とは呼ばないであろう。未来を愛するとは、まだ運命や必然性になっていない「未知の可能性」を愛することのように思われるからである。しかしながら私はこれに反して、本章第3節で述べたように、未来に向かう必然性への愛は、たとえ私の人生にどんなことが起きようとも、私はこれから起きるであろうすべての出来事を全体として「それでよかった」と受け止めて肯定していこうと決意できることだと考える。

ここで入不二基義の独創的な運命論の哲学が参考になる。入不二は、時間の流れに沿って未来が現在に「なる」ときに、その「なる」における相対的な側面と絶対的な側面を区別する。「なる」の相対的な側面とは、具体的に何が未来から現在へと現実化するのかという中身に関わるものであり、ああなる可能性もあったし、こうなる可能性もあったが、現実にはこうなったという側面を指す。これに対して「なる」の絶対的な側面とは、具体的に何が未来から現在へと現実化するかというその中身とは無関係に、「たとえどんな中身が現在へと現実化しようとも、何かが必ず未来から現在へと現実化するのであり、そうならないことはない」という側面のことを指す。これは、何かが未来から現在へと現実化するときに、必然的に成立する性質であるから、入不二はそれを「絶対的」と呼ぶのである。[89]この議論は、現在の出来事が過去のものに「なる」ときにも当てはまる。

この視点から見ると、運命愛とは、現在起きている出来事が過去のものになっていく必然性と、何かが未来から現在へと現実化する必然性の、二つの必然性を愛することであると言える。

まず前者の必然性については、現在起きている具体的な中身を持った出来事がかならずその中身のまま過去のものになっていくという「相対的な必然性」と、現在具体的に起きている中身とは無関係に、現在起きていることはかならず過去のものになっていくのでありそうならないことはないという「絶対的な必然性」に分離できる。そして運命愛とは、この二種類の必然性をともに愛することを指す。

次に後者の必然性については、具体的な中身を持ったいくつかの可能性のうち、あるひとつの具体的な中身が未来から現在へと現実化するという「相対的な必然性」と、たとえどんな中身が現在へ現実化しようとも、何かが必ず未来から現在へと現実化するのでありそうならないことはないという「絶対的な必然性」に分離できる。そして運命愛とは、この後者の「絶対的な必然性」は愛するけれども、前者の「相対的な必然性」はかならずしも愛さないことを指す。なぜ前者の「相対的な必然性」をかならずしも愛さないのかといえば、未来に控えているいくつかの具体的な選択肢のうち、どうしても起きてほしくない具体的な選択肢（たとえば戦争など）があったとしたら、私はそれを含むような可能性の全体を愛するわけにはいかないからである。いったん戦争が起きてしまったなら、あとからそれを振り返って愛することはできるかもしれないが、これから戦争が起きるかもしれないときにその選択肢を含む可能性の全体をかならずしも愛することはできない、という非対称性がここにはある。

このように考えれば、運命愛とは、その「絶対的な必然性」を、過去に向かっても未来に向かってもすべての時制にわたって愛するものであるということになる。他方で、「相対的な必然性」については、過去に向かってはそれを愛するが、未来に向かってはかならずしもそれを愛さないということになる。すなわち、未来の具体的な選択肢のうちどれを現在に現実化させるかについて私が主体的に介入していくことは可能であるし、それは未来へ向かう「絶対的な必然性」への愛とは矛盾しないのである。ここに、必然性を愛しながらも、主体的に未来へと介入していくことを許すような運命愛の概念がクリアーに成立する。[90] 以上が、運命愛における必然性の森岡の捉え方である。[91]

このような考え方は、ニーチェの思い描いていた運命愛における必然性のイメージとは根本的に異なるであろう。なぜなら、ニーチェは運命愛と永遠回帰の思想をセットで考えていたはずであり、永遠回帰の思想の根幹である「たとえ過去におきた悲惨な出来事であったとしても、それと同じ出来事が将来ふたたび何度でも起きよと欲すること」を手放すとは考えられないからである。

再度強調するが、すでに起きてしまった悲惨な出来事をいまから振り返って肯定することはできるかもしれないけれども、それらが将来に向かってもう一度同じ内容で繰り返されることについては、私たちは決してそれを肯定したり欲したりしてはならないと私は考える。ではこの永遠回帰の思想を捨ててしまって、代わりに運命愛だけを採用すればどうだろうか。すなわち、世界や人生について、「現にそれがあるのとは違ったふうなあり方であってほしいなどとは決して思わない」ことを「運命愛」と名づけたうえで、それを「永遠回帰」の思想から切り離して単離させ、私たちの思想とすることはできる。このように切り取られた「運命愛」は、「永遠回帰」の思想なしでも、それ単体で魅力的な光を放っており、私たちの心に強く訴えかけるはずだ。

しかしながら、このような運命愛の換骨奪胎もまた同じ理由でニーチェ哲学を裏切ることになるだろう。というのも、運命愛は、永遠回帰の前提があってはじめて成立した思想なのであり、永遠回帰を奪い去られて水のように薄められた運命愛は、ニーチェが構想していたのとはまったく別物になってしまうだろうからである。

だがそれでもなお、私はニーチェの運命愛のなかに可能性を探したい。それは運命愛に内包されているところの「誕生肯定」の可能性である。すなわち運命愛の、「現にそれがあるのとは違ったふうなあり方であってほしいなどとは決して思わない」という命題を「誕生肯定」として解釈し、誕生否定を克服する道へとつなげていく可能性である。これは「生まれてきた」運命と必然性を愛せるかという問いでもあるし、さらにもう一歩踏み込めば、「生まれてこないほうが良かった」としか思えない人生であったとしても、私はそれを愛することができるかという問いへとつながっていく。そしてもしそれが不可能ではないとしたら、それこそが誕生肯定の意味であると言えるのかもしれない。これはレジンスターが「生の肯定 the affirmation of life」の名のもとにニーチェから取り出そうとしたものを、「誕生肯定 birth affirmation」の方向へと展開していく営みである。この道は、ほかならぬニーチェ自身によってもきっとサポートされたであろう。なぜならこれはニーチェを超えてさらに遠くまで飛ぼうとすることだからである。

ニーチェは『曙光』五七五番で、遠くへと大胆に飛ぼうとするどんな鳥たちも、いつか疲れ果て、それ以上飛べなくなって岩礁にうずくまるときがくると言う。われわれの偉大な先駆者たちもみなそうだった。「私も君もそういう成り行きになるだろう！　しかしそれは私にとっても君にとっても何の関係があるだろうか！　他の鳥がさらに遠く飛ぶだろう！」[92]。これはニーチェ後の思索者たちに贈られた、ニーチェからの勇気づけの言葉である。この言葉を真正面から受け取り、私たちはニーチェの到達することのなかった地平へと飛び立たなくてはならない。

1――私は本章で「生成の無垢」の概念に着目するが、この概念はアルフレート・ボイムラーのクレーナー版全集の遺稿集のひとつのタイトルともなっており、ボイムラーのナチス擁護を考慮すれば、慎重な取り扱いが必要なものであると言える。

2――『反キリスト者』二〇番～二三番、一八八～一九五頁参照（原佑訳『偶像の黄昏・反キリスト者』ちくま学芸文庫、一九九四年)。ニーチェは『ダンマパダ』の「怨みに報いるに怨みを以てしたならば、ついに怨みの息むことがない」を引用し、感動的な句であると述べている(二〇番、一八九頁)。

3――実はニーチェは、キリスト教こそがもっとも深いニヒリズムであるとしている。キリスト教は神と彼岸を絶対視するあまり、この世界に内在する価値を根底から否定するからである。

4――ニーチェが問うたのは、キリスト教なき時代における生きる意味であり、宗教なき時代における生きる意味ではないという反論があるかもしれない。たとえば中島義道は、ニーチェはキリスト教の解体を引き受けつつ思索したのであり、キリスト教とほとんど関係のない日本の哲学研究者たちはその境位には立てないだろうと指摘する(『ニーチェ――ニヒリズムを生きる』河出ブックス、二〇一三年、三〇頁)。頷ける部分はあるものの、現代では、キリスト教に限らずいかなる宗教からも生きる指針を取り出せない人々は多いのであり、その点において彼らはニーチェと問題意識を共有していると言える。

5――今日の「人生の意味の哲学」については第7章で詳述する。

6――ボイムラー編による遺稿集『生成の無垢』にも同様の事情がある。

7――ニーチェの日本語テキストは、読者の手に取りやすさから、ちくま学芸文庫版『ニーチェ全集』を使用した。ニーチェの遺稿については同全集の『生成の無垢』『権力への意志』を参照した。『愉しい学問』については、現代の一般読者にも翻訳が分かりやすい講談社学術文庫版を使用した(ちくま学芸文庫版では『悦ばしい知識』である)。断章番号もそれぞれの訳書のものを使用した。公刊書籍と遺稿の取り扱いに差があるときはその都度指摘した。グロイター版全集との照合は今回は行なえなかったので刊行後の課題としたい。

8――ハイデガーは、永遠回帰の思想を、『愉しい学問』の時期、『ツァラトゥストラ』の時期、『権力への意志』の時期に分けて考察し、その差異を指摘している(細谷貞雄監訳、杉田泰一・輪田稔訳『ニーチェⅠ』平凡社ライブラリー、一九九七年(原著一九六一年)、四七七~五〇五頁)。

9――森一郎訳『愉しい学問』三四一番、講談社学術文庫、二〇一七年、三四八~三四九頁。傍点訳書。

10――原佑・吉沢伝三郎訳『生成の無垢 下』一三二一番、ちくま学芸文庫、一九九四年、六八六~六八七頁。傍点訳書。

11――カール・レーヴィット『ニーチェの哲学』柴田治三郎訳、岩波現代叢書、一九六〇年(原著一九五六年)、一一五頁。

12――原佑訳『権力への意志 下』一〇六六番、ちくま学芸文庫、一九九三年、五三八頁。

13――バーナード・レジンスター『生の肯定―ニーチェによるニヒリズムの克服』岡村俊史・竹内綱史・新名隆志訳、法政大学出版局、二〇二〇年（原著二〇〇六年）、三五〇〜三五一頁。

14――ニーチェが宇宙論的等式をどの程度深く信じていたのかというのは、難しい問題である。この点について本章では深く考察することができなかった。

15――『ニーチェの哲学』一一〇頁。傍点訳書。またレーヴィットは、永遠回帰を、「じじつ私は、おのれ自身を意欲する世界の大きな環の中の一つの環として、永遠にくりかえして私自身を意欲する」とまとめている（一二九頁）。レーヴィットは、ニーチェは宇宙論的等式と人間学的等式をともに等しく重視していたと考えている。ジル・ドゥルーズはカントの定言命法を利用して、「君が意志するもの、それが永遠に回帰することをもまた意志するような仕方で、それを意志せよ」と表現しており興味深い（ジル・ドゥルーズ『ニーチェと哲学』江川隆男訳、河出文庫、二〇〇八年（原著一九六二年）、一四〇頁。傍点訳書）。

16――『権力への意志 下』一〇三二番、五一一頁。

17――ニーチェは、パウル・ドイッセン訳の『ウパニシャッド』を読んでいたとされるが、全体的に言えば、ニーチェの哲学に『ウパニシャッド』からの影響は薄いように思われる。川鍋征行「ニーチェの仏教理解」（『比較思想研究』八号、一九八一年、三九〜四九頁）参照。また、永遠回帰は宇宙そのものの回帰であるから、古代インド哲学が前提とする種々の輪廻思想とはまったくの別物である。そしてまた永遠回帰の思想はブッダの哲学とも異なる。ブッダの根本は、生まれ続けることからの解脱であるからだ。湯田豊はニーチェの永遠回帰と仏教の違いについて次のように述べている。「ニーチェは、永遠の回帰説の一つの柱として、生成および発展を肯定した。つまり、彼は〝存在の価値〟を容認した。しかし仏教においては、生まれて老い、病いにかかって死ぬことは苦しみに他ならない。それらは無常であり、最終的に否定されるべきものである」（『ニーチェと仏教』世界聖典刊行協会、一九八七年、一八五頁）。ニーチェは『権力への意志 上』（五五番、七〇頁）で、永遠回帰を「仏教のヨーロッパ的形式」と述べているが、それはブッダの説いた仏教とは異なる。永遠回帰の思想の系譜的な源泉は、ニーチェ自身が言うように古代ギリシアのヘラクレイトスにあると思われる。すなわち、「ツァラトゥストラのこの教説も結局のところすでにヘラクレイトスによって説かれていたのかもしれない」（川原栄峰訳『この人を見よ　自伝集』ちくま学芸文庫、一九九四年、九九頁）。

18――吉沢伝三郎訳『ツァラトゥストラ　下』第四部一九：一〇番、ちくま学芸文庫、一九九三年、三四三頁。傍点訳書。

19――同頁。傍点訳書。

20――永井均は、「次のような嘘にもだまされてはならない」と述べたうえで、ニーチェのこの文章を引用する。そして「こんなふうな嘘を作り出してまで一切を肯定しようとするのは病気である。同じ病気の二つの症状である。肯定に固執することは、否定を否定することに固執することである」と批判している（『これがニーチェだ』講談社現代新書、一九九八年、一八一頁）。永井の指摘は興味深いが、この論点に関しては、私はニーチェの肩を持ちたいと思う。なぜなら私は、あるのかないのか皆目分からない肯定への道を突き進んでいくニーチェを美しいと思うからである。私は永井が言うところの固執と病気をおそらくニーチェと共有しており、肯定というものに対する感度を永井とは異にするのである。これは永井と私が折り合えない点のひとつであると思う。

21――「おまえはわたしの気に入る。幸福よ！　刹那よ！　瞬間よ！」という言葉は、ゲーテの『ファウスト』でファウスト博士の発する「生の肯定」の言葉、「わしが瞬間に向かって、とどまれ、おまえは実に美しい！と言ったら、きみはわしを縛りあげてよい。その時はわしは喜んで滅びよう！」を念頭に置いたものである（本書第1章参照）。ニーチェの「生の肯定」は、ゲーテのそれを宇宙規模にバージョンアップしたものだと考えられる。

22――新名隆志「「酔歌」、「救済について」、「幻影と謎」の新たな解釈――永遠回帰の肯定とは何か」（『鹿児島大学教育学部研究紀要　人文・社会科学編』六四巻、二〇一三年、一～一七頁）、八頁。新名は、「酔歌」の「一切の諸事物は、鎖で、糸で、愛で、つなぎ合わされているのだ」（新名の訳では「すべてのものが鎖でつながれて、糸でつながれて、惚れこまれている」）は、従来、すべての事物は連鎖しており、独立して存在するものはないと解釈されてきた。新名はこれを「因果的解釈」と呼び、テキストを詳細に読むとそれは成立しないと主張している。私が本文で「地下茎のようにつながっていて」と書いたのは、因果的解釈のようでもあるが、それに還元されるものではないと私は考える。

23――『ツァラトゥストラ　下』第四部一三：二番、一四五頁。

24——苦痛に対して「過ぎ去れ、しかし帰って来い！」と言う理由は、ここにある。いま苦しいとしても、その苦痛はやがて去っていく。だがその去っていく苦痛に対して、またふたたび帰ってこいと呼びかけるのが永遠回帰の肯定である。

25——レジンスターは、苦悩は個人の幸福を構成する一部となり得るのだから、苦悩それ自体が高く評価されなければならない、とするのがニーチェの言う「生の肯定」なのだとする。そして、苦悩から創造性が生み出されるときにのみ、苦悩は人生の中で救済されると言う。これをレジンスターは「苦悩の根本的価値転換」と呼ぶ（『生の肯定』三八九～三九三頁）。この苦悩と救済の弁証法は、ベネターらの議論がほとんど考慮していない論点である。レジンスターは、永遠回帰によって肯定されているものは、「この生が時間的に幅のある有限な過程で構成されているという事実、あるいは生が本質的に生成であるという事実」だとしている（三八三頁）。ニーチェはこの点においてキリスト教と対抗しようとした、というのがレジンスターの考え方である。

26——『愉しい学問』二七七番、二七七頁。

27——同書、二七八頁。傍点訳書。

28——『この人を見よ　自伝集』一六九頁。傍点訳書。

29——ニーチェは『この人を見よ　自伝集』で、最大の苦痛も最大の憂愁も「一つの必然的な色という役割をする」と書いている（一三五頁、傍点訳書）。苦しいこともつらいこともふくめて、人生のすべてのピースはそれぞれ必然的な色合いをもって人生を彩るということだろう。

30——同書、七五頁。傍点訳書。

31——原文は“Meine Formel für die Grösse am Menschen ist amor fati: dass man Nichts anders haben will, vorwärts nicht, rückwärts nicht, in alle Ewigkeit nicht”であるから、和訳は訳しすぎであると言えないこともない。しかし文意は正しく押さえられている。ちなみにウォルター・カウフマンによる英訳は以下である。“My formula for greatness in a human being is amor fati: that one wants nothing to be different, not forward, not backward, not in all eternity” (Friedrich Nietzsche, *Basic Writings of Nietzsche*. (Translated by Walter Kaufmann). The Modern Library, 1967, 2000, p.714).

32——『権力への意志 下』一〇四一番、五一七～五一八頁。傍点訳書。

33——『愉しい学問』三二四番、三二三頁。

34――「吟味を欠いた生というものは人間にとって生きるに値しない」(プラトン『ソクラテスの弁明・クリトン』三嶋輝夫・田中享英訳、講談社学術文庫、一九九八年、七四頁)。

35――カール・ヤスパース『ニーチェ――彼の〈哲学すること〉の理解への導き』佐藤真理人訳、月曜社、二〇一九年、六五〇~六五一頁。「思惟は人間全体の感動から生ずる」とも彼は言う(六五一頁)。七四二頁も参照のこと。

36――ニーチェは、「おのれの問題に人格を賭して取り組」むのか、「人格はそっちのけ」なのかが思想家を分けると指摘する(『愉しい学問』三四五番、三五九頁)。

37――『ツァラトゥストラ 上』吉沢伝三郎訳、一九九三年、七二頁。

38――私の生命学の具体的内容については、拙著『決定版 感じない男』(ちくま文庫、二〇〇五年、二〇一三年)を参照のこと。そこでは私自身のセクシュアリティを具体的に例にとった実験的思索が行なわれている。もちろん、その本で行なったような自己告白的思索をすればそれがニーチェの言う実験哲学、あるいは私の言う生命学になるというわけではないことに注意が必要である。ニーチェのこの箇所を読むかぎり、私はこれまで知らずしてニーチェの言う実験哲学を生命学の名のもとに実践してきたのだと思わざるを得ない。

39――『善悪の彼岸』(信太正三訳『善悪の彼岸 道徳の系譜』ちくま学芸文庫、一九九三年、六番、一三頁)。もちろんニーチェも、自己告白や手記を書けば偉大な哲学になるとは言っていない。それを内在的に欠いた哲学は本物にはならないと言っているのである。

40――ただしヤスパースが、ニーチェにおいて「本質的なものは著作では全然なく、生成する人間であるからである」と書くとき、ヤスパースはそこに肉薄しているとも思われる(『ニーチェ』七四六頁)。さらにヤスパースはニーチェの教育者としての面について、「われわれが彼によって問い質されること」「彼に照らしてわれわれが自己を確証すること」の重要性を指摘しており、この箇所では私の言う生命学的な視点に立っているとも考えられる(七五二~七五三頁)。内藤可夫は、ニーチェの実験哲学に触れて、「ニーチェにとって哲学とはそれ自身で存立するものではなく、生きられるものなのである」としている(『ニーチェ思想の根柢』晃洋書房、一九九九年、一二一頁)。信太正三は、「あらゆることを試してみようとする「実験哲学」」のような言い方をしているが、実験哲学の本質的なポイントはそこではないだろう(『永遠回帰と遊戯の哲学――ニーチェにおける無限革命の論理』勁草書房、一九六九年、一一三頁)。

41――平木幸二郎「ニーチェの運命愛について（1）」（『信州大学教養部紀要』二八号、一九九四年、一一～三六頁）、二三頁。
42――『愉しい学問』三三五番、三三九頁。傍点訳書。
43――Wie man wird, was man ist. ちくま学芸文庫版では「人はいかにして自分が本来あるところのものになるのか」と訳されており、「本来」が追加されている。これは後に述べる第一の解釈を採用したものであると考えられる。
44――渡邊二郎「ニーチェ―生きる勇気を与える思想」（『放送大学研究年報』第一八号、二〇〇〇年、九一～一一四頁）、一〇八頁。
45――『生成の無垢』上、一一〇四番、五七二頁。
46――アレクサンダー・ネハマスは、この「本来あるべき存在」という解釈を誤りとして退けている（『ニーチェ―文学表象としての生―』湯浅弘・堀邦維訳、理想社、二〇〇五年、二六一頁）。
47――湯浅弘「ニーチェ哲学と過去の問題―人はいかにして今あるところのものになるか―」（『哲学会誌』弘前大学哲学会、第四〇号、二〇〇六年、五九～六四頁）、六一頁。
48――同論文、六一～六四頁。
49――永遠回帰の教説で、いまこの瞬間に「イエス」と言うのも、その一例であるように見えるが、しかし永遠回帰における「イエス」はこの状態がそのままの形で続いていってほしいという意味ではなく、この状態はいずれ変わるけれどもふたたび同じ形で戻ってくることを欲するという意味であるので、単なる自己肯定や現状肯定とは異なる。後に本文で別の角度から議論する。
50――「生成はいかなる目標状態をももってはおらず、……生成はいかなる価値をもまったくもっていない」（『権力への意志 下』七〇八番、二三四頁。傍点訳書）。
51――『ニーチェ』二三九頁。
52――この意味で、無垢の概念は、誕生否定の思想と共通する側面を持っているとも言える。ほんの一滴でも苦しみがあればすべてがダメになってしまうから、そもそも何も起きないほうが良いというような思考パターンを共有しているのである。
53――「子供は無邪気そのもの Unschuld であり、忘却である。一つの新しい始まり、一つの遊戯 Spiel、一つの自力でころがる車輪、一つの第一運動、一つの神聖な肯定である」(『ツァラトゥストラ 上』五〇頁)。

54――信太正三『永遠回帰と遊戯の哲学』一七四頁。これはさらに「力への意志(権力への意志) Wille zur Macht」の概念に結び付く。「生成」は宇宙全体に広がっているが、なかでも生物に見られる生成を駆動するものをニーチェは「力への意志」と呼んだ。「力への意志」とは、ちょうどアメーバが外物を取り込んで肥え太るように、生物が自己の領域を拡大して、より力の溢れたものになっていこうとする意志のことである。ニーチェは実際に細胞が偽足を伸ばす様子をイメージしている(『権力への意志 下』六五六番、一七八頁)。ニーチェは「あらゆる生物は、権力をもとめて、権力の増大をもとめて努力する」と書いている(『権力への意志 下』二一四頁。傍点訳書)。ヤスパースはそれを「〈より以上のものであろうと意志すること〉、上昇意志、自己の成長のための闘争」であるとした(『ニーチェ』四九五頁)。日本語に訳すときの「力への意志」と「権力への意志」の使い分けについては諸説がある。まさに、「生成の無垢」が「力への意志」へとシームレスに接続していく点が、強い者が弱い者を踏み潰していくのはただの戯れとして善くも悪くもないとする発想を生み、ナチスを擁護する思想として利用されたと見ることもできる。しかしだからと言って、「生成の無垢」の概念を切り捨てるべきではないというのが私の考え方である。なぜならそこには「存在」の限界性を乗り超える可能性が潜在しているからである。

55――『権力への意志』下、七八七番、三〇四頁。傍点訳書。

56――『偶像の黄昏』(原佑訳『偶像の黄昏　反キリスト者』ちくま学芸文庫、一九九四年)、六六〜六八頁。「生成の無垢」の考え方が悪用され得る所以である。ブライアン・ライターは、ニーチェの「生成の無垢」を、ダーク・ペレブーム流の人間行為自然災害論の先駆として解釈し、それを肯定的に捉える方向を示唆している。Brian Leiter, "The Innocence of Becoming: Nietzsche Against Guilt", *Inquiry* 62 (1), 2019:70-92.

57――実際、ニーチェが生成と自己否定を結び付けている箇所がある。「捏造し、意欲し、自己否定し、自己超克するはたらきとしての生成」(『権力への意志 下』六一七番、一四九頁)。

58――アレクサンダー・ネハマスも、この言葉を「生成として存在する」として解釈する。曰く、「自分を自分のすべての行為と同一視し、自分のすることすべて(自分のなるところのもの)が自分のあるところのものであると見なすということである」(『ニーチェ――文学表象としての生――』二八四頁)。しかしそこにどのような論理が内在しているのかはさほど明らかにされていない。

59——『ニーチェの哲学』一〇二頁。
60——『ニーチェ』六一三頁。
61——同書、六一二頁。
62——岸見一郎訳『ティマイオス　クリティアス』白澤社、二〇一五年、28a、三四頁。傍点訳書。
63——"Was ist, wird nicht; was wird ist nicht."『偶像の黄昏』(『偶像の黄昏　反キリスト者』)三八頁。傍点訳書。
64——マルティン・ハイデガー『ニーチェⅠ』(細谷貞雄監訳、杉田泰一・輪田稔訳、平凡社ライブラリー、一九九七年(原著一九六一年)、一八六〜一八七頁)。
65——同書、五五〇頁。
66——「生を生成としてあらしめ、生がたんに存在者として——堅固に現存するものとして——固定化することのないように」した(『ニーチェⅡ』細谷貞雄監訳、加藤登之男・船橋弘訳、一〇一頁)。
67——『権力への意志』六一七番、一四八頁。傍点訳書。
68——『ニーチェⅡ』二四八〜二四九頁。
69——『ニーチェⅠ』五五一頁。細見和之もまたニーチェのこの箇所を、生成の世界が存在の世界に極限的に近づく「その際どい地点こそが「考察の頂点」であるとニーチェはダメ押ししている」とし、ハイデガー的な読み方をしている(細見和之編著『ニーチェをドイツ語で読む』白水社、二〇一七年、一四一頁)。
70——内藤可夫『ニーチェ思想の根柢』一一三頁。
71——いずれにせよハイデガーは、『愉しい学問』にあるニーチェの文章、「われわれドイツ人は……(すべてのラテン人と正反対に)、生成や発展に、「存在」しているものよりも、いっそう深い意味と豊かな価値を本能的に付与するからには。——「存在」という概念の権利を、われわれはほとんど信じない」という文章を、自説と整合的に説明しなければならないであろう(『愉しい学問』三五七番、三八七〜三八八頁)。
72——砂原陽一「ニーチェにおける〈両義的思考〉」(『金沢大学文学部論集　行動科学・哲学篇』第二七号、二〇〇七年、一三五〜一五五頁)、一三九頁。元テキストでは「術語」となっているが誤植と考えられるので森岡の判断で「述語」に直した。
73——蒲生四郎が和訳をウェブで公開している(http://theognis.ojaru.jp/detheognide.html　二〇二〇年四月一三日閲覧)。

ニーチェはこの論文でテオグニスの当該の断章の閲覧を指示している。

74——塩屋竹男訳『悲劇の誕生』ちくま学芸文庫、一九九三年、三六頁。

75——四〇頁。

76——四四頁。

77——四四頁。

78——『権力への意志 上』三八番、五一頁。その他にも、「世界が存在するよりも世界が存在しない方がましであるにちがいない」との文章があるが、それは批判対象の立場を表わしたものである（同書、下、七〇一番、二二五頁）。またニヒリストについて、「あるがままの世界については、それはあるべきではなかったと判断し、また、あるべき世界については、それは現存していないと判断する人間のことである」としているが、これも同様に、克服すべき対象についての記述である（同書、下、五八五番、一二四頁。傍点訳者）。

79——ニーチェの自殺観についてはヤスパースが簡潔にまとめている。ニーチェは、人間が自分の生をどうするかについては、神にではなく、生それ自体にまかされていると考える。そして「万人が「自由死」を「然るべき時に」死ぬということ」が帰結となるとヤスパースは言う。ニーチェは自由意志による理性的な死を称揚している。社会の「寄生虫」である病人たちを含む多くの「余計な者たち」、言い換えれば「最初から決して「然るべき生」ではない生存を営んでいた人間たち」は、自殺をすることが尊敬に値することであり、適切に生きた人間たちは、「創造的」な生が終わりになったときが、その然るべき時なのである（『ニーチェ』五二一～五三四頁）。

80——『生の肯定』八七頁。

81——『権力への意志 上』二九三番、二九一～二九二頁。傍点訳書。同書の三三三番、三三三頁も参照。

82——森岡正博「「生まれてこなければよかった」の意味」『人間科学：大阪府立大学紀要』八号、二〇一三年、八七～一〇五頁。この論文では「無化解釈」と「別世界解釈」という語で呼んだ。「反─反出生主義解釈 Anti-anti-natalistic interpretation」と「可能世界解釈 Possible world interpretation」という語は、Masahiro Morioka, "A Solipsistic and Affirmation-Based Approach to Meaning in Life", *Journal of Philosophy of Life* Vol.9, No.1 (2019):82–97で用いた。

83——拙論「「生まれてこなければよかった」の意味」では、次のように書いた。「「生まれてきて本当によかった」とは、現状とはまったく内容の異なる世界がもしあり得るとして、たとえその世界では私のかかえている深刻な問題が解決されていたとしても、そのようなあり方を持つ世界のなかに私は生まれてきたかったと私がいまここでけっして心から欲したりしないことである」（一〇一頁）。

84——実存主義の先駆者のひとりとされるニーチェにおいて、これを正面から設定しにくいのは不思議なことである。

85——ピエール・クロソウスキー『ニーチェと悪循環』兼子正勝訳、ちくま学芸文庫、二〇〇四年（原著一九六九年）、一三九頁。クロソウスキーはさらに、同じ行為が無限に繰り返されることはもはや贖罪に近いと述べている（一四三頁）。竹田青嗣は、「「永遠回帰」のイデーは、生の一回性を利用して世界と生そのものへ復讐しようとするルサンチマンの欲望を〝無効〟にするのである」と指摘し、ニーチェは意図的に「生の一回性」を潰そうとしていると考える（『ニーチェ入門』ちくま新書、一九九四年、一七七頁。傍点原著）。ヤスパースは、もしほんとうに宇宙がまったく同じ内容で戻ってきたとしたら、それは宇宙が一回だけ存在することとなんらの違いもないことになるという決定的な批判をしている（ヤスパース『ニーチェ』六〇五頁）が、これもこの点に関連するだろう。それでもなお、なぜニーチェが永遠回帰にこだわったかと言えば、永遠回帰によってはじめて、「神の死」と「無」が超克されるからだというのがヤスパースの見立てである（六〇四頁）。

86——信太正三は次のように言う。「一切の「あった」を「そうあることを私は欲した！」に造り変えることこそが、はじめて真に過去のみならず全存在の救済と呼ぶに値するものである」（『永遠回帰と遊戯の哲学』一四二頁。傍点原著）。

87——これを「生成の無垢」の立場から見てみれば、たとえどのような悲惨や悪や苦しみや加害がこの世界に繰り返し生成しようとも、その生成は無垢であって、善いとか悪いとかの次元を超えており、それを「欲する」ことについても善悪はないことになる。

88——この点については拙論「「生まれてこなければよかった」の意味」で述べた。

89——これについては、入不二基義・森岡正博『運命論を哲学する』（明石書店、二〇一九年、四二〜四五頁）で、森岡の視点から解説したので参照してほしい。入不二自身の議論は、入不二基義『あるようにあり、なるようになる——運命論の運命』（講談社、二〇一五年）にある。入不二は、この相対的な側面と絶対的な側面が動的なせめぎあいの運動をしていると考える。

90——ヤスパースはこの点について、「運命愛は、認識されていると思い込まれた必然性への受動的な服従ではなく、むしろ、運命の必然性を意識しながらの、自由な能動性の表現としての「あらゆる種類の不確実性と試しの余地の享受」なのである」と書いている（『ニーチェ』六一四頁。傍点訳書）。

91——以上の議論は、入不二に触発されて森岡が展開したものである。入不二自身はニーチェの運命愛を同書では考察していない。ニーチェは『生成の無垢』で次のように言う。「運命が私たちにふりかかってくるまえに、私たちは、運命を子供を導くように導き、運命に鞭を加えるべきである。だが、運命が私たちにふりかかってしまったなら、私たちは運命を愛するよう努めるべきである」（『生成の無垢 下』一一五八番、五九四頁）。ここでは、運命愛が発動するのは、ある出来事が私にふりかかった後の話になっており、未来に向かっては運命愛は発動されないように見える。「鞭を加える」が何を意味しているかによるが、ここを見るかぎり、ニーチェ自身は未来に向かう運命愛の可能性を深く考察していないように見える。ところがこれに対して、すでに引用した『この人を見よ』の断章（『この人を見よ　自伝集』七五頁）では「前に向かっても、後ろに向かっても」と書かれており、運命愛が未来に向かうとされている。この点についてニーチェは揺れていたのではないか。もし遺稿よりも公刊本を重視するとすれば、ニーチェは未来に向かう運命愛を直視していたということになりそうだ。

92——茅野良男訳『曙光』ちくま学芸文庫、一九九三年、四六三頁。傍点訳書。

第7章

誕生を肯定すること、生命を哲学すること

1　誕生害悪論を再考する

ニーチェの哲学を考察するなかで、伝統的な「存在」と「生成」の問題が浮かび上がってきた。「何かである」ことと「何かになる」ことは区別して考えなければならないのである。「存在」と「生成」は異なるという視点からベネターの議論を見てみると何が分かるだろうか。

ベネターの誕生害悪論を正確に追うと、以下のようになっている。まず、ある人が存在する場合を考える。このとき、その存在する人が苦痛を感じているときと、快楽を感じているときがある。次に、ある人が存在しない場合を考える。このとき、その人は存在しないのだから苦痛を感じていないし、その人は存在しないのだから快楽を感じていない。そして次に、ある人が存在して苦痛や快楽を感じる場合と、ある人が存在しないから苦痛も快楽も感じない場合を比較してみる。すると、ある人が存在して苦痛や快楽を感じる場合よりも、ある人が存在しないから苦痛も快楽も感じない場合のほうが、「より善い」ことになる（その理由は第2章で述べた）。すなわち、人が存在する場合と、存在しない場合を比較すれば、人が存在するよりも、存在しないほうが「より善い better」のである。逆に言えば、人が存在しないよりも、存在するほうが「より悪い worse」のである。ここまでがベネターの議論の前半である。これは人の存在の善悪についての議論であるから、私はこれを「誕生害悪論の存在命題」と呼ぶことにする。

ベネターはこれをさらに先に進める。人が存在しないよりも、存在するほうが「より悪い」のだから、人が生まれてくることはつねに害悪である coming into existence is always a harm ことが導かれる。言い換えれば、人が生まれてくることよりも、生まれてこないことのほうが「より善い」のである better never to have been。これがベネターの議論の後半である。これは人が生まれてくることの善悪についての議論であるから、私はこれを「誕生害悪論の生成命題」と呼ぶことにする。非存在から存在への生成の善悪が問われているからである。

2　善から悪が生成することは悪なのか?

ベネターの議論を整理するとこうなる。

誕生害悪論の存在命題
人が存在しないよりも、人が存在するほうが「より悪い」。
人が存在するよりも、人が存在しないほうが「より善い」。

誕生害悪論の生成命題
人が生まれてこないことよりも、人が生まれてくることのほうが「より悪い」。
人が生まれてくることよりも、人が生まれてこないことのほうが「より善い」。

そしてベネターは、「誕生害悪論の存在命題」が正しければ、そこから、「誕生害悪論の生成命題」が正しいことが、ただちに導かれると考えている。ただしベネターはなぜその導出が正しいと言えるのかについて、論証をしていない。私は、「誕生害悪論の存在命題」から「誕生害悪論の生成命題」はかならずしも導かれないと考える。[1]ベネターの誤りは、そもそも導出できないものを、導出できると直観して議論を進めたところにある。そのことを私はこれから示していきたい。[2]

その考察を進める前に、用語法について説明しておく。日本語には、比較級の「より善い better」と「より悪い worse」を簡潔に表わす単語がないので、本章第2節内で「善」という単語を使うときには「より善いこと」を表わし、「悪」という単語を使うときには「より悪いこと」を表わすものとしたい。ベネターは、「人が存在するとき」と「人が存在しないとき」を比較してその善悪を語る場面では、つねにどちらが「より善い」のか「より悪い」のかという相対的な善悪について議論しているので、その点を押さえておけば、以下の考察で「より善いこと」を「善」と暫定的に表記し、「より悪いこと」を「悪」と暫定的に表記しても大きな問題はないであろう。[3]この置き換えは本章第2節以外では行なわない。ただし本節内でも、文脈によっては「より善い」「より悪い」の表記も行なう。また「善い」「良い」「よい」の三つの日本語表記をこれからも使っていくが、当面のあいだ、意味する内容は同じである。

ところで、ベネターが主張するのは、「人が存在しないという善の状態（より善い状態）」から「人が存在するという悪の状態（より悪い状態）」が生成するのは悪である（生成しないのと比べてより悪い）という命題である。[4] これは、「善から悪が生成することは悪である」（より善い状態からより悪い状態が生成することは、それが生成しないのと比べてより悪い）というさらに一般化された命題の、ひとつのバリエーションである。

ベネターの議論を検討する前に、この一般命題、すなわち「善から悪が生成することは悪である」という命題と、その逆の「悪から善が生成することは善である」という命題について、簡単な考察をしておきたい。それを経ることによって、ベネターの議論の陥穽が見えやすくなると思うからである。

たとえば、人は、いまの幸せに満ちた善の状態（より善い状態）をわざわざ手放して、みずから選択して絶望的な悪の状況（より悪い状態）へと歩んでいくことがある。その人にとっては、その絶望的な状況へと落ち込んでいく遷移のプロセスそれ自体が魅惑的なのである。幸せから絶望へのこのような遷移は、愚かであるとは言えるが、かならずしもその人にとって悪である（より悪い）とは言えない。文学作品によってしばしば描かれるとおりである。あるいは美学の領域になるが、美しい状態と醜い状態があったとき、美しい状態から醜い状態に遷移することは「醜い」と言えそうに思うけれども、しかしこの世には、美しいものが醜くなっていく「美」というものもまた存在するのである。このように、遷移先の存在の価値と、遷移先の存在へと「生成する」ことの価値は、かならずしも一致しない。

以上を念頭に置きながら、「悪の状態から善の状態が生成することは善なのか?」(より悪い状態からより善い状態が生成することはより善いのか?)という問いと、「善の状態から悪の状態が生成することは悪なのか?」(より善い状態からより悪い状態が生成することはより悪いのか?)という問いについて、まずは考えてみたい。

最初に、「悪の状態」から「善の状態」が生成することを考える。たとえば、お金がなくて最低限の文化的生活をすることもできなかった貧乏な私が、あるとき宝くじで大当たりをして金持ちになったとする。このケースにおいて、貧乏である私は「悪の状態」であり、金持ちである私は「善の状態」であると措定しよう。このとき、宝くじが当たるのは、「悪の状態」から「善の状態」に遷移することであり、「善いこと」のように見える。しかしながら、必ずしもそうではない。

容易に想像できるように、宝くじが当たって巨額の富を手に入れることで、不幸になっていくケースがあり得る。それまでは貧しかったから物欲というものはあまりなかったのだが、急にたくさんのお金を使えるようになって、自分のなかに潜んでいた物欲が目覚め、欲しいものをどんどん買い続けないと満足できないような人間に変わってしまったのである。そのときに私は思うだろう、「ああ、私は最初から金持ちだったらよかったのに。貧しい状態から金持ちの状態に生成するのは、まったく善いこととは思えない」。

すなわち、このケースにおいては、お金を自由に使えないという「悪の状態」から、お金を自由に使うことができるという「善の状態」への生成が実現しているのだが、私はその生成にともなって生じた物欲に振り回されて、その生成それ自体をまったく「善いこと」とみなせなくなっているのである。

もちろんこのケースに対して、金持ちになって物欲に振り回されるのなら、それはそもそも「善の状態」ではないという反論があり得るだろう。しかしながら、当初措定されていた内容の「善の状態」は問題なく達成されていると見るべきである。「善の状態」は達成されているにもかかわらず、その「善の状態」への生成が「善いこと」と思えないというのがここでのポイントである。これに対して、それは当初の措定そのものが甘かったのであり、最初から物欲の出現について想像しておくべきだったとの反論があり得る。しかしながら、もし仮に最初から「物欲が出現しないで金持ちになる」という「善の状態」を措定したとしても、その状態へと実際に生成してみたら、当初措定されなかった別の要因が出現してその生成を「善いこと」と思えないものに変えてしまうという可能性は残る。この連鎖は無限に続き得るのであり、その連鎖項目すべてを潰さないかぎり、その反論は中途半端なものに終わる。

すなわち、お金をたくさん持っている状態を静的に孤立させて取り出せば（＝存在）それは善であったとしても、貧しい状態からお金をたくさん持っている状態になるその動的なプロセス（＝生成）をトータルとして見てみれば、その動的なプロセスがかならずしも善にならない場合が存在するのである。「悪の状態」から「善の状態」が生成することはかならずしも善であるとは限らないのである。[6]

それでは第二に、「善の状態」から「悪の状態」が生成することを考える。たとえば、私が老年期に至って仕事が完成し、人生の絶頂の状態にあり、これ以上ない達成と幸せに包まれているとする。これは善の状態である。私はちょうど高い山頂に登ってまわりを見降ろしているような状態である。そしてこの山頂が最高であり、私がこれからできるのは、ただ山頂から下っていくことのみである。そして山を降りた先にあるのは、肉体も精神も朽ちて崩れた荒涼たる人生の風景だ。これは悪の状態である。このようにして人生の老年の山頂からそのような底辺へと降りていくことは、「善の状態」から「悪の状態」に遷移することであり、「悪いこと」のように見える。しかしながら、必ずしもそうではない。

容易に想像できるように、人生の老年の絶頂期のこれ以上ない達成と幸せを自分の糧として、人生の最後の急峻な下り坂を「これでよし」と思いながら降りていく者にとっては、たとえその先に朽ちて崩れた悪の状態が予定されていたとしても、そこへと赴くこと自体はかならずしも悪とは言えない場合がある。というのも、私は絶頂期において自分のもっとも素晴らしい時間を味わうことができ、「これでよし」という深い体験をすることができた。その体験は、私がこれから遭遇するであろうあらゆる必然的な人生の道のりを「これでよい」ものへと変えていくのである。たしかに急峻な坂を下りて行った先は、朽ちて崩れた「悪の状態」であるのだけれども、

「これでよし」という思いを胸に秘めている私にとっては、その「悪の状態」へと生成することもまた「これでよい」のであり、けっして「悪いこと」ではない。

すなわち、このケースにおいては、人生の老年の絶頂期という「善の状態」から、朽ちて崩れた「悪の状態」への生成が実現しているのだが、私が人生の絶頂期に体験した「これでよし」という思いによって、「悪の状態」への生成それ自体を「悪いこと」とみなさなくてもよくなっているのである。

もちろんこのケースに対して、人生の老年の絶頂期から下って行く先が、健康で健やかな老後であったとしたらそのほうが「より善い」であろうから、それに比べれば、朽ちて崩れた「悪の状態」になるのは「より悪い」ことであるという反論がなされるかもしれない。しかし、それは遷移先の善悪の比較をしているにすぎず、問うべき論点をずらしている。ここで問うべきは人生の絶頂期から下って行くことの善悪であり、その場合、人生の老年の絶頂期から健康で健やかな状態に下って行くことはまったく「悪くない」と心の底から思えるし、人生の老年の絶頂期から朽ちて崩れた状態に下って行くこともまたまったく「悪くない」と心の底から思えることがあり得るのである。

すなわち、朽ちて崩れた状態を静的に孤立させて取り出せば（＝存在）それは悪であったとしても、人生の老年の絶頂期から朽ちて崩れた状態になるその動的なプロセス（＝生成）をトータルとして見てみれば、その動的なプロセスがかならずしも悪にならない場合が存在するのである。

「善の状態」から「悪の状態」が生成することはかならずしも悪であるとは限らないのである。

　これに関して私は、ニーチェの『ツァラトゥストラ』の冒頭で、ツァラトゥストラがみずからの意志で山を降り、「没落」することを選択したシーンを連想する。[7] あるいは、ブッダが涅槃の状態を得たあとで、その涅槃をいったん解除し、人々の苦しみの世界へと降りてきて法を説いたという逸話を連想する。ツァラトゥストラにおいては卑小な者たちの世界は悪であるし、ブッダにおいても苦しみに満ちた世界はそこからの離脱が求められるのだから悪と呼んでも差し支えないだろう。しかし彼らがその悪の世界へと降りていくこと、すなわち悪の世界へと「生成」することは、けっして悪ではないのである。

　以上のように、悪から善が生成することはかならずしも善ではないし、善から悪が生成することもまたかならずしも悪ではない。存在に対する善悪の価値判断と、生成に対する善悪の価値判断は、まったく別の次元で考えなければならないのであり、その二つの判断を直結させてはならない。

　ところで、右で述べた二つの事例は、すでにある状態で存在している人が、別の状態の存在へと生成する場合であった。同様の思考実験を、ベネターの誕生害悪論における、非存在から存在への生成のケースで行なったらどうなるだろうか。

　ベネターはまず、ある人が存在しないことは、ある人が存在することよりも善いと主張する。そして、「ある人が存在しないという善の状態」から「ある人が存在するという悪の状態」が生成することはその人にとって悪であると結論する。ここで気をつけるべきは、誕生害悪論においては、ある存在が別の存在へと生成することの善悪が問われているのではなく、非存在から存在が生成することの善悪が問われているという点である。したがって、さきほど行なった二つの議論をただちにここに適用することはできない。

ここで、森岡が議論する論点を明確にしておきたい。森岡が議論するのは、私という主体が存在しない状態から、私という主体が存在する状態へと生成が起きることは善か悪かという問題である。これは本書の主題である「私は生まれないほうが良かったのか」という問いに答えることでもある。ベネターは「ある人」というふうに一般化して考察をしたが、森岡は「私」というふうにそれを限定して考察する。[8] ベネターの言う「ある人」は「私」を含んでいるから、もし誕生害悪論が「私」のケースで成立しなければ、それはベネターの誕生害悪論が全体として崩壊することを意味する。

ベネターの誕生害悪論を「私」のケースに適用すれば、私が存在しないことは、私が存在することよりも善いのであるから、私の非存在という善から、私の存在という悪が生成すること、すなわち私が生まれてくることは悪であるという結論になるだろう。

ここでもっとも重要なのは次の点である。すなわち、私が生まれてくる場合、生まれてきたことの善悪を判断するところの「私という主体」それ自体が、生まれてくるという出来事によってはじめてこの世に存在するに至るという点である。私という主体がどこか宇宙の外側に存在していて、そこから見て「私が生まれてこない場合の善悪」と「私が生まれてくる場合の善悪」を判断する、というふうにはなっていないのである。ここが決定的であり、ベネターは誕生害悪論において、この論点を取り逃がしていると言わざるを得ない。この点を掘り下げてみよう。

ベネターは、私が存在している場合の善悪については快楽と苦痛のあるなしにもとづいて議論を行ない、私が存在していない場合の善悪については「もし私が事実に反して存在していなかったらどうなるであろうか」という反事実条件法をもちいて議論を行なう。[9]森岡は、ベネターの後者の反事実条件法の取り扱いに大きな難点があると考えているが、それについては他の論文で批判するとして、ここでは百歩譲って彼の議論が正しいと仮定してみる。[10]すると、私が存在しないことは善であり、私が存在することは悪であるという結論が導かれる。私はすでに存在しているのだから、存在する私の状態について善悪を判断するのは可能であり、私が存在しない状態についても、私の非存在を反事実的に想像してみることによってその善悪の判断が可能になる。いずれの判断も、いまここに存在している私によって遂行することができる。

しかしながら、私がこの世へと生まれてくる「生成」そのものの善悪について、いまここに存在している私が判断するのは不可能である。というのも、ベネターが最終的に問うているのは、「私が生まれてきたこと」(生成)と「私が生まれてこなかったこと」(非生成)の二つを比較したときに、どちらが「より善い」のかという問題である。この二つを比較するためには、「私が生まれてきたこと」の善悪を判断し、そして「私が生まれてこなかったこと」の善悪を判断したうえで、その二つを比較しなければならないが、それは不可能である。なぜかと言えば、後者の「私が生まれてこなかったこと」を正しく措定することは原理的に不可能だからである。

微妙な点なので、精密に考えてみる。

「私が存在していないこと」がどういう状況かを、いまここに存在している私が、反事実的に想像してみることはできるかもしれない。たとえば、「もし私が存在していなければ、私はこんなひどい苦しみに耐えなくてもよかったことだろう」という反事実的な想像をしてみることはできるかもしれない。そしてその反事実的な状態について、善悪の判断をすることも可能かもしれない。ところが、「私が生まれてこなかったこと」がどういう状況なのかを、いまここに存在している私が、反事実的に想像してみることはできない。なぜなら、「もし私が生まれてこなかったならば」という反事実的な想像を正しく完遂しようとすれば、それはいまここでそれを遂行しようとしている私の存在をも消さなければならなくなるからである。もし私が生まれてこなかったならば、私はいまここにいるはずはないのであり、この問いを考えることすら不可能なはずだからである。「私が生まれてきたこと」の否定を正しく行なおうとすれば、それは私がいまここに存在してこの問いを考えていることにまで実際に波及し、いまここの私を飲み込んで否定してしまわざるを得ない。「私が生まれてきたこと」の反事実的な想像は、それについて判断するべき主体であるいまここの私の存在を実際にこの世から抹消することを要求するのである。そして、もしその否定が正しくなされたならば、私はもはやその事態を想像することができなくなるのである。

「私が存在していないこと」に関しては、このようなことは起きない。それはひとつの反事実的な状態であるから、いまここにいる私はそれをいわば突き放して仮想的に措定し、その状態について判断をすることができる。たとえば、「私が存在していない場合には、私が何かの経験をするということもあり得ないのだから、そのことは善いのか悪いのか」という点について、いま私はここに存在しながらその問いを有意味に考えることができる。[11]ところが「私が生まれてこなかったこと」に関しては、いまここにいる私はそれを突き放して仮想的に措定することはできない。なぜなら、「私が生まれてこなかった場合には」と措定したとたんに、私はいまここにいる私の存在そのものを実際に否定しなくてはならなくなるのであり、この措定を私は有意味に実行することができないからである。[12]静的な存在の次元とは異なり、動的な生成の次元では、私の生成の否定は、それを否定しようとしているいまここの私の生成の否定の完遂にまで及ぶ。この点にこそ、存在と生成の決定的な差異を見なくてはならない。

これを別の角度から考えてみよう。「私が存在していない宇宙」は、反事実的に措定可能である。ところが「私が生まれてこなかった宇宙」は措定可能どころか、そもそも語義矛盾である。もちろん「私が生まれてこなかった宇宙」という文章を私は組み立てることはできるが、それが具体的に何を意味するのかを私は理解することはできないし、それが具体的にどのような状況なのかを想像してその善悪を判断することもできないのである。なぜなら、それを想像するためには、いまここでそれを想像しようとする私それ自体の不在の状況を作り出さなければならないが、それは不可能だからである。つまり、「私が存在していない」状態についての反事実的な想像の場合、いまここでそれを想像している私それ自体にまではその否定の力は及んでこずに、いまこの私は外側の安全地帯に立って命題を傍観的に考察することができるのだが、「私が生まれてこなかった」状態についての反事実的な想像の場合、いまここでそれを想像している私それ自体にまでその否定の力が及んできて、私を飲み込んで消去するということが成立しないといけないからである。私の存在を反事実化することは可能であるが、私の生成を反事実化することは不可能である。私は自身の存在の否定の外側には立てるが、私は自身の生成の否定の外側には立てない。まさにここに「生成」の「生成」たる所以がある。「生成」は力なのである。宇宙が過去に二つの並行宇宙に分岐して、私が存在するようになる宇宙と、私が存在しないまま現在に至る宇宙に分かれたとする。このとき、私は、私が存在するようになる宇宙について想像をすることができるし、私が存在しないまま現在に至る宇宙について反事実的な想像をすることができる。しかしこれに対して、私は私が生まれてこなかった宇宙などというものを想像することはできない。一見すれば、「私が生まれてこなかった宇宙」は「私が存在しないまま現在に至る宇宙」と同じようだが、実はまったく異なる。私は後者を想像することができるが、前者を想像することはできない。前者は後者とけっして同一ではないだけでなく、そもそも想像することすら不可能な何ものかである。想像することすら不可能であるから、その状態についての価値判断は不可能であり、その状態の善悪の判断などそもそもできるはずがない。私の非存在と私の非生成は本質的に異なっており、前者は措定可能であるが後者は措定不可能であるという命題を、「私の非存在／非生成問題」と呼んでおきたい。これは新しく発見された命題である可能性がある。[13]

話を戻せば、「私が生まれてこなかったこと」の善悪についての判断を私は行なうことができないのであるから、「私が生まれてくること」が「私が生まれてこなかったこと」よりも「より善い」のか「より悪い」のかについては、何の結論をも導くことができないというのが正しいのである。これはまさにニーチェの言うところの「善悪の彼岸」「生成の無垢」そのものである。すなわち、「私が生まれてくること」は「私が生まれてこなかったこと」に比べて、「より善く」もないし「より悪く」もない。「私が生まれてくること」は善悪の評価軸を超えた「善悪の彼岸」であり、何ものによっても汚されていない「無垢なる生成」なのである。

以上によって、「私が生まれてくることは常に害悪である」と確実に結論できるとする誕生害悪論には論理的な根拠がないことが分かった。なぜなら、私の誕生に関して、誕生害悪論の存在命題から、誕生害悪論の生成命題を一義的に導くことはできないからである。そしてベネターが「ある人が生まれてくること」の善悪について議論をするとき、その「ある人」には「私」もまた含まれていることは明らかであるから、「ある人」が生まれてくることについてのベネターの誕生害悪論にもまた論理的な根拠がないことが結論づけられるのである。森岡の以上の考察は、ベネターの問題提起がなければ生まれなかった。彼の誕生害悪論は、それに躓く者たちの哲学的思索を挑発し発展させることのできる真正の哲学的問いである。

ここで行なった私の議論は、「存在」と「生成」の違いをそのようなものとして考えていってはどうかという概念再定義的な提案として受け止めてもらってもよい。もちろん、私がここで述べたような「存在」と「生成」の違いをまったく承認しない立場もあり得るだろうし、この考察自体がまだ萌芽的なものにとどまっているのは明白であるから、今後も引き続き議論を継続していきたいと考えている。

3 子どもを産むことをどう考えるか

それでは、私たちが子どもをこの世に誕生させることの善悪についてはどうだろうか。ベネターの誕生害悪論には正しい論理的根拠がないのだから、彼の主張する胎児死亡主義や人類の段階的絶滅が結論として論理的に導出されることはあり得ない。

ところで、地球環境危機の時代において、人類は次の世代に良好な環境を持続的に残しておかなければならないとする考え方が二〇世紀後半から支持を広げてきた。これを「将来世代への責任」論と言う。その論が成立するためには、そもそも将来に、良好な環境の恩恵を受ける人間たちが存在している必要がある。この人類の存続こそが、これからの倫理的な規範となるべきだと強力に提唱したのがハンス・ヨーナスである。これは人類段階的絶滅論とはまさに正反対の主張である。

ヨーナス（ヨナスと表記されることもある）は、ハイデガーとブルトマンに師事したユダヤ人哲学者である。ドイツから英国に亡命し、第二次大戦後は米国で親友ハンナ・アーレントと交流しながら独創的な哲学を打ち立てた。実はヨーナスこそ、私が構築しようとしている「生命の哲学」の直接的な創始者である。彼は一九六六年に著書『生命という現象』で、生物進化と人間の自由を統合的に捉える生命の哲学を展開し、一九七九年に著書『責任という原理』で、将来世代への責任を軸とした環境哲学を展開した。また、人体実験や脳死についての生命倫理学の草分けのひとりでもある。さらに興味深いことに、彼が生涯をかけて研究したのは、本書第2章でも触れたグノーシス思想であり、彼の研究はその分野の古典とされている。

ヨーナスの哲学については、本シリーズで何度か考察する予定である。本節では、子どもを産むことに関する彼の考え方を簡潔に紹介しておきたい。ヨーナスはまず、地球における四〇億年の生物進化の歴史を考える。生物の誕生は原始の単細胞生物から始まった。細胞膜を通した物質代謝によって細胞が自己を維持していくその方式のなかに、すでに「自由」の萌芽が出現しているとヨーナスは考えた。生物進化にともなって、さまざまな生物種が登場し、「自由」はより高度で豊かなものになっていく。その最後に登場したのが人類である。人類において「自由」は最高度に達した。人類と他の生物種たちは、地球上で「自由」を多様に展開しようとする共同プロジェクトの同志たちなのである。[14]

人類は、生物進化の果てに、みずから「義務」を担うことのできる存在となったとヨーナスは考える。その「義務」とは何かといえば、生きとし生けるものたちが傷ついて助けを求める声をあげているときに、その声に応答して彼らを保護しなければならないという義務である。保護の対象となるのは人間だけではなく、動物や植物もその対象に含まれる。このような「義務」を担えるところまで進化を遂げたのが人類の特質であり、けっして失われてはならない美点である。地球上からこのような存在を消し去ってはならないとヨーナスは考える。人類は、「義務」を担える存在にまで進化した人類を消滅させてはならない。であるがゆえに、人類は存続し続けなくてはならないという「義務」を担っている。これは「命法（命令）Imperativ」として捉えられなければならない。[15] ヨーナスは、人類はサバイバルしなければならないという命法を、カントを利用して、「汝の行為のもたらす因果的結果が、地球上で真に人間の名に値する生命が永続することと折り合うように、行為せよ」と表現する。[16] これは命令であるから、異論は許されない。ヨーナスは将来世代の絶滅の可能性を念頭に置いたうえで、「現在の世代が存在するために将来の世代の非存在を選択する権利は、われわれにはない」と断言する。[17] 彼にとって、将来世代を存在させる義務は「公理 Axiom」なのだ。[18] ただしこの義務は全体としての人類に課せられるものであり、個々の人間に出産の義務が課せられるわけではない。

ヨーナスは、生きとし生けるものたちが傷ついて助けを求める声をあげているときに、その声に応答して彼らを保護しなければならないという義務が人間にはあると言う。ヨーナスがこのときに想像しているもののひとつは、大人の目の前で泣いている人間の新生児である。新生児は大人たちに向かって自分を保護しろとは命令しない。新生児はただそこで泣いているだけなのだが、しかし大人のほうはと言えば、そのような新生児を目の当たりにしたときに、その子に手を差し伸べて保護しなければならないという責任を感じてしまうはずだ、とヨーナスは指摘する。ここには、力において劣っている、か弱い存在である新生児のほうが、大人の心の中に責任を生じさせる動因となるという逆転の構図がある。すなわち、新生児がそこに存在しているというただそれだけのことから、その新生児の生存に対して大人は責任を持たなくてはならないという義務が問答無用に発生してしまうのだ。

ヨーナスは言う。「乳児が息を吸い込んで、吐き出すそのたびごとに指し示しているところの乳児の内在的な存在当為 Seinsollen が、そのようにして生まれる[19]」。乳児の「呼吸 Atemzug」という言葉でヨーナスは、『旧約聖書』で神が人間に吹き込んだところの息を念頭に置いているのだろう。存在当為とは、存在の内部に埋め込まれている当為（べし）のことである。ヨーナスの結論は以下である。「子どもが飢え死にすること、そうした事態の発生を許すことは、人間にとってありうるすべての責任の中でも第一の、もっとも基本的な責任を踏みにじることである[20]」。人類全体が背負うべき責任の中でもっとも重大なものは、子どもを飢え死にさせないことだという この主張は、ヨーナスの環境倫理学でもっとも心を動かされる言葉である。

このように、ヨーナスは人類が子どもを産んで生存し続けることを「命法」として提示し、それはいかなる理屈によっても覆されてはならないと考えた。その根拠となるものは、生物進化の果てに獲得された「義務」を担える存在が宇宙にあり続けることの尊さであり、かよわき新生児から発出されているところの、みずからを存在させ続けよという呼びかけである。[21]

ヨーナスのメッセージは誤解しようのないほど明瞭であるが、その論理構成には大きな問題がはらまれているように見える。「命法」「公理」と言われてしまうと、根拠を求める議論がそこで終わりになるからである。吉本陵と私は、ヨーナスが「将来世代を産出する義務」についてどう考えていたのかに着目し、二〇〇九年に「将来世代を産出する義務はあるか？」[22]という共著論文でそれを考察した。ヨーナスの分析はもっぱら吉本が担当した。実はこのとき、我々はまだベネターの著書の存在を知らなかった。その後、ベネターの議論を知り、ベネターとヨーナスを対比させて「出生」について考察する取り組みを始めた。その研究成果のひとつは、吉本の単著論文「人類の絶滅は道徳に適うか？――デイヴィッド・ベネターの「誕生害悪論」とハンス・ヨーナスの倫理思想」として二〇一四年に刊行された。[23]そして森岡による研究成果として本書が刊行された。[24]

人類は子どもを産み続けなければならないとするヨーナスの人類存続命法論を正面から受け取れば、人類は今後けっして滅んではならないことになる。どんな状況に陥ろうとも、永遠に存在し続けなければならないのである。もちろんヨーナスは、現代の破壊的テクノロジーの時代において人類は滅びてしまうかもしれないという危機感から、人類存続命法論を提唱した。したがって、人類は滅んではならないと〈強制する〉ことの問題点を、彼は強くは意識していなかっただろう。[25]ヨーナスの考え方の弱点のひとつは、遠い将来、人類の生物進化の終着点が迫ってきたときに、人類全体のもっとも望ましい絶滅の道筋を示せないところにあると私は考える。ちょうど人間個人が死ぬときに、「生まれてきて本当によかった」と思いながら死ぬことができれば幸せであるように、人類もまた絶滅に直面したときに、「人類は生まれてきて本当によかった」と集合的に歴史を振り返りながら死に絶えていくという道筋があってほしいと私は考える。これはベネターが言うような、人類は生まれてこないほうが良かったから無に戻ったほうがよいという意味ではなく、人類は生まれてきてよかったと認めたうえで、そのよさを噛みしめながら静かに肯定的に滅んでいくという意味である。その場合、生まれてきたことのよさを噛みしめる主体は誰かという点であるが、究極的には人類最後の一人に集約されるのかもしれない。

私が個人の「誕生肯定」を主張するときに、私はけっして死にゆくことを否定しているのではない。生まれてきたことを肯定しつつ、これから死にゆくこともまた肯定できるような道筋を探したいのである。それと同じことが人類レベルでも起きてほしいと思うのである。

実はヨーナスも、個人の死に方については同じようなことを考えていた。彼は一九九三年に八九歳で亡くなったが、その前年に「死すべき運命の重荷と恩恵」という感動的な論文を刊行した。彼は、テクノロジーによって永遠に生きようとする欲望が人類にあることを指摘したのちに、しかしそれによっては幸せになれないと言う。もちろん、死ななければならないというのは人間にとっては重荷である。しかし同時に、死は人間から、もっと生きていたいというひりひりとした欲望をも奪い去ってくれるのであり、それはまさに死から与えられる恩恵なのだとヨーナスは結論する。[26] 個人の死がこのように肯定的に受け入れられるのならば、きっと人類の絶滅もまた肯定的に受け入れられる可能性があるのではないかと私はヨーナスに尋ねてみたかった。私はヨーナスの生命倫理の論文を一九八〇年代にはすでに読んでおり、深い影響を受けていた。私は一九九一年に米国のウェズリアン大学に客員研究員として滞在していたから、彼が生きているあいだに彼のもとを訪ねて話をしてみたかったという後悔の念がある。[27]

ここで、個人が子どもを産むという場面にふたたび戻って、子どもを産むことの是非を考えてみよう。

反出生主義者が子どもの出産を否定するときによく持ち出すのは、生まれる子ども本人から出産の同意を得ていないという点である。たしかに私たちは気がついたら生まれていたのであり、誰からも「産んでいいいか」と聞かれたことはない。だから、生まれてきたことを後悔する人たちは、とくにこの点に大きな不条理感を抱くのであろう。

生まれてくる子どもから、あらかじめ同意を得ておくのはそもそも不可能であるが、生まれてきた赤ちゃんにミルクをあげたり、風呂に入れたりすることについても、私たちはまったく本人からの同意は得ていない。自発的な同意を与えることのできる年齢に至るまでは、大人たちは明確な同意なしに子育てをすることを強いられる。同意なしに他者をこの世に存在させたり、生育させたりするのは、その他者が大人になったときに「自分はそういうことをされたくなかった」と後悔するリスクを負わせることであるから、私たちはそもそも子どもを産まないほうがよい、という考え方は成立する。この点は認めておきたい。しかし問題は、これがすべての人間たちに出産を思いとどまらせたり、禁止したりする理由となり得るかという点である。

ある人が自分のことを振り返って、「自分は親に愛されて育ったし、家族との生活は基本的にとても楽しかった、この家族に生まれてきてよかった」と思い、だから自分も大人になったら家族を形成して、子どもたちを育て、彼らに自分と同じような幸せを感じてほしいと願ったとしよう。このような思いで子どもを産もうとする人に対して、「子どもは自分が生まれてきたことを後悔するリスクがある」と主張して子産みを思いとどまらせたり、禁止したりしようとするのは正当なことなのだろうか。これに対して、子産みの自由は憲法の幸福追求権で保障されているのだから、子産みを禁止することはできないとする意見や、私たちには世代を受け継いでいく義務があるから子産みを禁止することはできないというヨーナスのような意見があり得る。だがこれらの理由にしても、なぜそれが正しいのかを明確に言えるほどしっかりとした根拠があるわけでもないだろう。これはまだ誰もきちんと解くことのできていない難問である。

この問題について、リヴカ・ワインバーグの最近の研究が参考になる。彼女は、二〇一六年の著書『人生のリスク』において、人が子どもを産むときの哲学と倫理について幅広い議論を展開した。[28] 彼女は、生まれてくる子どもは出産に同意を与えることはできないが、それにもかかわらず私たちは一方的に子どもを産むことを許されると主張する。しかしそのように強制的にいのちを生み出すのは、この社会の「自律の価値」と相性が悪い。出産においては、親と子どものあいだに利益相反がある。たとえば親たちは、いつ子どもを産むかという出産のタイミングに関心がある一方で、子どもは優れた条件で出産がなされることに関心がある。[29]

このような利益相反関係下において、どのような原理で出産を考えるかであるが、ワインバーグはジョン・ロールズ流の配分的正義の構想を採用する。すなわち、もし私たちが、これから子産みをする大人であるか、それとも生まれてくる子どもであるか分からないように無知のヴェールをかぶせられたとしたら、どのような原理を合理的に採用するかを考えてみようというのである。[30]

その結果、導き出されたのが「出産許容性原理 the principles of procreative permissibility」である。これは「モチベーション制限」と「出産バランス」の二つの原理から成っている（ロールズの正義の二原理へのオマージュである）。この二つの原理を満たすときにのみ出産は許容される。

（1）**モチベーション制限**（Motivation Restriction）

子どもが生まれたらその子どもを育て、愛し、伸ばしていきたい、という願望と意志によって、出産は動機づけられていなければならない。[31]

（2）**出産バランス**（Procreative Balance）

何かのリスクがある環境下で出産を許容してほしいのならば、あなたが親として子どもに課するそのリスクが、もしあなたが生まれてくる子ども自身だと仮定したときに自分の出生の条件として受け入れたとしても非合理的ではない程度のものであるときにのみ、その出産は許容される（ただし子どもとしてのあなたは生き続けるだろう、と前提する）[32]。

このうち「出産バランス」のほうは分かりにくいが、ワインバーグは高齢出産で子どもにダウン症のリスクがある場合などを念頭に置いている。要するに、もし自分が生まれてくる子ども本人だと仮定した場合に、親から自分に押し付けられるリスクが合理的に受忍可能な範囲のものであるならば、出産は許容されるということである。この二つの原理では、「モチベーション制限」で親に養育意志の義務が課せられ、「出産バランス」で子どもの立場に立ったリスク管理が親に課せられる。

このような考え方によってワインバーグは、私たちが子産みをすることは許されるけれども、そのときには二つの条件をきちんとクリアーしてからでないといけないという道筋を示したのである。出産許容性条件が定められれば、子どもがほしいという親の願望と、生まれてくる子どもの福祉が、ともに背反することなく両立するとワインバーグは考えたのである。生まれてくる子どもの立場と、子どもを産むのは親の自由であり権利であるとする出産者本位の考え方を、配分的正義の考え方で調停しようとしたところにワインバーグの独創がある。

一見すれば分かるように、「出産バランス」の原理には問題が含まれている。もし仮に、生まれる子どもに成り代わって私が出産の適否を判断したとしても、その判断結果が、実際に生まれてくる子どもが将来になすであろう判断と一致することは、まったく保証されていないからである。これだけでは、子どもが「なぜ親は自分を産んだのか？」と真剣に悩むケースを防止することはできない。もちろんワインバーグの意図は、そのようなケースを潔癖に予防することにあるのではなく、親が子どもの立場に立ってきちんとリスク管理をすることと、親が養育のモチベーションを維持することによって、子どもを持ちたいという親の願望が社会のなかに公正に位置付けられ得ると提言するところにある。ジェンダー学および正義論からの反論はあり得るだろうが、出産許容性原理は、今後この問題を考えていく際の重要な手掛かりになるはずである。

ワインバーグの議論を念頭に置きながら、子どもを産むことの是非についてもう一度考えてみる。私は子どもを産まないとか、私たちカップルは子どもを産まないというのは「出産否定」の考え方である。これは個人の自由の範囲内である。[33] 問題となるのは、それが社会の次元へと拡張され、「すべての人は子どもを産まないほうがよい」として子産みを思いとどまらせたり、禁止したりしようとするときである。このような思想を「反出産主義」と呼ぶことにする。反出産主義は、反出生主義の部分集合である。

反出産主義を、ベネター的な「生まれてくることの善悪の比較」で根拠づけることはできない。これについてはすでに議論した。反出産主義の根拠としてもっとも強力なのは、生まれてくる子ども本人の同意を得ていないという「同意不在論」である。すなわち、生まれてくる本人の同意なく子どもをこの世に存在させるのは、その子どもに対して暴力的であり、けっして許されないとする考え方である。同意不在論の多くは、子どもが生まれてくるであろうこの世界が苦しみと悪に満ちているから存在させてはいけないと主張する。ただし、もっとも極端な場合、次の形を取り得る。すなわち、たとえこの世が天国のように素晴らしい世界であり、生まれてきたら全員がかならず幸せになると保証されていたとしても、生まれてくる子ども本人の同意がない以上、子どもを産むことはけっして許されないとする論である。私は同意不在論の核心部分はここにあると考える。

同意不在論によれば、これまで地球上に存在した人間たちは、すべて同意のない暴力によって産み落とされてきた。出産とは、いわば原初的暴力である。もちろん、産み落とされたあとに、多くの人間たちは幸せになり、生まれたことを後悔しなかったかもしれない。だが一般的に言って、結果は行為をかならずしも正当化しない。たとえば巧妙な詐欺師の違法行為によって騙された人たちが嘘の説明をずっと信じ続け、その後に幸せな人生を送って一生を終えるということがあったとしても、それはけっして詐欺行為それ自体の違法性を正当化するものではない。詐欺行為の違法性は、それがもたらした結果とは別次元できびしく裁かれなければならないのである。これと同じように、たとえ生まれてきた人間たちの多くが幸せになり、生まれたことを後悔しなかったとしても、それは本人の同意なく子どもを産むことをただちに正当化するわけではない。

それどころか、人間たちは、本人の同意なく子どもを産み続けるという暴力の連鎖をこれまで行ない続けてきたし、これからも継続しようとしている。このような暴力の連鎖はなんとしてでも食い止めなくてはならない、と反出産主義者たちは考えるのである。

すでに述べたように、日常生活で私たちは相手の同意のない行為をたくさん行なっている。そしてそれらの多くは許容可能なものとされており、もし紛争が起きたとしても双方の対話によって解決される可能性がある。しかしながら、子どもを産むのは、その対話する相手そのものをこの世に存在させる行為なのである。すでに存在している人間に対して本人の同意のない行為をすることと、いまだ存在していない人間を本人の同意なくこの世に存在させる行為をすることは、厳格に分離して考えなくてはならない。

ふたたびワインバーグの出産許容性原理に戻ってみると、それは、「生まれてくる本人の同意なく子どもを産むことは許される、ただしそれには条件が課せられる」とする理論であることが分かる。すなわちワインバーグは、「生まれた子どもが将来大人になったときに自分の誕生を振り返って、親が自分を出産したことにまったく同意できないと主張する可能性がたとえあるとしても、二つの原理を満たしてさえいれば、同意なき出産は許容される」と主張しようとしているのである。

ただしそのためには、この二つの原理だけでは足りないと私は考える。なぜなら、生まれた子どもが実際に「生まれてこないほうが良かった」と親に問うたときに、親はそれに対応しなければばならないからである。これはワインバーグの二つの原理のうち「モチベーション制限」に潜在的に含まれているとも考えられるが、私は明示的に第三の原理として独立させるほうがよいと判断する。これを暫定的に「応答責任原理」と呼んでおきたい。

（3）応答責任原理（Principle of Responsibility）

親になろうとする者は、生まれた子どもが誕生否定の考えを抱いて親に「なぜ自分を産んだのか」と問うたときにその問いに真摯に応答していく、という決意を持たなくてはならない。

これはまた、子どもを暴力的に存在させた親に課せられる責任でもある。親が具体的にどのように子どもに応答すべきかについては、一般論としては何も決められない。親の実存的な態度にすべては委ねられる。また、子どもが誕生否定の考えを抱いたとしても、それを親に向かっては表明しないことも多いだろう。その場合、親には応答責任はない。子どもは誕生否定の考えを持つ自由がある。そして子どもは、自分は産まないという出産否定の考えを持つ自由がある。親はその自由を侵害してはならない。この考え方をベースとしながら、もし子どもが親に問うてくるときには、親はそれに応答する責任があるということである。

このように拡張されたワインバーグの出産許容性原理によって、同意なき出産はほんとうに許容されるのだろうか。これはたいへん難しい問題であるが、根本的には許容されないのではないか。というのも、ワインバーグの原理は、親が子どもに課す「リスク」の許容限度をどう見積もるかという問題設定のうえで動いており、けっして出産において「同意を得ないこと」の許容範囲を調べるものではないからである。もし生まれてくる子どもが抱えるリスクがゼロだと仮定したとしても、やはり同意のなさの問題は存在しているのであり、ワインバーグの議論では後者はカバーできないからである。

同意の不在という点を重く見る論に、シアナ・ヴァレンタイン・シフリンの論文「ロングフル・ライフ、出産に関する義務、危害の重要性」（一九九九年）がある。シフリンは、子産みというものは、そもそも子どもからの同意がなく、生まれてきた子どもに生の重荷を背負わせるようなものであるから、そこには道徳的な問題があるものの、必ずしも子産みが許されないとまでは言えないとする。ただし、親は子どもに負わせることになる重荷の一部を肩代わりし、緩和しようと試みなければならないと彼女は主張するのである。[34] これに対してアシール・シンは論文「反出生主義への仮想同意に基づく反論について」（二〇一八年）において、シフリンの言う「仮想同意 hypothetical consent」の考え方には問題があり、シフリンの結論は擁護できないと反論する。[35]このように、近年の議論も混迷を深めている。

もし同意なき出産が許容されないとすれば、反出産主義が間違っているとは言えなくなる。しかし他方で、本人の同意なく子どもを存在させてはならないとする説得的な根拠を示すのもまた難しい。子どもが将来、自分が生まれたことを後悔するリスクはたしかにあるのだが、それがただちに、本人の同意なく子どもを存在させることを禁止する根拠になり得るのかどうかについては、クリアーな答えが見つからないからである。その他の議論も多数行なわれており、いまのところは、反出産主義の是非について確定的な答えは用意されていないというのが、本書の暫定的な結論である。

ここで、関連する問題を考えておく。子どもが親に、「自分は生まれたくなかったのになぜ産んだのか」と問うたとき、親はこのように答えるかもしれない、「あなたを愛するためにあなたを産んだのだ」と。もしこう言われた子どもの立場に立ってみるならば、次のような問いが湧いてくるだろう。

その子どもは、この私でなくてもよかったのではないか？　この私ではなく、他の姉妹兄弟でもよかったはずだ。血のつながらない養子であってもよかったはずだ。もし自分の身体で妊娠して産みたかったというのならば、それは自分の身体を使って産みたいという欲望をかなえるためにすぎなかったと言えるのではないか。もし、愛するために産んだというのなら、それは「無条件に誰かを愛したい」という親の欲望をかなえるために産んだのではないか。さらには、産んだあとに子どもを愛することができなかった場合のリスクをきちんと考えて、あらかじめ対処法を想定していたのだろうか。子どもが実際に以上のようなことを考えるかどうかは分からないけれども、その可能性がないとは言えない。

ここに見られるように、本人の同意なく子どもを生み出すことと、生まれてきたその子どもを愛することのあいだには、鋭い緊張関係がはらまれている。後で愛するからという理由で人間を同意なくこの世に存在させていいのか、という問いは成り立つ。しかし自分が生み出される側だと考えた場合、もし自分が十分に愛されることが確実ならば、暴力的に存在させられた後で愛されてもかまわないと考える人もいるだろう。これは、反出産主義者にとって愛とは何を意味するのかという問いにつながっていく。彼らにとっての愛とは、すでに存在してしまっている人間たちが、互いに思いやりをもって関わり、慈しみ合っていくことに尽きるのだろうか。

ワインバーグの本は、「産みの哲学」を扱ったユニークな書物である。「産みの倫理学」については、これまで生命倫理学やジェンダー学で盛んに論じられてきたが、「産みの哲学」については本格的な研究は行なわれないままに残されている。[36] 日本では居永正宏と私による論文がいくつか発表されているにとどまり、[37] きちんとした調査は行なえていないが、海外においても大きな展開は起きていない模様である。「産みの哲学」に関しては、ヨーナスの議論も、居永や私の議論も、男性ジェンダーからのバイアスが強くかかっているとともに、「産みの現象学」の側面が欠落していることは明らかである。「産みの現象学」については、森崎和江の先駆的な書物があり、近年では宮原優による論考がある。[38] 宮原は自身の経験から、妊娠における胎児との共存とは、「胎児と何とか関係しようとする姿勢および行動によって、なんとか胎児を手繰り寄せ、感じられるものにしていく」ことであると述べている。[39] 今後、この側面からの哲学的考察が深まっていくことを期待する。「産みの哲学」は「生命の哲学」の大きな柱となる領域であるから、将来の展開に注目していきたい[40]。

4 誕生肯定の哲学へ！

誕生肯定とは、誕生否定の対義語であり、生まれてきて本当によかったと心の底から思えることを意味している。私が誕生肯定の概念を提唱したのは二〇一一年の論文「誕生肯定とは何か」である。その発想はそれ以前からあり、拙著『生命学に何ができるか』（二〇〇一年）で、いわゆるロングフルライフ訴訟を議論したときから脳裏にあった。一般的なロングフルライフ訴訟とは、障害を持って生まれた人間が、本当は障害を持って生まれてきたくなかったのに誕生させられてしまったとして、障害に関する情報を親に与えなかった医師を相手取って訴訟を起こすことである。もし情報が与えられていたとすれば、親は中絶することができ、自分は生まれてこなくても済んだというのである。ここでは障害を持って生まれてきたことが損害と捉えられており、まさに反出生主義の思想そのものである。私は、この考え方を克服することこそがこれからの哲学と倫理学の基礎になるべきだと考え、誕生肯定の概念を発案した。その後、いくつかの論文において考察を積み重ねてきたので、現時点での見取り図を簡単に示しておきたい。

誕生肯定とは、生まれてきて本当によかったと心の底から思えることであるが、そもそも「生まれてきてよかった」とはどういうことなのだろうか。前章で触れたように、私はそれに二種類の解釈を与えている。「可能世界解釈」と「反─反出生主義解釈」である。

誕生肯定の「可能世界解釈」については、前章でニーチェの運命愛を検討したときに述べた。すなわち、誕生肯定の「可能世界解釈」とは、仮に私がいまかかえている深刻な問題が解決されている可能世界を想定したとしても、そちらの可能世界のほうに生まれてくればよかったと本気で心の底からは望んだりしない態度を意味する。こちらの現実世界を生きていくだけで十分なのである。可能世界解釈には他のバリエーションもあるが、とりあえずこれで代表させておく。

それでは誕生肯定の「反─反出生主義解釈」とはどのようなものであろうか。

それを考える前に、まず以下の文脈で意味するところの反出生主義を簡単にまとめておく。すなわちここで言う反出生主義とは、私が生まれてくることと、私が生まれてこないことを比べてみれば、私が生まれてこないほうが「より善かった」と言えるとする考え方のことである。古代ギリシア、ショーペンハウアー、ベネターらの反出生主義は、おおむねこの枠に収まるはずである[41]。

誕生肯定の「反─反出生主義解釈」とは、このような反出生主義が意味するものをきちんと理解しながらも、あえてそれとは逆の方向に生きていこうとする態度である。すなわち、たしかに私が生まれてくることと、私が生まれてこないことを比べてみれば、私が生まれてこないほうがより善かったと言いたくなる気持ちはよく分かるし、実際に自分もそのように思ってしまうことはある。私が生まれてくるということが一切起きずに、私のすべてが最初から無のままであったとしたならどんなにかよかっただろうと思うことも理解できる。しかしながら、いくら「私は生まれてこないほうが良かった」と嘆いたとしても、私はそれをいまから実現することはできない。その願いは原理的に実現不可能である。それが実現不可能であることが決定しているのならば、私に残されたことは、実現不可能な選択肢に固着して嘆くのではなく、これから未来に向けて生きていく人生のなかで、「私は生まれてこないほうが良かった」という思いを解体する道筋を探していくことだけである。誕生肯定の反―反出生主義解釈とは、このように生きていこうとする態度を意味する。

以上をまとめると、誕生肯定の可能世界解釈とは次のものである。たとえば、重い病気や障害を例にとって考えれば、私の人生はこれまでつねに重い病気や障害に悩まされるものであったが、たとえ重い病気や障害で悩まされてこなかった可能世界が想定されたとしても、私はその可能世界のほうに生まれたほうがよかったと本気で心の底からは望んだりしないということである。

これに対して、誕生肯定の反―反出生主義解釈とは次のものである。たとえば、私の人生はつねに重い病気や障害に悩まされるものであったから、そもそも生まれてこないほうがよかったという思いがいつも湧いてくるのだけれども、それはもはや遂行不可能であり、それに固着しても仕方がないから、これからは「生まれてこないほうがよかった」という思いに縛られずに、それを解体する道筋を探して生きていこうとすることである。

もちろんショーペンハウアーやベネターのように、重い病気や障害どころか、ほんの一滴の苦痛があっただけで「生まれてこなかった」ほうがより善かったことになるとする立場もあるわけだが、その場合でも「生まれてこない」ことはやはり遂行不可能だから、その思いに縛られずに、それを解体する道筋を探して生きていこうとする誕生肯定の反―反出生主義解釈はあり得る。

補足しておくと、可能世界解釈においても、重い病気や障害で悩まされない可能世界に生まれてくることは、いくら望んでも遂行不可能である。しかしながら可能世界解釈が反―反出生主義解釈と異なるのは、将来に向けて、その可能世界と同じ内容の世界を実現していくことは不可能ではないという点である。可能世界解釈においては、私は現在までの状況を全体として否定することなく、これまで実現できなかった夢をこれから現実世界で追求していくことができる。そしてそれが実現できたあかつきには、私はその世界を実際に経験することができる。これに対して反―反出生主義解釈では、「生まれてこなかったこと」と同じ内容を私が将来に向けて実現していくのは根本的に不可能である。たとえ生まれる前の無の状態を実現しようとして自殺をしたとしても、自殺が実現したときにその結果を経験することのできる私という主体はどこにもいない。ここに可能世界解釈と反―反出生主義解釈の決定的な違いがある[42]。

ところで、以上の考察は、誕生肯定の「心理学的な次元」についてのものである。心理学的というのは、私が実際に生きていくなかで、それらの思いを実際に心に持ってしまうことがあるという次元に着目しているからである。つまりこれは、私が人生を実際に生きていくときに、自分の気持ちや態度をどこに定めればいいのかという次元である。「生まれてきて本当によかった」という気持ちや態度がどのようなものとして説明されるのかについて考察をしたのである。そしてその説明方式として、二種類の解釈があるのであった。

他方、これに対して、誕生肯定の「哲学的な次元」がある。これは、「心理学的な次元」で論じられたことがほんとうに正しい考察になっているのかどうかについて、哲学的な反省を加える次元である。ここには多数の問題が潜んでいるが、以下では次の論点に絞って検討する。すなわち、可能世界解釈において、「私の生きる現実世界」と「可能世界」の比較が正しい意味で成立しているのかという論点、そして反―反出生主義解釈において、「生まれてきたこと」と「生まれてこなかったこと」の比較が正しい意味で成立しているのかという論点である。

最初に、可能世界解釈における「私の生きる現実世界」と「可能世界」の比較について検討する。私の生きる現実世界とは、私がたとえば何かの深刻な問題をかかえているこの現実の世界のことである。この現実がいまそのようになっていることは決定的であり、けっしてそれをいま他の状態に変えることはできない。これに対して、可能世界とは、私がいまかかえているその深刻な問題が解決されている想像上の世界のことである。その世界は、単に可能であるというだけであり、けっしていまここで現実化してはいない。さきほどの心理学的な次元の考察においては、私がこの二つの世界を比較して、「仮に私がいまかかえている深刻な問題が解決されている可能世界を想定したとしても、そちらの可能世界のほうに生まれてくればよかったと本気で心の底からは望んだりしない」という態度を取れるときに、それを誕生肯定の可能世界解釈と呼ぶと説明した。

ところでこの解釈においては、「私の生きる現実世界」と「可能世界」の二つの世界が想定されたのちに、どちらに生まれてくるほうが「より善い」と言えるのかという比較がなされている。ところが、哲学的な次元で考えれば、この二つの世界の善悪を比較するのは原理的に不可能であるというのが、私の考え方である。というのも、世界の善悪を比較するためには、その二つの世界は様相において同一の水準に位置していなければならないのだが、その二つの世界は、実は様相において同一の水準に位置していないからである。たとえば、エノラ・ゲイのパイロットがこれから広島に原爆を投下するというそのときに、パイロットの眼前には二つの可能世界が想像され得る。ひとつは投下ボタンを押して一〇万人の市民が瞬時に殺戮されるような可能世界である。もうひとつは投下ボタンを押すのをためらって原爆投下が回避される可能世界である。この二つの可能世界は、ともに「可能な世界であって現実の世界ではない」という同一の水準に位置しており、その二つの可能世界の善悪を私たちは正しい意味で比較することができる。ところが、原爆投下がなされた直後の広島で、燃えさかる街と死体の山を現実に見ている一市民が、いま実際に目の前で繰り広げられている現実世界のありさまと、この地獄のような出来事が起きなかった平和な一九四五年八月六日八時一五分という可能世界を比較して、その善悪について何かを判断するのは、様相において同一水準に位置していない「現実の世界」と「可能な世界」という二つの世界の善悪を比較することであり、それは本来比べることができないはずのものを比べてしまっているとしか言いようがないのである。

そもそも可能世界は、単にあり得るというだけの世界であり、つねに複数の可能世界が同一水準で想像可能である。それら複数の可能世界は同一の水準に位置しているから、相互の善悪を正しい意味で比較することができる。何かが起きた可能世界、それが起きなかった可能世界、別の何かが起きた可能世界、それらのあいだの善悪を比較することに何の問題もない。ところがこれに対して、現実世界はいまここで実際に経験されている世界であり、それはたった一つしか存在しない。現実世界とはけっして想像された世界ではなく、ここで実際に進行し、生成しているところの、一つだけの世界である。それは一つだけであるから、同一の水準に位置するところの世界は、この現実世界以外には何ひとつない。現実世界とは、様相において同一水準で比較することのできる世界を一切持たずに、いまここでひたすら生成し続けているところの、唯一無二の世界である。[43]

想像された可能世界は、それ自体としては生成していない。実際にそれ自体として生成しているのは、この唯一無二の現実世界のみである。生成していない可能世界と、生成している現実世界を正当に比較することはできない[44]。可能世界と正当に比較できないから、現実世界は「より善い」とも「より悪い」とも言うことができない[45]。

私の立場は、可能世界意味論で言えば、反―様相実在論を取るということになる。たとえば様相実在論者のデイヴィッド・ルイスは、複数の可能世界の内側に複数の現実があると考える。これに対して、ソール・クリプキやブラッドフォード・スコウらは、現実世界は「これ」として指差されるものとそこからつながる連鎖としてただ一つだけ存在するという立場をとる。これは「このもの主義 haecceitism」と呼ばれ、現実世界の唯一無二性を重視する考え方である。現実世界と可能世界の善悪は正しい意味で比較できるのかという論点は、可能世界の存在論的地位をめぐる根本問題にまでさかのぼるのである。私の考え方は「このもの主義」に近い[46]。私は、唯一無二の現実世界を「これ」として指差すことができると考えるからである。そしてこの立場から見れば、現実世界は「これ」によって指示される唯一無二の世界であり、複数の様態があり得る可能世界とはまったくその存在論的地位が異なるのである。したがって、その存在論的地位の異なる二つの世界のあいだの善悪の比較は、けっして正しい意味では行なうことができないという結論になるのである。この議論は、本書第4章の、「お前がそれである」という議論と同系統のものである。

話を戻せば、心理学的な次元において、「仮に私がいまかかえている深刻な問題が解決されている可能世界を想定したとしても、そちらの可能世界のほうに生まれてくればよかったと本気で心の底からは望んだりしない」という態度を私がとることは実際にあり得るし、そのようなリアリティで人生を生きることは推奨されるし、それは誕生肯定のひとつのあり方であるのだが、哲学的な次元で考えてみれば、そこで行なわれた比較はけっして正しい比較にはなっていないということなのである。
それでは次に、反―反出生主義解釈における「生まれてきたこと」と「生まれてこなかったこと」の比較である。これについては、本章第2節で考察したように、「私が生まれてきたこと」と「私が生まれてこなかったこと」のあいだの善悪の比較は不可能であるという結論が出ていた。その理由は、「私が生まれてこなかったこと」を正しく想定することが原理的に不可能だからである。[47]
以上をまとめれば、哲学的な次元では、可能世界解釈における「私の生きる現実世界」と「可能世界」の善悪の比較は不可能であり、反―反出生主義解釈における「生まれてきたこと」と「生まれてこなかったこと」の善悪の比較も不可能であることになる。すなわち、私が生まれてきて、このような現実世界を生きていることの善悪は、いかなる可能世界とも比べられないし、私が生まれてこなかったこととも比べられない。私が生まれてきて、このような現実世界を生きていることは、善悪の価値判断を超えており、ただそのような無垢な生成が起きているのみだということである。私が生まれてきて、生きていることは、何ものとも比べられないがゆえに、善くも悪くもないという結論は受け入れがたいかもしれないが、揺るぎようのない真理であるように私には思われる。以上の考察によって、私たちは誕生肯定の哲学における何か未知の重要な関門を突破したのではないか。ここに哲学と倫理学の基礎を置いて、すべての思考を組み立て直してみるとどうなるだろうか。

以上の、心理学的な次元における考察と、哲学的な次元における考察を総合すると、次のことが導かれる。心理学的な次元において、私たちは、現実世界と可能世界を比較して、この現実とは異なった別の世界を生きるほうが良かったと思って自分の現実の人生を否定したり、このような現実を生きなければならないのだったら「生まれてこないほうが良かった」と思って自分の現実の人生を否定したりすることがある。森岡もまたそうであり、私の心からこのような思いが完全に消え去ることはない。この方向に進んでいくと、自分がいったい何のために生きているのかまったく分からなくなり、自分が存在していることすら無意味に思えるようになる。人生にこのような出来事が起きた残酷さ、時の移ろいの無慈悲さに打ちひしがれそうになる。「私は何のために生まれてきたのか」と叫びそうになる。

このようなときは、哲学的な次元に降りていって、これらが正しい比較になっているのかどうかを再検討してみるとよい。すると、私が搦めとられているところの思い、すなわちこの現実とは異なった別の世界を生きるほうが良かったという思いや、このような現実を生きなければならないのだったら「生まれてこないほうが良かった」という思いは、本来比較することが不可能なものを誤って比較した結果、出現してきたものであることを発見できるはずである。哲学的な次元における検討を経ることで、私は自分が間違った考え方に陥っていたことに気づくことができるのである。

そしてそのあとで、ふたたび心理学的な次元に上昇してきて、自分の人生を実際にどのように捉え直せばいいのかを、私はあらためて考えていくことができる。もし誕生肯定の可能世界解釈に心の底から納得することができれば、「仮に私がいまかかえている深刻な問題が解決されている可能世界を想定したとしても、そちらの可能世界のほうに生まれてくればよかったと本気で心の底からは望んだりしない」という生き方を目指して生きる道筋が開かれる。もし誕生肯定の反―反出生主義解釈に心の底から納得することができれば、「たとえ私が生まれてこないほうが良かったと思われるとしても、その実現不可能な選択肢に固着して嘆くのではなく、これからの人生を生きるなかでその思いを解体する」という生き方を目指して生きる道筋が開かれる。以上が、「生まれてきて本当によかった」という誕生肯定の基盤となる。この誕生肯定の基盤は、哲学的な次元に裏打ちされた心理学的な次元で成立するのである。

このように、可能世界に生まれるほうが良かったとは望まないこと、そしてそもそも生まれてこないほうが良かったという思いに固着しないことの二つが、誕生肯定の基盤である。今後私たちが考察しなければならないのは、この誕生肯定の基盤を満たせばそれだけで「生まれてきて本当によかった」という誕生肯定が成立するのか、それともそれだけではまだ不十分であって、その誕生肯定の基盤の上にさらに何かを追加して積み上げなければ誕生肯定は成立しないのかという問題である。言い換えれば、誕生肯定とは、誕生否定から適切な距離を取って生きていけるということだけでいいのか、それとも誕生に対してもっと力強い肯定を行なうことが必要なのかという問題である。これは「誕生肯定の哲学」の主要問題のひとつである。

ここで、いままであいまいに使用してきた二つの表現、「生まれてこないほうが良かった」と「生まれてこなければよかった」をきちんと区別しておきたい。「生まれてこないほうが良かった」とは、「生まれてくる」ことと「生まれてこない」ことを比較して、「生まれてこないほうがより善かった」と判断することを指す。[48] したがって、「生まれてこないほうが良かった」のメッセージの中心は善悪の比較にある。また、その善悪の比較は、哲学的にも成立するという前提に立っている。

これに対して「生まれてこなければよかった」は、もう少し複雑な構造をしている。「生まれてこなければよかった」も、「生まれてくる」ことと「生まれてこない」ことの比較をしたうえで発話される。しかしその比較は、心理学的次元にとどまっているのである。哲学的次元においては、その二つの善悪が比較できないことが理解されている。しかしそれでもなお、心理学的次元ではどうしても「生まれてこない」ほうが「生まれてくる」よりも望ましいと思えてしまうときに発話されるのが「生まれてこなければよかった」なのである。したがって、「生まれてこなければよかった」のメッセージの中心は現状に対する苛立ちに満ちた否定である。

語義的に考えてみれば、「生まれてこないほうが良かった」に対立する文章は「生まれてきたほうが良かった」である。前者は比較したのちに現状を「より悪い」と判断するものであり、後者は比較したのちに現状を「より善い」と判断するものである。これに対して、比較に重きをおかずに誕生の価値を表現する方法があり、それが「生まれてこなければよかった」と、その対立文章である「生まれてきてよかった」である。前者は「生まれてきた」という現状を否定するものであり、後者は「生まれてきた」という現状を肯定するものである。この後者のペアで中心的に表現されているのは「肯定か否定か」であり、前者のペアで中心的に表現されているのは「善か悪か」である点に注意してほしい。

私がこれまで一貫してこだわってきたのは、「生まれてきてよかった」という誕生肯定の可能性であった。そしてそれを心の底から肯定するというニュアンスをこめるために、「生まれてきて〈本当〉によかった」という言い方をしてきた。このように見てみると、私が行なおうとしているのは、「生まれてこないほうが良かった」「生まれてきたほうが良かった」という誕生の善悪を問う問題設定を、「生まれてこなければよかった」「生まれてきてよかった」という誕生の肯定否定を問う問題設定へと変換したうえで、後者の二つがいったい何を意味するのかを哲学的に明らかにすることであると言える。

「誕生肯定の哲学」は、そもそも「誕生」とはいったい何なのか、そもそも「人生」とはいったい何なのかという問題を哲学的に考察するところから始めなければならない。それらに加えて、第4章で考察した「誕生肯定の主体は誰なのか」という問題、第五章で考察した「誕生肯定」と「非誕生・肯定」を併せ持つような完全な誕生の肯定とは何かという問題をさらに掘り進めていかなければならない。これらについての見通しは本書で与えることができたが、具体的な作業は今後に残されることとなった。

そしてそれは、「生きる意味」とは何かという問いにもつながっていく。この問いは、古代より哲学の根本テーマのひとつであり、近現代の西洋哲学においては、独仏のニーチェ、サルトル、フランクルらがこの問題を掘り下げて考えた。それに比べて、英語圏の分析哲学は「人生の意味meaning of/in life」(「生きる意味」「いのちの意味」)[49]の問題を哲学の中心課題としては扱ってこなかった。もちろん分析哲学の源流のひとつであるヴィトゲンシュタインの哲学の底流に「人生の意味」の問いが激しく渦巻いていたことを見逃してはならないし、その後の分析哲学者たちによる一連の重要な研究があるが、しかしながら「人生の意味」の哲学が二〇世紀の分析哲学を牽引してきたわけではないことは明らかである。それは分析哲学の傍流的位置にとどまってきたと言ってよい。分析哲学が二〇世紀末に世界の哲学の中心に躍り出てからも、この傾向は変わらなかった。そのかわり、このテーマは心理学において盛んに論じられた。

ところが二一世紀に入って、その流れが変わろうとしている。「人生の意味」の哲学を扱った著作や論文集が次々と刊行され、注目を浴びるようになってきたのである。なかでも着目すべきはサディアス・メッツによる『人生の意味―分析的研究』の刊行であろう。二〇一三年に出版されたこの百科事典的書物によって、英語圏における「人生の意味」の哲学的議論の構図をクリアーに見通すことができるようになった。[50]二〇一八年に第一回「人生の意味の哲学」国際会議が札幌市で開催され、世界のこの分野の哲学者たちが意見交換する場が生まれた。[51]この国際会議にはメッツのほかに、ベネターも招聘された。その後も引き続き開催されている。

メッツは、人生の意味を探求する哲学を、超自然主義と自然主義に分け、自然主義をさらに主観主義、客観主義に分ける。

まず「超自然主義 supernaturalism」とは、人生の意味を神のような超越的な存在者との関係において捉えようとする立場である。この場合、人生の意味は、その超越者から与えられることになる。これに対して、そのような超越的な存在を設定しない立場を「自然主義 naturalism」と呼ぶ。「自然主義」のうち、人生の意味は個々人の主観によって決められるとする立場が「主観主義 subjectivism」である。自分の人生に意味があるかどうかを最終的に決めるのは自分自身であり、自分以外の者によってそれを決められてはならないとする。これに対して、人生の意味は多かれ少なかれ客観的に決まるとする立場が「客観主義 objectivism」である。たとえば、メッツの出している例を使えば、マンデラ大統領やマザー・テレサの人生には客観的な意味があるのであり、それは日々利己的でつまらないことに精を出している人物の人生の意味よりも確実に大きいというのである。

メッツによれば、現代の英語圏の人生の意味の分析哲学においては、客観主義がメインストリームになっている。なぜなら今日、超自然主義は擁護できないし、もし主観主義を取ったとすると、たとえばヒトラーのような極悪人の人生にも意味があるとする考え方を許してしまうことになるから、主観主義も退けられるべきだとする。残るは客観主義だけであるが、もし人生における行動の帰結によって人生の意味を評価するのであれば、いくらマンデラやマザー・テレサのような人生を生きようとしても、彼らのような帰結が伴わないかぎり人生に意味がないことになってしまう。そこでメッツは、結果ではなく、人がマンデラやマザー・テレサのような利他的行動を行なおうと試みているかどうかという意図に着目する。そして人類の真善美の基盤的条件の改善や進展にどれほど寄与しようと意図しているかによって、人生の意味を定義しようとするのである。

私はメッツのこの図式を、不完全なものとして批判してきた。というのも、ここには、本書第3章の『ウパニシャッド』の考察で述べたような独在的存在者の視点がないからである。私は第3章で、二人称的な指差しによって確定指示される独在的存在者こそが、「生きる意味」を追求する主体であるとの見通しを与えておいた。ほかでもない、この文章をいま読んでいる「あなた」こそが、「生きる意味」を追求する主体である。独在的存在者を「生きる意味」の主体とする立場は、主観主義をさらに極端に推し進めるものであり、メッツの言う主観主義のヒトラーのアポリアを受け付けない強さを持つ。すなわち独在的存在者は三人称的に語られたヒトラーではあり得ないがゆえに、ヒトラーの人生の意味については何も語られ得ないのである。[52]

私は、「生きる意味」の問題を、「生まれてきたことの肯定」の問題へと変換して哲学的に追求していくことを提案する。「意味」の問題としてではなく、「肯定」の問題として設定したほうが、より実りある成果に結びつくと思うからである。私は「人生の意味の哲学」の中に「誕生肯定の哲学」を組み込んでいきたい。そうすることによって、ニーチェの生の肯定の哲学を、「人生の意味の哲学」のなかに新しい形で組み込むことも可能になるだろう。さらにいえば、本書第5章の原始仏教の考察で指摘したような、誕生肯定をしながら自分自身の生を閉じていくあり方についても、「人生の意味の哲学」のなかで考察を深めていくことができるようになるだろう。そしてそれは人生の終わりを単なる敗北と捉えないような哲学の探求へとつながっていくはずである。

このように考えてみれば、本書の考察の全体は、これから本格的に開始されることになる「誕生肯定の哲学」のための序章であったと言える。「誕生肯定の哲学」について、私はすでに論文の形でいくつかの研究成果を刊行しており、それらをもとにして、すべてをもう一度ゼロから考え直す哲学書を書いているところである。その作業は、本書で行なったような、過去の偉大な哲学者たちの思索から栄養分を吸収して新しい果実へと結びつけていくという形ではなく、基本的な概念の分析を積み重ねながら自分自身の思索の全体像を構築していくものとなる。

と同時にそれは、自分は生まれてこないほうが良かったのではないかと真剣に悩み苦しんでいる人たちに対して、哲学の視点から言葉を届ける試みにもなるはずである。私がこの問題を長いあいだ考え続けてきたのは、私自身が「生まれてこなければよかったのではないか」という問いに搦めとられてきたからであり、現在もその問いとともにあるからである。

ここまで「人生の意味の哲学」と「誕生肯定の哲学」を考察してきたが、その視点からもう一度、「私は生まれてこなければよかった」という誕生否定について振り返ってみたらどうなるだろうか。誕生否定の心理学的な次元に注目して、次の五つの特徴を取り出しておきたい。

第一は、ショーペンハウアーやベネターに見られたように、たとえ善いことに満ちあふれた人生であっても、もし悪いことがほんの少しでもあれば、その人生は全体としてまったく悪いものになってしまい、もう取り返しがつかなくなると考えてしまう傾向である。真っ白なキャンバスに、ほんの一滴の汚れが付いただけで、すべての価値がなくなってしまい、すべてが無になってしまうと思うような傾向である。人生を生きていくというのは、たとえ人生が順調に進んでいたとしても、いつかかならずそのような取り返しのつかない汚れによってダメにされることであり、そんなことが起きるのなら最初から人生など始まらなければよかったというわけである。

第二は、誕生否定の可能世界解釈とも呼ぶべきもので、私はこのような内容の人生ではなくて、もっと別の人生、たとえばいま抱えているつらさや苦しみが解決されているような人生や、いま経験できていない素晴らしい生き方を謳歌できるような人生へと生まれてきたかったと、心の底から本気で願うような存在のあり方である。それまで楽しく生活を送っていた妻と子が、一瞬の交通事故で即死し、いくら嘆いてもわめいても、もう二度とあの素晴らしい妻子とのひとときは戻ってこないという残酷な現実を突きつけられ、どこにも希望を見出せず、もし妻と子がいまでもまだ生きている可能世界があるのならその世界へと生まれてきたかったと心の底から本気で願うような存在のあり方である。

第三は、誕生否定の反―反出生主義解釈とも呼ぶべきもので、このような内容の人生を生きなければならないのだったら、私はそもそもはじめからこの世に生まれてこないほうが良かったと心の底から本気で思ってしまうような存在のあり方である。それを実現するのは不可能であると理性では分かっていても、どうしてもそれに固着してしまって、自分の気持ちをそこから解放することができないのである。たとえば、原始仏典や『コーヘレト書』に書かれていたように、いくら人生に楽しいことがあったとしても、いつかかならず死ぬのである。それを考えると、すべてがむなしく思える。死ぬことが宿命づけられた人生を、なぜ私は生きなければならないのか。もし私が別の人生を生きられたと仮定しても、私がその別の人生を永遠に生きることはできないだろうから、私はやはりいつかは死に直面してしまうのである。そんなことならば、そもそも私ははじめから生まれてこないほうが良かった。

第四は、ほんとうは生まれてきたくなかったのに、現に生まれてきてしまっているという取り返しのつかなさの感覚、そしてどこへも脱出することができないという行き止まりの感覚である。そもそも生まれてきて、このような世界を生きること全体を望んでいないのに、それでも生き続けなくてはならないわけだから、生きることに何の意味をも見出すことができない。死ねばこれを終わらせることはできるが、生まれてきたという問題をそれで解決できるわけではない。何をやってもすべてが無駄だと感じ、全身が脱力し、前向きに生きる力がまったく出てこない。解決にならないことは知りつつも、自殺したいという気持ちが何度も湧いてくる。生まれてきたことに適応している人たちや、この苦しさに気づいていない人たちに、上品な復讐をしたいという思いが心の底に湧いてくる。

第五は、これら出口がない状況に追い込まれて、どこかに出口を探そうとするが、それはこの世界のどこにも見当たらないとなったときに、出口のないこの状況をそのまま包み込んで肯定してくれる救済のようなものを求める心が出てくることがある。現実は変えようがないのだから、変わらない現実のままですべてが肯定され、救われていけばどんなに楽だろうと思う。「生まれてこなければよかった」という言葉が真に心の底から出てくるとき、その人は救済の扉の前に立っているとも言える。これはその人が既成宗教を信じているかどうかに関係なく湧き上がってくる、宗教性の次元の声である。

本書で反出生主義と誕生否定について深く考察してきたことで、「生まれてこなければよかった」という心理にこのような言葉を与えることができるようになった。

私のなかには、これら五つの特徴を持つ誕生否定の声がありありと存在しており、それはいまだいかなる解決も与えられていない[53]。私はこの問いにまみれているがゆえに、誕生否定と反出生主義の思想を自分のこととして探求してきたのであり、それを内側から解体することを目指して誕生肯定の考え方を提唱してきたのである。本節においても、誕生肯定の心理学的次元と哲学的次元に関する考察を行なった。それは間違いなくこのテーマについての哲学的考察を一歩前進させるものである。ここに本書の学術的意義があると考えられる。だがしかし、それにもかかわらず、右に述べた誕生否定の五つの声は、あいかわらず私の心の中に響き続けているのである。私にとってこの問題と向き合うことはけっして知的なパズル解きではなく、私がこの限りある人生を後悔なく生きるためにどうしても必要な作業である。あるときは否定の側に寄り、あるときは肯定の側に寄りながら、生まれてきたことの意味を考察し続けていく作業、それが私にとっての「誕生肯定の哲学」という営みなのである。

5 生命の哲学へ！

最後に、本書で幾度か言及した「生命の哲学」について簡単に触れておきたい。私は「生命の哲学」というジャンルを作り上げたいと考えている。本書の「はじめに」でも述べたように、それはまだ世界の哲学界に確固としたジャンルとしては存在していない。[54] しかし、古今東西の生命についての哲学的思索を包括的に研究し、創造的な哲学を作り上げていくためには、この議論の枠組みがどうしても必要なのである。本書で取り上げた「生まれてこないほうが良かったのか」というテーマは、「生命の哲学」の大きな柱のひとつである。しかしその他にも数多くのテーマが「生命の哲学」の領域にはひしめき合っている。本書ではまったく触れることのできなかった中国の哲学や医学思想、イスラムの神秘主義、さらには日本の仏教哲学や京都学派の哲学なども「生命の哲学」として捉え直すことができる。意外なところで言えば、近現代日本のフェミニズム思想もまた「生命の哲学」の視点から考察することができる。

本書に引き続いて、「連作・生命の哲学」の第二巻が書かれる。[55] どのようなテーマを扱うのかはまだ決まっていないが、生と死に深く関連する内容となるだろう。本書では、古代ギリシア、古代インド、一九世紀ヨーロッパの哲学思想を、現代の反出生主義の哲学との関連で大きく取り上げた。それとのバランスを取る意味をもこめて、ここで、二〇世紀から二一世紀にかけて展開された「生命の哲学」の一断面に触れておきたい。それは本章第3節で取り上げたハンス・ヨーナスの哲学が生命倫理学と生物の哲学にもたらした影響についてである。「生命の哲学」の現代における広がりを感じ取ることができればと思う。

ヨーナスは、一九七四年に「流れに抗して—死の定義と再定義に関するコメント」という論文を刊行する。[56]当時の米国は、脳死を人の死とみなして、脳死の人からの臓器移植を推進する政策を進めていた。米国のアカデミックな哲学者たちの多くは、脳死は人の死であるとする考え方に傾いていた。その中でヨーナスは、流れに抗して、脳死は人の死とは言えないとする論陣を張ったのである。その理由のひとつは、人の本質はその脳に宿っているのではなく、脳をも含めた身体の全体に宿っていると彼が考えたからである。

ヨーナスはこのように書いている。「人工的に維持された状態の昏睡患者は、たとえ減じられているとしてもいまだひとつの生命lifeであるとみなすだけの十分な根拠を、我々は持っている。すなわち、たとえ脳の機能が失われているとしても、昏睡患者は完全には死んでいないとみなすだけの十分な根拠を、我々は持っているのである」[57]。ここでいう昏睡患者とは脳死の人のことである。[58]脳死の考え方の根本には心身二元論があり、真の人間は脳のほうに宿っていて、身体はその残余にすぎないとする思想があるが、これはまったく間違っているとヨーナスは言う。私というアイデンティティを決めているものは、心身の統合体である。人を愛するときに、その脳だけを愛するなどということはあり得ないだろうと彼は指摘して次のように述べる。

したがって、昏睡した人間の身体は、たとえ人工の力を借りたやり方であったとしても、それがまだ息をして、脈を打ち、機能がはたらいているかぎりにおいて、それはかつて愛し、愛された主体のまだ滞留し続けている名残 a residual continuance of the subject that loved and was loved とみなされなければならないのである。そしてその人間の身体は、そのような点において、神の法と人間の法によって授けられる神聖性 sacrosanctity のいくらかを受け取るべき資格を持ったものであり続けているのである。[59]

すなわち、親しい者が脳死になったとき、その脳死の身体は単なる物体ではなく、「愛し、愛された主体のまだ滞留し続けている名残」という存在論的地位を持った身体とみなさねばならないということである。そしてそのような脳死の身体は神聖性を持っており、その神聖性は神と人の関係性といった超越的な次元から与えられるということである。脳死の身体に神聖性を見るという発想は、当時の米国の主流の生命倫理学には無縁であり、ヨーナスの問題提起はその後忘れ去られていった。

ところが一九八〇年代から二一世紀にかけて、脳死と判断された患者に脳機能の残存が見られること、そして脳死状態で何年も心臓が動き続ける長期脳死と呼ばれる病態があることが明らかになった。脳死は人の死であるとするセオリーに疑いの目が向けられたのである。米国の大統領生命倫理評議会は、この疑念を払拭するために、二〇〇八年に『死の決定における諸論争』という報告書を刊行し、たしかに脳死になっても脳の一部は機能しているが、少なくとも自発呼吸は存在していないので、脳死の人が死んでいることに間違いはないと結論づけた。[60]

その説を補強するために、レポートは、自発呼吸を引き起こさせる「呼吸への駆動 the drive to breathe」があれば、その人間の身体は「生への持続的な衝動」を持っているのだから、その人間はたとえ意識がなくても生きていると主張した。[61] それまでの脳死説では、呼吸は人間の生命の本質ではなく、全脳の機能こそが人間の生命の本質であるとしていたから、二〇〇八年レポートは、人間の本質を「全脳の機能」から「自発呼吸」へと大転換したのである。自発呼吸は、脳の一部である脳幹によって制御されている。二〇世紀の脳死説においては、もっとも大事なのは意識の存在と、全身の統合作用であるとされ、自発呼吸は脳幹の機能があるかないかをチェックするための単なる補助サインにしかすぎなかった。しかしながらその後、脳死の身体にも統合作用があり、脳死の脳の機能の一部が残存していることが分かった結果、自発呼吸が人間の生命の本質をなすものとして一気に前面に躍り出たのである。[62] ヨーナスがもしこれを知ったら、なんと言ったであろうか。

すなわち、脳死に対置されるものは心臓死である。脳死とは全脳の機能が不可逆的に停止することであり、心臓死とは心臓の機能が不可逆的に停止することである。一九六八年に脳死の概念が定義されるまでは、人間の死は心臓死によって判断されていた。心臓が止まると呼吸も止まり、全身は冷たくなっていく。死亡することは「息を引き取る」と表現された。ところで、そもそも心臓と肺は緊密に連携して動いており、心臓から肺に送られた血液は肺で酸素を取り入れ、ふたたび心臓に戻って全身へと流れていく。酸素を含んだ新鮮な血液は大動脈から細い動脈へ流れていき、身体の隅々にまで張り巡らされた毛細血管へと流れ込んでいく。そして全身のありとあらゆる細胞へと到達して、細胞の内部へと酸素を送り込むのである。組織液から酸素を取り込んだ細胞は、それを利用して栄養分からエネルギーを引き出し、二酸化炭素などを排出する。排出された二酸化炭素は静脈に集められて、ふたたび心臓へと戻っていく。

細胞の内部で起きるこの化学反応のことを「細胞呼吸」と呼ぶ。すなわち、自発呼吸があるとは、単に肺が息を吸ったり吐いたりしていることを意味するのではなく、吸い込まれた酸素が血液によって身体のすべての細胞の中にまで運ばれ、そのひとつひとつの細胞内で呼吸が行なわれることを意味するのである。人間は、まさに身体中のすべての細胞を使って呼吸をしているのだ。すなわち、自発呼吸が人間の生命の本質であるとは、口から入った酸素が全身の細胞すべてに行きわたって細胞呼吸がなされ、二酸化炭素が肺に戻ってくるというこのプロセスによって全身の血流が潮の干満のように満ち引きしていることを意味するのである。そしてこの全身を貫流する酸素と二酸化炭素の満ち引きがストップすることを、私たちは心臓死と呼んできたのである。二〇〇八年レポートがはからずも明らかにしたのは、自発呼吸によって行なわれるところの、酸素と二酸化炭素を含んだ全身の血液の流れこそが人間の生命の本質だということである。ここでは脳死が人の死かどうかという議論は行なわず、次のことを指摘するにとどめておく。[63]

鼻から入った酸素が血液の流れに乗って全身の細胞に行きわたり、隅々にまで満ちていくというこの液体の動態こそ、『旧約聖書』で神ヤハウェが大地の塵から人を形造り、その鼻にいのちの息を吹き入れて、人は生きるものとなったと言われるときに意味されていたものであると解釈することができる。神が人の鼻から吹き入れた息がその人の身体の隅々にまで満ちて、その人を生命あるものとしたように、人間の自発呼吸は、肺から取り入れた酸素を、血液に乗せて身体の隅々にまで行きわたらせ、その人を生命あるものとするのである。ユダヤ人哲学者ヨーナスが、脳死状態の人間の身体は「まだ息をして、脈を打ち、機能がはたらいている」から、「たとえ脳の機能が失われているとしても、昏睡患者は完全には死んでいない」と書いたとき、彼は神によって吹き入れられて全身に満ちていく息で脳死患者の身体が満たされていく姿を、脳裏にイメージしていたのではないだろうか。『責任という原理』で強調された「乳児の呼吸」についても同様であろう。この生命観は、創造神がなくても成立し得る。植物の中で酸素を生産し、それを風に乗せて人の肺にまで届け、血流に乗せてすべての細胞まで送り届けるところの生命圏のダイナミックで主体的な流れによって、人間の身体は息のいのちで満ちていくと捉えることもできる。[64]

このような生命としての息の観念は、本書第3章で述べたように、古代インド世界に広く見られたものであるし、世界中に普遍的に存在するものである。ここに、生命にとって息とは何なのか、人間にとって息とはどのような存在であるのかという「息の存在論」とも呼ぶべき研究テーマが立ち上がってくる。

ヨーナスからつながるもうひとつの領域は、現代の生物の哲学である。そしてその展開は、思いがけないことに、ロボットと人工知能の研究から始まった。一九六〇年代から、自律して動くロボットの開発研究が進められていたが、フレーム問題という大きな壁にぶつかった。人間ならば、なにか行動をしていて未知の事態に直面したとき、それまでの経験と暗黙知を利用して、その事態をなんとか切り抜けることができる。しかしロボットの場合、あらかじめプログラミングして教え込ませていた知識がまったく役に立たない事態が生じると、どうすればいいか判断できなくなってフリーズしてしまうのである。この問題は実用的な面では克服されていったが、理論的な面では解決に至らなかった。

その理由は、ロボットに内蔵された人工知能が「身体」を内側から生きていないからではないかという推測が哲学者からなされた。ハイデガー研究者のヒューバート・ドレイファスは、ハイデガーの「眼前性（手近にあること）Vorhandenheit」と「手許性（手許にあること）Zuhandenheit」の区別[65]に着目する。たとえば目の前のハンマーは、デカルト的視線によって対象化されて現われれば眼前的存在者であるが、そのハンマーが、手に握られて、釘を打って、ものを作るという一連の指示の連関に埋め込まれたありようで、すでに身近に出会っている存在として現われれば手許的存在者である。私が日常の生活世界においてすでに出会っている道具たちは、そういった指示連関の中に埋め込まれた手許的存在者として立ち現われている。ドレイファスは前者の「眼前性」のことを「presence-at-hand」、後者の「手許性」のことを「readiness-to-hand」と表現する。人工知能に欠けているのは、後者の手許性の次元における理解能力である。私が世界の中に存在するとき、私はつねにすでにこの手許性の意味連関に包み込まれている。この、人間ならば誰であっても所持している意味連関の理解能力を、人工知能は実装することができなかった。であるがゆえに、人工知能は、何が自分にとって重要なのかを決めなければならない状況でそれを判断できず、フリーズしてしまうのである。[66]

ドレイファスはさらに続ける。たとえば私が部屋を出ようとしてドアに手をかけるとき、私はドアを単なる物質的なドアとして経験しているのではない。そうではなくて、私が外に出ようとしてドアの前に立つとき、ドアは「ここを通り抜けて外に出るように」という誘いを行なうような何ものかとして、私の前に立ち現われるのである。そのようなドアからの誘いかけには、私がドアノブに手をかけたときの身体の感じや、ドアの外にどのような空間が広がっているかという空想などが、芋づる式につながって見え隠れしている。このようなドアからのアフォーダンスを私が感受できるのは、私が身体を内側から生きていて、自分の行為を取り巻く意味連関をじかに把握できるからである。しかし人工知能は身体を内側から生きていないがゆえに、このような把握をすることができない。そこに根源的な問題があるのだとドレイファスは示唆するのである。そしてこれらを可能にするためには、真の意味でのハイデガー型の人工知能を作り出す必要があるというのである。[67]

これに対して、近年、まったく別の角度からこの問題にインパクトを与え始めているのがヨーナスの生物哲学である。ヨーナス自身は二〇世紀末に死去しており、ロボットと人工知能の哲学の新展開に、直接には関与していない。ヨーナスが一九六〇年代当時に念頭に置いていたのは、ウィーナーのサイバネティクスであった。しかしヨーナスの射程は、はるかに遠く今世紀にまで届いたのである。

すでに述べたように、ヨーナスは、原始地球において細胞膜を持った細胞が誕生したときに、そこに「自由」が誕生したと考える。その細胞は、細胞膜をとおして、その外側から内側へと栄養分を取り入れ、そして不要になった微小物質をその内側から外側へと排出する。このような細胞膜を介した微小物質の連続的な出し入れによって、細胞は生命を維持することができるのである。時間が経過すれば、細胞を形づくるところの物質はすべて入れ替わってしまう。しかしながら、細胞という生命体は、物質の入れ替わりよりも高次元において、生命としての同一性を保持し続ける。物質がすべて入れ替わったとしても、細胞の姿と機能は維持され続けるからである。ヨーナスはここに、物質次元からの、生命の解放を見る。生命という形式は、微小物質の入れ替わりという物質次元のできごとからいわば超越した次元で出現しており、この意味で物質次元から解放されているのである。この解放こそが、生命が最初に手にした「自由」であるとヨーナスは考える。

しかし他方において、生命は細胞膜を介した微小物質の入れ替わり・循環によって束縛されている。もし物質循環が止まってしまったなら、それを前提として成立していた生命もまた消滅してしまうだろう。生命はこの意味で物質循環に依存していると言える。ヨーナスは生命が持つこのような自由のことを「依存的自由 bedürftige Freiheit」と呼んでいる。[68] 物質循環が断たれれば生命は終わりである。生命はつねに潜在的なリスクによってその生存を脅かされているのである。生命は、物質循環を絶えず行ないながら自己を存続させることを宿命づけられている。ほんの少しでもその努力を怠れば、死に直面してしまう。生命は、つねに努力して自己存続を図らなければ死んでしまう、はかない存在である。

ヨーナスの考え方に新しい光を投げかけたのは、フランシスコ・ヴァレラである。彼は生物学の領域で「オートポイエーシス（自己創出）」の概念を提唱し、現象学と人工知能研究の領域で「エナクティヴィズム（行為的産出主義）」の概念を提唱した哲学者・生物学者である。オートポイエーシスとは、みずからと外界の境界を内側から自分で創出しつつ生きている生物の本質のことであり、エナクティヴィズムとは、人間はみずからの行為によってみずからにとって有意味な環境を産出しそれを認知している、という人間理解のことである。死後出版となった二〇〇二年の論文「カント以降の生命」（アンドレアス・ウェーバーとの共著）で、ヴァレラらは、いま必要なのは生命現象を外側から観察することではなく、内側から解釈学的に理解しようとすることであるとした。なぜなら、「生命は言葉のもっとも強い意味でつねに主観的」だからである。[69] そして、オートポイエーシスと、ヨーナスの代謝型生命論は、「生命の目的と意義を内側から理解するという生命の解釈学」を探求するという点で軌を一にする。[70] これは、「主観性、指向性、意味」によって特徴づけられる「有機体的現象学 an organic phenomenology」でもある。[71] ヴァレラは言う。細胞膜を持つ有機体は、代謝による「その同一性の維持において、ある基本的な目的を所持している。それは生命の肯定 an affirmation of life である」と。[72] ヨーナスの生物哲学は一九六〇年代の科学によって限界づけられていたが、いまやオートポイエーシスの概念によって、ヨーナスの理論に経験科学的基盤を与えることができるようになったと彼らは宣言するのである。[73]

二〇〇八年に、トム・フレーゼとトム・ツィムカは論文「行為的産出型人工知能―生命と精神のシステム的組織化を探究する」を刊行し、ヨーナスに触発されたヴァレラらの議論をロボットと人工知能の研究に適用した。彼らは人工知能のフレーム問題について、ヨーナスの議論に言及しながら述べる。「外部の観察者の目から見て「目標指向的」ふるまいとして記述できるであろうようなものが存在していたとしても、そこから、研究対象のシステムそれ自体がそれらの目標を持っているという帰結はかならずしも導けない。なぜならそれらの目標は内部から生まれてきた内在的な intrinsic ものというよりも、外部から押しつけられた外在的な extrinsic ものだろうからである」。[74] もし人工知能ロボットがそれ自身の「目標」を持つとしたら、その「目標」は人工知能ロボットの内部から、自発的に spontaneously 生み出されたものでなくてはならない。それができるためには人工知能ロボットはどういった「身体」を持たねばならないか、というのが本来問われるべき問いであると彼らは言う。[75]

ヨーナスの洞察を借りれば、次のことが言えるとフレーゼらは述べる。人工知能と生命体とはどこが違うのだろうか。人工知能は「存在による存在 being by being」である。すなわち、人工知能は行動を行なうことはできるけれども、その行動は必ずしもみずからを存在させるために行なわれるのではない。これに対して、生命体は「行動による存在 being by doing」である。[76] すなわち、生命体が存在するためには、生命体は細胞膜を介して微小物質を出し入れするという自己構成的な行動 self-constituting operations を絶えず行なわなくてはならない。生命体がその行動をやめたとたんに、生命体は死んでしまう。この世から存在しなくなってしまうのである。生命体の存続には行動が必須であるが、人工知能の場合はそうではない。これが生命体と人工知能の決定的な違いであるとフレーゼらは述べる。まさにこの点こそが、ヨーナスが「依存的自由」という概念で言い表わそうとしたことであった。

もちろん、代謝する人工知能を作るのは困難である。しかし人工知能がフレーム問題を解決できない根本的な理由は、人工知能が「行動による存在」という生命体的存在様式を持たない点にあるとフレーゼらは言うのである。たとえば、人工知能のスイッチを切って、その後にまたスイッチを入れたとしても、人工知能はなんの変わりもなく動き続けるだろう。しかしながら、生命体の場合は、いったん死んでしまえば、もう二度と動き始めることはない[77]。この、死んだらそれで終わりという切迫感こそが生命体の存在を特徴づけているものである。そして生命体がこのような切羽詰まった状況のうえではじめて成立するという点に、フレーム問題の解決の糸口があるはずだと彼らは言うのである。

言い換えれば、生命体が「危うく不安定precarious」な条件下で自己を能動的に創出し維持するという点にこそ注目すべきだというのである[78]。マーガレット・ボーデンもまたヨーナスを引きながら細胞代謝の重要性を指摘し、代謝は「コンピュータによって実行することはできない[79]」として、人工知能研究の難問を突破するためには細胞代謝それ自体への着目が必要かもしれないと示唆している。フレーゼらは、さらに次のように述べる。「志向性を持った行為者intentional agencyの生物学的ルーツについてのより良いセオリーを作り上げるためには、まず第一に、バクテリアレベルの知性についてより良く理解することが必要だ。生命の始まりそれ自体に立ちもどることによってのみ、志向性を持った行為者と認知についてのしっかりとしたセオリーを確立するチャンスが巡ってくるのである[80]」。人間の主体的な自由と自律の謎を解くためには、原始地球における細胞の発生の現場にまで立ち戻らなければならないという見通しは、新鮮な驚きをもって私たちに迫ってくる。

ところで、バクテリアレベルにまで戻って知能について探究する試みは、すでに行なわれている。中垣俊之・小林亮らによって研究されてきた粘菌コンピュータはその好例である。粘菌は、迷路上に置かれた二か所の餌を結ぶ最短回路問題を自分で解くことができる。粘菌のこのような生存行動は、粘菌自身による「計算」によってなされたものと考えられている。[81] すなわち、粘菌においては、生存のための行動が内発的かつ自発的に起動し、最適解を求める計算が行なわれ、実際に最適解に沿うように自分自身を変形させるのである。これはすでに生物計算機と呼ばれてしかるべきものであるし、フレーム問題はおそらく解決されているのではないかと思われる。というのも、これらの粘菌にさらに新しい課題を与えて追い詰めたとしたら、彼らはそれに対応するべく戦略を練り直し、新たな最適解へとみずからを変形させていくに違いないからである。未知の環境変化に対して、みずからを変容させて創発的にどこまでも対応していく能力が、粘菌には備わっているように思われる。

小林によれば、昆虫や粘菌においては、身体の自律分散的な制御が行なわれている。すなわち、フレーム問題の解決のためには、中枢神経系に似た中心制御システムを開発するのではなく、むしろ身体全体に自律分散したシステムを開発するほうがよいかもしれない。ここから見えてくるひとつの哲学的問いは、もし生命体の自律分散的な制御によってフレーム問題が解決されるのだとしたら、ドレイファスの言うような世界内存在を基盤とするハイデガー型人工知能が実現しなくても、フレーム問題は解決すると考えてよいのではないかという問いである。フレーム問題はシンボル操作を行なう中枢神経系の問題ではなく、代謝型かつ自律分散的な制御系の問題なのかもしれない。ハイデガー型人工知能を提唱したドレイファスは、身体性を強調しながらも、中枢神経系的な制御システムを前提していたであろうから、ドレイファスの見込みが間違っていた可能性もあり、ヨーナスの発想のほうに軍配が上がるのかもしれない[82]。

そもそも人間は精神的存在である以前に、生物的存在である。人間の大きな特徴である自由で理性的な行動の根源が、人間の精神性にあるのではなく、人間の細胞レベルでの生物性にあるかもしれないという発想の転換が、ヨーナスの生物哲学と二一世紀の人工知能研究の接点から生まれてきたのは刺激的である。私が構想していきたい「生命の哲学」は、この人間の精神的な面と生物的な面の両者をともに視野に入れて、新しい哲学的議論の地平を開くことを目指すものでもある。ただし、その二面はけっして調和的なものとしては働いておらず、人間の精神的な面は生物的な面を理性的にコントロールしようとし、人間の生物的な面は、理性的な面を生物的な欲望によって攪乱し、老いと死によって理性そのものを解体させるに至る。もし人間の自由と理性の基盤がバクテリアの次元にまで引き戻されることになれば、ヨーナスが人間に与えたところの義務を担える存在としての尊厳もまた、人間に限定して付与されるものではなくなるはずだ。そうなった場合、私たちは植物やバクテリアの尊厳なるものを真正面から考察しなくてはならなくなる。ヴァレラ以降の人工知能研究が開いたこの展望を哲学は受け止められるだろうか。だがまた、人間が老いて死んでいくプロセスは、理性と自律を徐々に失って、単なる生物的存在へと降りていくことでもあるが、その生物的存在のあり方にこそ自由と尊厳の萌芽があるとすれば、そこに至ることはかならずしも絶望ではないかもしれない。これは今後の哲学が深く考えるべき論点である。

以上に述べたように、「生命の哲学」は現代の医療や科学にも深く関わるものである。「生命の哲学」がどのくらい広い視野を持っているのかは、現在のところ私にも想像できない。ある面では世界の様々な地域の思想史を掘っていくことになるだろうし、別の面では生命や人生に関する諸概念に対して形而上学的な考察を加えていくことになるだろう。またそれは生命に固有の論理学を開拓していく試みにもなるだろうし、生命や人生を制御する政治哲学とも結びついていくと考えられる。また「生命の哲学」で言うところの「生命」は、人間の人生としての生命でもあるし、生物学的な生命でもあるし、宇宙を生成させていく大いなる生命のプロセスでもある。「生命の哲学」はそれらの領域すべてを守備範囲とするのである。「生命の哲学」の内実は、それを作り上げていく過程において、おのずから明らかになっていくことだろう。

1——エリック・マグヌソンは、私がここで呼んだ「誕生害悪論の存在命題」に当たるものをP1とし、「誕生害悪論の生成命題」に当たるものをP2として、P1からP2は導けないことを彼なりに論証している。ただしマグヌソンはP1からP2への移行を、私がこれから議論するような「存在」から「生成」への移行としては捉えていない。Erik Magnusson (2019), "How to Reject Benatar's Asymmetry Argument", *Bioethics* 33 (6):674-683.

2——中川優一も同趣旨の考察を行なっているが、私とは異なった観点からである。中川優一「ベネター反出生主義は決定的な害を示すことができるか——*The Human Predicament* における死の害の検討——」日本哲学会編『哲学の門：大学院生研究論集』第二号、二〇二〇年、一二〇〜一三三頁。

3——この比較は、第2章の四象限図の、「ある人が存在するとき」の縦の列と、「ある人が存在しないとき」の縦の列を相互に比較することである。もちろんベネターは、他の文脈ではそれ自体としての「善さ」や「悪さ」を語っているところがある。

4――ベネターはこの逆命題、つまり死亡や自殺については、それらがかならずしも善であるとは考えていないことに注意する必要がある。「人が存在するという悪の状態」から「人が存在しないという善の状態」への生成が善であるとは、かならずしも考えていないのである。このことを考慮に入れれば、実はベネターも一般的に「存在命題」から「生成命題」が導出されるとは考えていないことが分かる。ベネターの問題は、死や自殺についてはそれを認めながらも、誕生についてはそれを知ってか知らずか認めていないところにあると言える。

5――その別の要因としては、家族の反応が冷たくなったとか、強盗に狙われるようになったとか、いくらでも想像できる。それらの完全なリストをあらかじめ作成しておくのは不可能であろう。

6――細かい点であるが、この思考実験において「他のすべてが等しければ」という条件（ceteris paribus）を付け加えればこの問題は回避されるという批判があるかもしれない。だがその批判は成立しない。なぜなら、現状よりも所持金が激増することだけが成立してその他の条件はすべて等しい、という状況は想定不可能だからである。もし所持金が激増すれば、増えたお金で買うことのできる物資の量は必然的に増えるわけであり、「他のすべてが等しければ」という条件は崩壊するのである。これに対して、所持金が激増することおよびそれに付随して起きる行動の拡大などについては変化を認めるが、それ以外の他の条件、たとえば物欲などについては変化がないというふうに仮定すればよいという反論があるかもしれない。だが、所持金が激増することは、人間の精神活動のあらゆる面へと波及することが可能であり、またその人の家族への関係性も変わり、家族の心理状態も変わるはずである。こうやって波及の範囲は社会のあらゆるところへと広がっていき、措定条件を破壊する。

7――「わたしは人間たちのところへ下って行こうとするのだが、この人間たちの呼び方によれば、わたしは、おまえと同じように、没落しなくてはならない」（『ツァラトゥストラ　上』一八頁。傍点訳書）。

8――本来は、独在的存在者にまで進めて考察するべきであるが、本文の文脈においては「私」の次元で事足りる。

9――もちろんベネターは「ある人」の存在について語っている。だがベネターにとって、「ある人」の一例として「私」が含まれるのは自明であるから、ベネターは本文のような議論を事実上行なっていると言える。

10――マグヌソンによるベネターの反事実条件法の扱い方の批判が重要である。Erik Magnusson（2019）, pp.676–678.

11――このとき、私が存在していないときの世界や宇宙について考えることと、私が存在していないときの私について考えることとは分ける必要がある。前者については有意味に考えることができるが、後者についてはいくつかの留保が必要になると思われる。この点は後の課題としたい。

12――実際に否定するとは、自殺をすることではないので注意してほしい。

13――以上の議論で「措定」と「想像」の二つを使っているが、前者は命題を立てることであり、後者はある状態をイメージすることである。本文の文脈では、措定するためには想像できることが条件となる。しかし一般的にそうであるかどうかは分からない。厳密な考察は後の仕事としたい。

14――ハンス・ヨーナス『生命の哲学――有機体と自由』細見和之・吉本陵訳、法政大学出版局、二〇〇八年。本書は一九六六年に『生命という現象』という書名で英語で刊行された（Hans Jonas *The Phenomenon of Life: Toward a Philosophical Biology*. Northwestern University Press, 1966）。その後、ドイツ語で書き直され、一九七七年に『有機体と自由』という書名で刊行された。さらに二〇〇五年に『生命という原理』と改題された。邦訳はドイツ語版からの翻訳である（Hans Jonas *Das Prinzip Leben: Ansätze zu einer philosophischen Biologie*. Suhrkamp, 1977, 2005）。

15――ハンス・ヨーナス『責任という原理――科学技術文明のための倫理学の試み』加藤尚武監訳、東信堂、二〇〇〇年（Hans Jonas, *Das Prinzip Verantwortung: Versuch einer Ethik für die technologische Zivilisation*. Suhrkamp, 1979, 2003）、邦訳二二頁、原著三六頁。

16――邦訳二二頁、原著三六頁。

17――邦訳二三頁、原著三六頁。

18――邦訳二三頁、原著三六頁。

19――邦訳二二八頁、原著二四〇頁。訳文は改変した。

20――邦訳二二九頁、原著二四一頁。

21――以上の文章は、本書より後に刊行される鬼頭秀一・福永真弓共編著図書（タイトル未定）に収められる予定の拙論「生命進化と将来世代をつなぐもの――ハンス・ヨーナスの環境哲学から何を学ぶか」（仮題）と重なる部分がある。

22――森岡正博・吉本陵「将来世代を産出する義務はあるか？――生命の哲学の構築に向けて（2）」『人間科学：大阪

府立大学紀要』4、二〇〇九年、五七～一〇六頁。

23——吉本陵「人類の絶滅は道徳に適うか?——デイヴィッド・ベネターの「誕生害悪論」とハンス・ヨーナスの倫理思想」『現代生命哲学研究』第三号、二〇一四年、五〇～六八頁。

24——ベネターをヨーナスと対比させて考えるというプロジェクトは日本独自のものであると戸谷洋志が述べているが、それは正しいであろう（戸谷洋志「ハンス・ヨナスと反出生主義」（『現代思想』二〇一九年一一月号、一七〇～一七八頁）、一七〇頁）。

25——ヨーナスは家族とユダヤ人の仲間たちを絶滅収容所で殺されている。ヨーナスが「人類よ生き延びよ」と強く訴える背景には、この体験があったと想像される。

26——Hans Jonas, "The Burden and Blessing of Mortality", *Hastings Center Report*, vol.22, no.1, 1992, pp.34–40. 次の拙論も参照。森岡正博「生延長（life extension）の哲学と生命倫理学——主要文献の論点整理および検討」『人間科学：大阪府立大学紀要』2、二〇〇七年、六五～九五頁。もっとも本文のような要約には、私からの強い読み込みがあると自覚している。正しい理解のためには、ヨーナスの原論文を読んでほしい。

27——この意味で、「生命の哲学」プロジェクトは私からハンス・ヨーナスに宛てた恋文である。

28——ワインバーグは、子どもを出産するのは女性であることを前提としたうえで、以下の親（parents）と子どもの関係性を議論するときには、あえて親をジェンダー化していない。つまり女親も男親も同等に出産の道徳性に関与するという視座で議論していると考えられる。

29——Rivka Weinberg, *The Risk of a Lifetime: How, When, and Why Procreation May Be Permissible.* Oxford University Press, 2016, pp.6–7.

30——Weinberg (2016), pp.158–167.

31——Weinberg (2016), p.176.「育て、愛し、伸ばしていき」は"raise, love, and nurture"。

32——Weinberg (2016), p.179. 翻訳しにくい英語なので意訳した。正確には原文を参照のこと。

33——厳密には、現代社会ではこれは女性の自由である。妊娠を引き受けるのは女性だからである。子産みについての女性あるいはカップルの決定に対して、周りの人がうるさく口を出してくるという状況がまだ残っている。私はこの状況は変わらなければならないと考える。

34——Seana Valentine Shiffrin（1999）, "Wrongful Life, Procreative Responsibility, and the Significance of Harm", *Legal Theory*, 5（2）:117–148, p.139.

35——Asheel Singh（2018）, "The Hypothetical Consent Objection to Anti-Natalism", *Ethical Theory and Moral Practice* 21, pp.1135–1150.

36——「産みの倫理学」は再生産の倫理、たとえば産む産まないの自由・権利、中絶とパーソン概念、養育とケアなどの実践的な倫理的問題について論じる。「産みの哲学」は、そもそも「産み」とは何をすることなのかを論じる。

37——居永正宏「「産み」の哲学に向けて（1）：先行研究レビューと基本的な論点の素描」（『現代生命哲学研究』第三号、二〇一四年、八八〜一〇八頁）に始まる一連の「産み」についての論文、および森岡正博「「産み」の概念についての哲学的考察―生命の哲学の構築に向けて（6）」（『現代生命哲学研究』第三号、二〇一四年、一〇九〜一三〇頁）。私自身は『生命学に何ができるか――脳死・フェミニズム・優生思想』（勁草書房、二〇〇一年）において、産む産まないの権利・自由に関する日本の女性運動の思想について研究を行なった。「生命の哲学へ！」シリーズにおいても、今後ふたたびその問題に取り組んでいくつもりである。「男性」が、「男性」的視野の限界を自覚しながら、このテーマの研究を深めていくこと自体は行なわれてよいというのが私の考え方である。問題は、それが学界の「男権」的支配のもと、思考空間・言説空間を支配して基準となり、さらにその基準が自然化されて普遍性を装うことである。それに対する即効的解決はないが、未来が闇であるわけでもないのではないか。なお「男性」という立場からの男性セクシュアリティ分析については拙著『決定版　感じない男』（ちくま文庫、二〇〇五年、二〇一三年）で行なった。

38——森崎和江『いのちを産む』弘文堂、一九九四年、など。海外では、Sarah LaChance Adams and Caroline R. Lundquist *Coming to Life: Philosophies of Pregnancy, Childbirth, and Mothering*. Fordham University Press, 2012 に関連論文がある。

39——宮原優「妊娠とは、お腹が大きくなることなのだろうか？――妊娠のフェミニスト現象学」（稲原美苗ほか編『フェミニスト現象学入門――経験から「普通」を問い直す』ナカニシヤ出版、二〇二〇年、一一四〜一三三頁）、一三三頁。

40——なお、この点に関するワインバーグと私の対話がYouTubeで公開されているので、関心のある方は視聴できる。

Rivka Weinberg, "Philosophy of Procreation" (YouTube: Tokyo Philosophy Project 03), 2019. また、現在、インターネットには、出産否定・反出産主義と反出生主義を同一視する意見が少なからずある。私はこの二つは分けて考えたほうがいいと考える。なお、第3節のワインバーグについての文章は、森岡正博「リヴカ・ワインバーグの出産許容性原理について――生命の哲学の構築に向けて(11)」(『現代生命哲学研究』第九号、二〇二〇年、八〇~八八頁)に加筆修正を行なったものである。

41――したがって、以下の文脈では、出産否定は考慮に入れないし、古代インド的な反出生主義も考慮に入れない。

42――もちろん可能世界解釈においても、そのような可能世界に「生まれて〈くる〉」ことそれ自体は遂行不可能であるから、それは反―反出生主義解釈における無の実現の遂行不可能性と同じであるとする反論はあり得る。しかし、可能世界解釈で真に求められているのは、実現された状況(たとえば重い病気や障害がないこと)であり、実現された状況への生成(重い病気や障害がない世界へと生まれてくること)ではないだろうから、やはりこれは生まれる前の無の実現とは異なると私は考えたい。

43――正確には、いまここでひたすら生成し続けているところの経験されている世界と、それに紐づけられている未来と過去の世界を合わせたものである。入不二基義・森岡正博『運命論を哲学する』に収められた、森岡正博「運命と現実についてもういちど考えてみる」(二一八~二三九頁)参照。

44――「生成している可能世界」は可能ではないかという批判があるかもしれないが、それは不可能である。時が流れて事態が変化し続ける可能世界を想像すること、あるいは概念規定することは可能であるが、その世界は実際に生成しているわけではない。実際に生成していないものは生成ではない。想像されたケーキを食べることができないのと同じである。

45――この考え方を拡大すれば、現実世界と可能世界のあいだでは善悪の比較を正しい意味で行なうことができないだけでなく、あらゆる価値の比較も行なえないことになり、さらにはあらゆる事実の比較も行なえないことになる。私はこの路線で考えるのがよいという立場である。ただしこれは、現実世界の内部で起きる複数の個々の出来事について、それらのあいだの善悪や価値を比較できないとするものではない。これらの論点については、今後の著作で深めていく予定である。

46――以上の議論は、森岡正博「運命と現実についてもういちど考えてみる」(入不二基義・森岡正博『運命論を哲学する』二二八〜二三九頁）で詳述した。

47——もし「私が存在していない状態」を一種の可能世界と考えれば、現実世界と可能世界の善悪の比較は不可能だから、「私が存在していない状態」と「私が存在している状態」の善悪の比較もまた不可能であるという結論が、反–反出生主義解釈に加えて、さらにもう一個追加して導かれるかもしれない。ただし、「私が存在していない状態」を可能世界とみなしてよいかどうかについては別途の議論が必要であろう。

48——第5章で述べた「非誕生・優良」の判断である。

49——英語の meaning of life, meaning in life を日本語でどう訳すかは大きな問題である。私は文脈に応じて「人生の意味」「生きる意味」「いのちの意味」などと使い分けているが、それらのニュアンスは異なる。英語の「meaning of life」には宇宙における人間生命の存在意義というニュアンスがあり、「meaning in life」には人生の内部における個々のライフイベントの意味というニュアンスがあるとも言われるが、定まった定義があるわけではない。

50——Thaddeus Metz, *Meaning in Life: An Analytic Study*. Oxford University, 2013. 二〇一五年には、*Journal of Philosophy of Life* にてこの本の特集が組まれ、一四本の批評論文が刊行された。二〇一七年三月には北海道大学を中心とする研究グループがメッツを招聘し、「人生の意味」をめぐる研究会が行なわれた。

51——International Conference on Philosophy and Meaning in Life. 第一回国際会議は二〇一八年に北海道大学で、第二回国際会議は二〇一九年に早稲田大学で開催され、第三回国際会議は二〇二〇年に英国バーミンガム大学を拠点としたオンライン学会の形式で開催された。ちなみにこの一連の国際会議は、この分野における初の公募型国際会議である。これまでのオーガナイジング・コミティー・メンバーは、蔵田伸雄、村山達也、森岡正博、サディアス・メッツ、ユージン・ナガサワである。

52——Masahiro Morioka "A Solipsistic and Affirmation-Based Approach to Meaning in Life", *Journal of Philosophy of Life*, Vol.9, No.1 (2019):82–97.

53——これらは誕生否定の必要条件を列挙したものではない。よく見られる特徴を列挙したものである。

54——私が編集長を務める *Journal of Philosophy of Life* が刊行されたのは二〇一一年である。この学術誌が、英語圏ではほぼ唯一の「生命の哲学」をターゲットとする公募型電子ジャーナルであり、その状況は約一〇年が経過したいまも変わっていない。

55——このシリーズは、筑摩書房から引き続き刊行されることになる。また前節で予告した『誕生肯定の哲学』は別の出版社からいずれ刊行される予定になっている。

56——Hans Jonas（1974, 1980）,“Against the Stream: Comments on the Definition and Redefinition of Death”, in Tom L. Beauchamp and LeRoy Walters（eds.）, *Contemporary Issues in Bioethics*（Second edition）. Wadsworth Publishing（1982）: 288–293.

57——Hans Jonas（1974）, p.291.

58——脳死は、当時は「不可逆的昏睡 irreversible coma」と呼ばれていた。

59——Hans Jonas（1974）, p.292.

60——President's Council on Bioethics, *Controversies in the Determination of Death*. www.bioethics.gov, Washington D.C.（2008）.

61——President's Council on Bioethics（2008）, p.62.

62——以上の文章は、私の博士論文『脳死概念における人格性と尊厳の哲学的研究』（大阪府立大学大学院、二〇一五年、Amazon.co.jp より Kindle にて電子出版）と重なる部分がある。なお、二〇〇八年レポートは脳死説を否定するものではなく、逆に補強するものであることに注意してほしい。自発呼吸は脳幹のはたらきと結びつけられている。脳死でない場合の人間の本質は、自発呼吸と内的意識の存在にあるとしている。このレポートの最大の問題は、自発呼吸の論理的位置づけにある。私の博士論文参照。

63——脳死が人の死かどうかについては、森岡正博『増補決定版　脳死の人——生命学の視点から』（法藏館、二〇〇〇年）および前掲博士論文参照。

64——もちろん脳死状態の場合は、電力を使った人工呼吸器によって呼吸の管理が行なわれている。それによって維持される呼吸は、ちょうど高層ビルの屋上の温室で、電力によって育てられている熱帯植物の生命維持と類比的に捉えられるのかもしれない。

65——マルティン・ハイデガー『存在と時間』高田珠樹訳、作品社、二〇一三年、一二八頁。原著（Max Niemeyer Verlag, 1927, 2006）、八八頁。

66——Hubert L. Dreyfus,（2007）, “Why Heideggerian AI Failed and How Fixing It Would Require Making It More Heideggerian”.（*Philosophical Psychology* 20（2）:247–268）, pp.248, 251.

67——Hubert L. Dreyfus,（2007）, p.253.

68——ヨーナス『生命の哲学』一四八頁、原著一五〇頁。

69——Weber, A. and Varela, F. J.（2002）, "Life After Kant: Natural Purposes and the Autopoietic Foundations of Biological Individuality".（*Phenomenology and the Cognitive Sciences* 1:97–125）, p.118.

70——Weber, A. and Varela, F. J.（2002）, p.116.

71——Weber, A. and Varela, F. J.（2002）, p.119.

72——Weber, A. and Varela, F. J.（2002）, p.117.

73——Weber, A. and Varela, F. J.（2002）, p.120.

74——Tom Froese and Tom Ziemke（2009）, "Enactive artificial intelligence: Investigating the systemic organization of life and mind".（*Artificial Intelligence* 173:466–500）, p.472.

75——Tom Froese and Tom Ziemke（2009）, p.472.

76——Tom Froese and Tom Ziemke（2009）, p.473.

77——Tom Froese and Tom Ziemke（2009）, p.485.

78——Tom Froese and Tom Ziemke（2009）, p.480.

79——Margaret A. Boden（2016）. *AI: Its Nature and Future*. Oxford University Press, pp.144–145.

80——Tom Froese and Tom Ziemke（2009）, p.495. フレーゼらはさらに、人工知能におけるこの問題を解決するためには「細菌—ロボット共生体 microbe-robot 'symbiosis'」の可能性を探らなければならないとする（p.492）。

81——中垣俊之・小林亮「原生生物粘菌による組合せ最適化法——物理現象として見た行動知」（『人工知能学会誌』二六（五）、二〇一一年、四八二—四九三頁）、四八三頁。

82——以上の文章は、拙論「人工知能と現代哲学——ハイデガー・ヨーナス・粘菌」（『哲学』第七〇号、日本哲学会、二〇一九年、五一～六八頁）と重なる部分がある。

あとがき

古代から二十一世紀まで、長い旅をしてきた。「生まれてこないほうが良かった」という思想を、人類がかくも長いあいだ持ち続けてきたのは驚くべきことである。現代哲学において、この問いは「人生の意味の哲学」という領域で議論されている。本書は、「人生の意味の哲学」の最先端に位置するものだ。

と同時に、本書で考察したテーマは、さらに一回り大きい「生命の哲学」というジャンルに属するものでもある。「生命の哲学」はまだその全貌が明らかになっていない。これから長い時間をかけて作り上げていく必要がある。世界を視野に入れて構築していきたいと思っている。

私がこれまで行なってきた思索は、大きく「生命学」と「生命の哲学」に分かれる。「生命学」は、いまここで考えている自分自身をけっして棚上げにせずに考察そのものの内部へと繰り込んでいく知の方法である。「生命の哲学」は、生命をめぐる事象や概念を哲学的に掘り下げていく学問分野である。この二つは密接に関連しており、私のなかでは、ちょうど車の両輪のようにして、互いに補い合いながら成立するものである。その二つの領域で、私は次のような書物を刊行してきた（あるいは刊行する予定である）。

生命学

『完全版　宗教なき時代を生きるために』（法藏館、一九九六年、二〇一九年）
『無痛文明論』（トランスビュー、二〇〇三年）
『決定版　感じない男』（ちくま文庫、二〇〇五年、二〇一三年）

生命の哲学

『まんが　哲学入門』（講談社現代新書、二〇一三年）
『誕生肯定の哲学』（執筆中、出版予定）
『生命の哲学へ！』（その第一部が本書『生まれてこないほうが良かったのか？』筑摩選書、二〇二〇年）

それぞれ三部作となっているが、これはあらかじめそのように構想されていたわけではない。振り返ってみれば、そのような道筋をたどってきたというわけである。このうち『決定版　感じない男』は英訳が刊行され、ウェブで読めるようになった。他の書物についても同様にしていきたい。「生命学」と「生命の哲学」を響き合わせることによって、今後の哲学に新たな領野を切り開いていきたいと考えている。当面は、『生命の哲学へ！』第二部と『誕生肯定の哲学』の執筆に全力を傾けることになるだろう。

本書の刊行にあたっては、多くの方々のお世話になった。とりわけ、本書を原稿の段階で読んで貴重なコメントを寄せてくださった、梅田孝太、眞鍋智裕、飛田康裕、中川優一、の各氏に心から感謝したい。もちろん、本書に誤りや不適切な記述があった場合、それはすべて森岡の文責に帰すべきものであることは言うまでもない。また編集を担当してくださった石島裕之氏に深く感謝します。『ちくま』に連載を始めてから、とても長い時間がかかってしまいました。これでようやく完成です。

二〇二〇年八月三日

森岡正博

＊本書は、日本学術振興会科学研究費基盤研究C（20K00042）、基盤研究A（17H00828）、基盤研究B（20H01175）の研究成果である。

森岡正博　もりおか・まさひろ

一九五八年、高知県生まれ。東京大学大学院人文科学研究科博士課程単位取得退学。大阪府立大学にて、博士（人間科学）。東京大学、国際日本文化研究センター、大阪府立大学現代システム科学域を経て、現在、早稲田大学人間科学部教授。哲学、倫理学、生命学を中心に、学術書からエッセイまで幅広い執筆活動を行う。著書に『生命学に何ができるか』（勁草書房）、『増補決定版　脳死の人』『完全版　宗教なき時代を生きるために』（以上、法藏館）、『無痛文明論』（トランスビュー）、『決定版　感じない男』（ちくま文庫）、『草食系男子の恋愛学』（MF文庫ダ・ヴィンチ）、『33個めの石　傷ついた現代のための哲学』（角川文庫）、『まんが　哲学入門』（講談社現代新書）などがある。

筑摩選書 0197

生まれてこないほうが良かったのか？
——生命の哲学へ！

二〇二〇年一〇月一五日　初版第一刷発行
二〇二四年一〇月　五　日　初版第八刷発行

著　者　森岡正博

発行者　増田健史

発行所　株式会社筑摩書房
東京都台東区蔵前二-五-三　郵便番号　一一一-八七五五
電話番号　〇三-五六八七-二六〇一（代表）

装幀者　神田昇和

印刷　製本　中央精版印刷株式会社

ISBN978-4-480-01715-4　C0310

筑摩選書
0122

大乗経典の誕生
仏伝の再解釈でよみがえるブッダ

平岡 聡

ブッダ入滅の数百年後に生まれた大乗経典はどんな発想で作られ如何にして権威をもったのか。「仏伝」をキーワードに探り、仏教史上の一大転機を鮮やかに描く。

筑摩選書
0123

フロイト入門

中山 元

無意識という概念と精神分析という方法を発見して「わたし」を新たな問いに変えたフロイトは、巨大な思想的革命をもたらした。その生成と展開を解き明かす。

筑摩選書
0124

メソポタミアとインダスのあいだ
知られざる海洋の古代文明

後藤 健

メソポタミアとインダス両文明は農耕で栄えた。だが両文明誕生の陰には、知られざる海洋文明の存在があった。物流と技術力で繁栄した「交易文明」の正体に迫る。

筑摩選書
0125

「日本型学校主義」を超えて
「教育改革」を問い直す

戸田忠雄

18歳からの選挙権、いじめ問題、学力低下など激変する教育環境にどう対応すべきか。これまでの「改革」の功罪を検証し、現場からの処方箋を提案する。

筑摩選書
0126

刑罰はどのように決まるか
市民感覚との乖離、不公平の原因

森 炎

市民感覚を取り入れた裁判員判決と職業裁判官の判断の溝はなぜ生じるか。日本の量刑には知られざるルールがある。歪んだ刑罰システムの真相に、元裁判官が迫る！

筑摩選書
0127

分断社会を終わらせる
「だれもが受益者」という財政戦略

井手英策　古市将人
宮崎雅人

所得・世代・性別・地域間の対立が激化し、分断化が進む現代日本。なぜか？　どうすればいいのか？　「救済」から「必要」へと政治理念の変革を訴える希望の書。

筑摩選書
0128

貨幣の条件
タカラガイの文明史

上田 信

あるモノが貨幣たりうる条件とは何なのか。それを考えるのに恰好の対象がある。タカラガイだ。時と場を経巡りながらその文明史的意味を追究した渾身の一冊。

筑摩選書
0129

中華帝国のジレンマ
礼的思想と法的秩序

冨谷 至

中国人はなぜ無法で無礼に見えるのか。彼らにとって法や礼儀とは何なのか。古代から近代にいたる過程で中華思想が抱えた葛藤を読み解き、中国人の心性の謎に迫る。

筑摩選書
0130

これからのマルクス経済学入門

松尾 匡
橋本貴彦

マルクスは資本主義経済をどう捉えていたのか？　マルクス経済学の基礎的概念を検討し、「投下労働価値」がその可能性の中心にあることを明確にした画期的な書！

筑摩選書
0131

「文藝春秋」の戦争
戦前期リベラリズムの帰趨

鈴木貞美

なぜ菊池寛がつくった『文藝春秋』は大東亜戦争を牽引したのか。小林秀雄らリベラリストの思想変遷を辿り、どんな思いで戦争推進に加担したのかを内在的に問う。

筑摩選書
0152

陸軍中野学校
「秘密工作員」養成機関の実像

山本武利

日本初のインテリジェンス専門機関を記した公文書が新たに発見された。謀略研究の第一人者が当時の秘密戦工作の全貌に迫り史的意義を検証する、研究書決定版。

筑摩選書
0153

貧困の戦後史
貧困の「かたち」はどう変わったのか

岩田正美

敗戦直後の戦災孤児や浮浪者、経済成長下のスラムや寄せ場、消費社会の中のホームレスやシングルマザーなど、貧困の「かたち」の変容を浮かび上がらせた労作！

筑摩選書
0154

1968〔1〕文化

四方田犬彦 編著

1968～72年の5年間、映画、演劇、音楽、写真、舞踏、流行、図像、雑誌の領域で生じていた現象を前景化し、歴史的記憶として差し出す。写真資料満載。

筑摩選書
0155

1968〔2〕文学

四方田犬彦／福間健二 編

三島由紀夫、鈴木いづみ、土方巽、澁澤龍彦……。文化の〈異端者〉たちが遺した詩、小説、評論などを収録。反時代的な思想と美学を深く味わうアンソロジー。

筑摩選書
0156

1968〔3〕漫画

四方田犬彦／中条省平 編

実験的であること、前衛的であること、アンダーグラウンドであること。それが漫画の基準だった――。第3巻では、時代の〈異端者〉たちが遺した漫画群を収録。

筑摩選書 0157

童謡の百年

なぜ「心のふるさと」になったのか

井手口彰典

心にしみる曲と歌詞。兎を追った山、小川の岸のすみれやれんげ。まぶたに浮かぶ日本の原風景。童謡誕生百年。そのイメージはどう変化し、受容されてきたのか。

筑摩選書 0158

雇用は契約

雰囲気に負けない働き方

玄田有史

会社任せでOKという時代は終わった。自分の身を守るには、「雇用は契約」という原点を踏まえる必要がある。悔いなき職業人生を送る上でもヒントに満ちた一冊！

筑摩選書 0159

流出した日本美術の至宝

なぜ国宝級の作品が海を渡ったのか

中野 明

明治維新の混乱のなか起きた日本美術の海外への大量流出。外国人蒐集家と日本人の間で起きた美術品を巡る知られざるドラマを明らかにし、美術流出の是非を問う。

筑摩選書 0160

教養主義のリハビリテーション

大澤 聡

知の下方修正と歴史感覚の希薄化が進む今、教養のバージョンアップには何が必要か。気鋭の批評家が鷲田清一、竹内洋、吉見俊哉の諸氏と、来るべき教養を探る！

筑摩選書 0161

終わらない「失われた20年」

嗤う日本の「ナショナリズム」・その後

北田暁大

ネトウヨ的世界観・政治が猛威をふるう現代日本。アイロニーに嵌り込む左派知識人。隘路を突破するには何が必要か？ リベラル再起動のための視角を提示する！

筑摩選書 0132

イスラームの論理

中田 考

神や預言者とは何か。スンナ派とシーア派はどこが違うか。ハラール認証、偶像崇拝の否定、カリフ制、原理主義……。イスラームの第一人者が、深奥を解説する。

筑摩選書 0133

憲法9条とわれらが日本

未来世代へ手渡す

大澤真幸 編著

憲法九条を徹底して考え、戦後日本を鋭く問う。社会学者の編著者が、強靭な思索者たる井上達夫、加藤典洋、中島岳志の諸氏とともに、「これから」を提言する！

筑摩選書 0134

戦略的思考の虚妄

なぜ従属国家から抜け出せないのか

東谷 暁

戦略論がいくら売れようと、戦略的思考は身につかず、政府の外交力も向上していない。その理由を示し、戦略論の基本を説く。真の実力を養うための必読の書！

筑摩選書 0135

ドキュメント　北方領土問題の内幕

クレムリン・東京・ワシントン

若宮啓文

外交は武器なき戦いである。米ソの暗闘と国内での権力闘争を背景に、日本の国連加盟と抑留者の帰国を実現した日ソ交渉の全貌を、新資料を駆使して描く。

筑摩選書 0136

独仏「原発」二つの選択

篠田航一
宮川裕章

福島の原発事故以降、世界の原発政策は揺れている。激しい対立と軋轢、直面するジレンマ。国民の選択が極端に分かれたEUの隣国、ドイツとフランスの最新ルポ。

筑摩選書 0137

〈業〉とは何か
行為と道徳の仏教思想史

平岡 聡

仏教における「業思想」は、倫理思想であり行為の哲学でもある。初期仏教から大乗仏教まで、様々に変遷してきたこの思想の歴史と論理をスリリングに読み解く！

筑摩選書 0138

ローティ
連帯と自己超克の思想

冨田恭彦

プラグマティズムの最重要な哲学者リチャード・ローティ。彼の思想を哲学史の中で明快に一から読み解き、後半生の政治的発言にまで繋げて見せる決定版。

筑摩選書 0139

宣教師ザビエルと被差別民

沖浦和光

ザビエルの日本およびアジア各地での布教活動の跡をたどりながら、キリシタン渡来が被差別民にもたらしたものが何だったのかを解明する。

筑摩選書 0140

ソ連という実験
国家が管理する民主主義は可能か

松戸清裕

一党制でありながら、政権は民意を無視して政治を行うことはできなかった。国民との対話や社会との協働を模索しながらも失敗を繰り返したソ連の姿を描く。

筑摩選書 0141

「働く青年」と教養の戦後史
「人生雑誌」と読者のゆくえ

福間良明

経済的な理由で進学を断念し、仕事に就いた若者たち。知的世界への憧れと反発。孤独な彼ら彼女らを支え、結びつけた昭和の「人生雑誌」。その盛衰を描き出す！

筑摩選書 0142

徹底検証　日本の右傾化

塚田穂高 編著

日本会議、ヘイトスピーチ、改憲、草の根保守、「慰安婦報道」……。現代日本の「右傾化」を、ジャーナリストから研究者まで第一級の著者が多角的に検証！

筑摩選書 0143

アナキスト民俗学
尊皇の官僚・柳田国男

絓 秀実
木藤亮太

国民的知識人、柳田国男。その思想の底流にはクロポトキンのアナーキズムが流れ込んでいた！　尊皇の官僚にして民俗学の創始者・柳田国男の思想を徹底検証する！

筑摩選書 0144

アガサ・クリスティーの大英帝国
名作ミステリと「観光」の時代

東 秀紀

「ミステリの女王」アガサ・クリスティーはまた「観光の女王」でもあった。その生涯を「ミステリ」と「観光」を軸に追いながら大英帝国の二十世紀を描き出す。

筑摩選書 0145

楽しい縮小社会
「小さな日本」でいいじゃないか

森 まゆみ
松久 寛

少子化、先進国のマイナス成長、大変だ、タイヘンだ……？　持たない生活を実践してきた作家と、技術開発にしのぎを削ってきた研究者の意外な意見の一致とは！

筑摩選書 0146

帝国軍人の弁明
エリート軍人の自伝・回想録を読む

保阪正康

昭和陸軍の軍人たちは何を考え、どう行動し、それを後世にどう書き残したか。当事者自身の筆による自伝・回想・証言を、多面的に検証しながら読み解く試み。

筑摩選書
0147

日本語と道徳
本心・正直・誠実・智恵はいつ生まれたか

西田知己

かつて「正直者」は善人ではなかった⁉　「誠実」な人もいなければ、「本心」を隠す人もいなかった⁉　日本語の変遷を通して、日本的道徳観の本質を探る。

筑摩選書
0148

新・風景論
哲学的考察

清水真木

なぜ「美しい風景」にスマホのレンズを向けるのか？　風景を眺めるとは何をすることなのか？　西洋精神史をたどり、本当の意味における風景の経験をひらく。

筑摩選書
0149

文明としての徳川日本
一六〇三―一八五三年

芳賀　徹

「徳川の平和」はどのような文化的達成を成し遂げたのか。琳派から本草学、蕪村、芭蕉を経て白石や玄白、源内、崋山まで、比較文化史の第一人者が縦横に物語る。

筑摩選書
0150

憲法と世論
戦後日本人は憲法とどう向き合ってきたのか

境家史郎

憲法に対し日本人は、いかなる態度を取ってきただろうか。世論調査を徹底分析することで通説を覆し、憲法観の変遷を鮮明に浮かび上がらせた、比類なき労作！

筑摩選書
0151

神と革命
ロシア革命の知られざる真実

下斗米伸夫

ロシア革命が成就する上で、異端の宗派が大きな役割を果たしていた！　無神論を国是とするソ連時代の封印を解き、革命のダイナミズムを初めて明らかにする。

筑摩選書
0069

数学の想像力
正しさの深層に何があるのか

加藤文元

緻密で美しい論理を求めた哲学者、数学者たちは、真理の深淵を覗き見てしまった。彼らを戦慄させた正しさのパラドクスとは。数学の人間らしさとその可能性に迫る。

筑摩選書
0070

社会心理学講義
〈閉ざされた社会〉と〈開かれた社会〉

小坂井敏晶

社会心理学とはどのような学問なのか。本書では、社会を支える「同一性と変化」の原理を軸にこの学の発想と意義を伝える。人間理解への示唆に満ちた渾身の講義。

筑摩選書
0082

江戸の朱子学

土田健次郎

江戸時代において朱子学が果たした機能とは何だったのか。この学の骨格から近代化の問題まで、思想界に与えたインパクトを再検討し、従来的イメージを刷新する。

筑摩選書
0087

自由か、さもなくば幸福か？
二一世紀の〈あり得べき社会〉を問う

大屋雄裕

二〇世紀の苦闘と幻滅を経て、私たちの社会はどこへ向かおうとしているのか？　一九世紀以降の「統制のモード」の変容を追い、可能な未来像を描出した衝撃作！

筑摩選書
0093

キリストの顔
イメージ人類学序説

水野千依

見てはならないとされる神の肖像は、なぜ、いかにして描かれえたか。キリストの顔をめぐるイメージの地層を掘り起こし、「聖なるもの」が生み出される過程に迫る。

筑摩選書
0095

境界の現象学
始原の海から流体の存在論へ

河野哲也

境界とは何を隔て、われわれに何を強いるのか。皮膚・家・国家――幾層もの境界を徹底的に問い直し、3・11後の世界の新しいつながり方を提示する、哲学の挑戦。

筑摩選書
0098

日本の思想とは何か
現存の倫理学

佐藤正英

日本に伝承されてきた言葉に根差した理知により、今・ここに現存している己れのよりよい究極の生のための地平を拓く。該博な知に裏打ちされた、著者渾身の論考。

筑摩選書
0102

ノイマン・ゲーデル・チューリング

高橋昌一郎

20世紀最高の知性と呼ばれた天才たち。同時代を生きた三人はいかに関わり、何を成し遂げ、今日の世界に何を遺したか。彼ら自身の言葉からその思想の本質に迫る。

筑摩選書
0104

映画とは何か
フランス映画思想史

三浦哲哉

映画を見て感動するわれわれのまなざしとは何なのか。本書はフランス映画における〈自動性の美学〉にその答えを求める。映画の力を再発見させる画期的思想史。

筑摩選書
0106

現象学という思考
〈自明なもの〉の知へ

田口茂

日常における〈自明なもの〉を精査し、我々の経験の構造を浮き彫りにする営為――現象学。その尽きせぬ魅力と射程を粘り強い思考とともに伝える新しい入門書。

筑摩選書
0023

天皇陵古墳への招待

森 浩一

いまだ発掘が許されない天皇陵古墳。本書では、天皇陵古墳をめぐる考古学の歩みを振り返りつつ、古墳の地理的位置・形状、文献資料を駆使し総合的に考察する。

筑摩選書
0025

芭蕉 最後の一句
生命の流れに還る

魚住孝至

清滝や波に散り込む青松葉――この辞世の句に、どのような思いが籠められているのか。不易流行から軽みへ、境涯深まる最晩年に焦点を当て、芭蕉の実像を追う。

筑摩選書
0031

日本の伏流
時評に歴史と文化を刻む

伊東光晴

通貨危機、政権交代、大震災・原発事故を経ても、日本は変わらない。現在の閉塞状況は、いつ、いかにして始まったのか。変動著しい時代の深層を経済学の泰斗が斬る！

筑摩選書
0034

反原発の思想史
冷戦からフクシマへ

絓 秀実

中ソ論争から「68年」やエコロジー、サブカルチャーを経てフクシマへ。複雑に交差する反核運動や「原子力の平和利用」などの論点から、3・11が顕在化させた現代史を描く。

筑摩選書
0035

生老病死の図像学
仏教説話画を読む

加須屋誠

仏教の教理を絵で伝える説話画をイコノロジーの手法で読み解くと、中世日本人の死生観が浮かび上がる。生活史・民俗史をも視野に入れた日本美術史の画期的論考。

筑摩選書
0038

救いとは何か

森岡正博
山折哲雄

この時代の生と死について、救いについて、人間の幸福について、信仰をもつ宗教学者と、宗教をもたない哲学者が鋭く言葉を交わした、比類なき思考の記録。